HEMINGWAY
ou
la vie jusqu'à l'excès

BIBLIOGRAPHIE

Patrick Poivre d'Arvor a signé une soixantaine d'ouvrages. Il en a consacré un grand nombre à l'exploration des figures mythiques de son panthéon onirique. Sous forme romanesque, il vient de publier chez France Loisirs *Le Crépuscule des héros* (une trilogie qui regroupe *Un héros de passage*, *L'Irrésolu* – prix Interallié – et *Une trahison amoureuse*).

Il a raconté la vie de La Fayette dans *J'ai aimé une reine* (Fayard), celle de Lord Byron dans *La Mort de Don Juan* (Albin Michel) et, avec Olivier Poivre d'Arvor, celle de Lawrence d'Arabie dans *Disparaître* (Gallimard).

Toujours avec son frère, il a écrit une dizaine de grandes biographies de marins, d'écrivains et d'aventuriers pour les éditions Mengès : *Courriers de nuit*, *Coureurs des mers*, *Pirates et corsaires*, *Chasseurs de trésors et autres flibustiers*, *Solitaires de l'extrême*, *Jusqu'au bout de leurs rêves*, *La Légende de Mermoz et de Saint-Exupéry*, *Rêveurs des mers*, *Le Monde selon Jules Verne* et *Lawrence d'Arabie, la quête du désert*.

Il a une première fois évoqué la vie d'Ernest Hemingway dans *Horizons lointains* (Éditions du Toucan), consacré au destin d'une vingtaine d'écrivains voyageurs.

Patrick Poivre d'Arvor

HEMINGWAY
ou
la vie jusqu'à l'excès

ARTHAUD

© Flammarion, Paris, 2011
87, quai Panhard-et-Levassor
75647 Paris Cedex 13

ISBN : 978-2-0812-4497-9

À Patrick Bourrat,
qui partageait avec moi le goût de l'aventure
et cette passion pour Hemingway.

Avertissement

Une cartouche de calibre douze pèse de 40 à 50 grammes avec une charge de plomb de 30 à 35 grammes. Elle peut sans mal arrêter net, à une quarantaine de mètres, un sanglier lancé à fond de train. Deux cartouches pèsent donc environ 100 grammes. Mises à feu simultanément à partir d'un fusil Boss à canon double et à monodétente, dont la bouche jumelle a été préalablement appuyée sur le front, la crosse calée sur le sol, elles peuvent décapiter un homme.

Le 2 juillet 1961 vers 7 h 30 du matin, à Ketchum, dans l'Idaho, Ernest Miller Hemingway, prix Nobel de littérature, chasseur, pêcheur, boxeur, hâbleur, génial, paranoïaque, marié quatre fois, divorcé à trois reprises, exécute ces différents gestes avec détermination, exactement comme tout ce qu'il a entrepris durant une existence mouvementée.

Il appuie sur la détente comme il le faisait sur les touches du clavier de sa machine à écrire, et met ainsi, à 61 ans, un point final à son existence, de la même façon qu'il achèverait un roman.

Celui de sa vie.

1

LA CHUTE

(juillet 1960-juin 1961)

> « Une génération passe, une autre lui succède,
> mais la terre demeure ferme pour jamais.
> Le soleil se lève aussi, et il se couche,
> et il retourne d'où il était parti. »

L'Ecclésiaste, cité par Hemingway

Un homme va mourir. Un géant.

Depuis un an, sa vie part en lambeaux. Hemingway, qui a perdu tous ses repères, voit ses sens s'éteindre, l'un après l'autre, comme l'éclairage d'un théâtre qui diminue progressivement – coulisses, rampe, salle –, pour céder la place à l'obscurité après la séance. Et Dieu sait qu'il en a donné, des représentations !

Tout va mal. Inexorablement mal. Le corps se délite. La mémoire s'effiloche dans la misère, telle une bibliothèque qu'une main indigne viderait, étagère par étagère. Les souvenirs tombent comme autant de livres dans la poussière et s'y mêlent. Il donne de lui un triste spectacle, depuis son départ de Cuba en juillet 1960, son crève-cœur.

La déchirure se situe là, justement : quand il doit quitter la Finca Vigia, son paradis terrestre. Pas pour toujours,

Hemingway ou la vie jusqu'à l'excès

espère-t-il alors. Après tout, il s'entend bien avec Fidel Castro tout juste arrivé au pouvoir... Mais il vient de descendre une marche supplémentaire vers le vide, le néant ou le Tout. Une grande marche.

Jusque-là libre parmi ses souvenirs, ses chats, ses trophées, ses livres, ses projets, il éprouve soudain l'impression étouffante d'un encerclement impossible à briser. Il s'éloigne de Cuba, envahi par une sourde inquiétude qui sape la moindre poussée d'illusion, la tête vide, avec trente-deux caisses de bagages, le brillant résumé d'une existence unique. Lucide, malgré sa confiance en Castro, il ne se voile pas la face : l'affaire lui échappe complètement. Il ne s'agit pas d'un différend qui se règle dans l'arène, entre hommes d'honneur. Cette fois, des États, des puissances pèsent dans la balance. Et Fidel Castro, après avoir tenté de jouer la carte américaine et d'obtenir – en vain – l'appui de Washington, tombe dans les bras de l'ennemi rouge, l'Union soviétique. Généralement critique à l'égard de l'Amérique, de son intolérance, de son puritanisme, comme il l'a été vis-à-vis de la prohibition, comble de l'hypocrisie à ses yeux, Hemingway pourrait accabler de reproches les politiciens américains qui n'ont pas su ou voulu écouter le *Líder Máximo*. Or il adopte une attitude inverse, sans doute parce qu'il prend la mesure de la menace qui pourrait maintenant peser sur son pays à cause du retournement de Castro. Au moment du départ, il prononce ces mots qui, d'une certaine façon, lui interdiront un éventuel retour : « Je suis avant tout américain, et on humilie mon pays. »[1]

Ce sera donc un adieu.

Il ne peut pas vraiment s'imaginer renoncer à ce qui constituait la trame de son bonheur tranquille, ce qu'il décrit lui-même : « la fraîcheur des matins sans nuages, quand Blackdog – un de ses chiens préférés, mort depuis – est le seul éveillé, et les premiers chants des coqs de combat. Il y a les oiseaux – des oiseaux vraiment merveilleux –, les uns sédentaires, les autres migrateurs. La caille qui boit dans la piscine avant le lever du soleil, et les lézards qui chassent dans les arbres et dans les vignes qui grimpent le long de la maison. »[2]

Le départ est un arrachement. Il enclenche un mécanisme plus terrible encore.

Pour qui l'a approché dans son havre de la Finca Vigia, dans sa tournée des bars ou à l'occasion d'une sortie en mer au cours des derniers mois, le diagnostic est clair : on le prive de sa raison de vivre.

Le journaliste Kenneth Tynan ignorait, en cette année 1960, en accompagnant Hemingway au Floridita, son restaurant favori, qu'il allait être l'un des derniers témoins de ce pan d'une existence prête à s'écrouler.

Dès son entrée, il embrasse tout le monde – car il connaît tout le monde. Le personnel, souriant, s'empresse autour de lui pendant qu'il congratule les pêcheurs au gros et salue les artistes locaux. Il prend position au bar et boit debout, sous l'œil narquois d'un buste de bronze posé sur un coin du bar et qui le montre lui, le grand Hemingway, le menton relevé en signe de défi, prêt au martyre. Tout ici porte son empreinte, jusqu'au regard des habitués, pas tous des enfants de chœur, mais conformes aux héros simples de ses livres, qui l'ont adopté pour de bon. Bien sûr, il avale une quantité phénoménale de doubles daiquiris rebaptisés « Pappa Doble » en son honneur, qu'il parvient à descendre en un temps record. Mais « Papa » respire ici, et un regain d'énergie le pousse parfois à s'essayer à la boxe avec un employé noir des plus costauds. Il se débrouille encore très bien, et son partenaire, tout en esquivant des *jabs* bien placés, lui demande invariablement en riant : « Quand vous déciderez-vous à vieillir ? »

Vieillir ? Surtout pas ! Si Hemingway s'efforce d'employer des mots vrais, il refuse celui-là. Il recherche une jouvence, en tout cas l'apaisement, ce que Cuba lui garantissait.

C'est là, au Floridita, que s'était joué furtivement un match au sommet : une rencontre entre Hemingway et Tennessee Williams, le feu et l'eau, deux extrêmes de la littérature américaine, l'extraverti et l'introverti, l'homme d'action et le peintre des sentiments. Contre toute attente, hélas, le miracle ne se produit pas, malgré la bonne volonté évidente des deux géants.

Tennessee le sentimental tente une ouverture amicale en révélant à Papa son attrait pour la corrida et son affection pour Antonio Ordóñez, le matador. Hemingway reste bouche bée. Ordóñez ? Il s'agit de son héros. « Vous l'aimez ? ! » lui demande-t-il, comme s'il l'avait mal entendu. « Oui, je crois que l'on peut dire ça », répond l'auteur d'*Un tramway nommé Désir*. Rassuré, Tennessee Williams s'enhardit à prendre des nouvelles de Pauline Pfeiffer, l'ex-Mrs Hemingway, la deuxième épouse du grand homme. Il l'a connue à Key West, puis perdue de vue. Hemingway considère un instant son vis-à-vis, le visage impénétrable, avant de lâcher : « Elle est morte comme tout un chacun. Après quoi elle a cessé d'être en vie. »[3]

Fin de la conversation.

Deux monstres sacrés de la littérature se tournèrent le dos. Ils ne se revirent jamais. Williams ne fit pas de commentaire, même s'il s'étonna de la voix étrangement nasillarde et lointaine de son interlocuteur, que l'on n'imaginait pas chez un homme possédant un tel coffre. Pouvait-il savoir qu'« Hemmy » s'était blessé les cordes vocales pendant sa jeunesse ? Qu'il n'y avait là rien à voir avec la rumeur d'une émasculation lors de la Première Guerre mondiale ?

Lui qui recherchait de préférence le regard de ses interlocuteurs, « passage vers l'âme », sembla n'avoir pas remarqué un détail qui avait frappé Robert Emmett Ginna, un journaliste d'*Esquire*, lors d'une visite à Cuba en mai 1958 : des yeux d'un brun pâle, des yeux vieillis par le temps et le vent et, peut-être, « par ce qu'ils avaient vu »[4]. Tout simplement.

2

LE SOLEIL SE LÈVE...

(26 juin-1er juillet 1961)

> « La mort de tout homme me diminue
> car je suis partie intégrante de l'humanité.
> Aussi, ne me demande jamais
> pour qui sonne le glas.
> Il sonne pour toi. »
>
> John Donne, cité par Hemingway

Le 26 juin 1961, dans la voiture de location qui le reconduit à Ketchum avec sa quatrième femme, Mary, Hemingway rumine en silence, sans rien montrer de son tourment intérieur. Les médecins ont estimé son état général satisfaisant et l'ont laissé sortir.

Un mot tourne dans sa tête. Vieillir ! Catastrophe !

Vieillir, se délabrer, se disloquer... Pas question !

Grâce à George Brown, un ami de New York, qui est au volant, le couple arrive à Ketchum le 30. Dès le lendemain matin, le toujours fidèle Brown accompagne l'écrivain à la Mollie Scott Clinic de Sun Valley, pour faire un bilan avec le docteur George Saviers. Le jeune fils du docteur Saviers est hospitalisé pour une maladie virale du cœur, à laquelle il succombera en 1967. Il attendrit Hemingway, qui lui a écrit d'hôpital en hôpital. Pour lui, il évoque des paysages magnifiques, des nuits merveilleuses. Il lui parle du haut Mississippi, où abondent faisans et canards à l'automne, « mais pas autant que dans l'Idaho »[1]. En fait, c'est au petit Ernest qu'il écrit, car la nostalgie de son enfance dans les grands espaces le submerge au crépuscule de sa vie.

Le samedi 1er juillet, Mary, Ernest et George Brown dînent au Christiana, une restaurant de Ketchum, avant de rentrer et de se coucher tôt. L'histoire publique d'Ernest Miller Hemingway s'arrête là.

Ses différentes tentatives de suicide laissent imaginer qu'Ernest ne supporte pas l'idée de l'avenir. Il désire maintenant se fondre dans le silence « de ceux qui ont fini de se passer de tout ». Il veut surtout mettre un terme à ce cirque, à ce spectacle pathétique qu'il donne désormais, à sa décrépitude.

Avant d'effectuer le grand saut, il a formulé quelques dernières volontés. « Je préférerais que l'on analyse mon œuvre plutôt que les infractions de mon existence. » Après cet avertissement lancé aux biographes, il s'est fait plus précis : « Je veux être connu comme écrivain, dit-il sans emphase, et non comme un homme qui est allé à plusieurs guerres ; et pas plus que comme boxeur de bar ; et pas plus que comme tireur ; pas plus que comme turfiste ; pas plus que comme buveur. »[2]

Il veut être perçu comme l'écrivain qui aura écrit au moins une seule phrase vraie, avec les mots les plus sincères. Or il est déjà perçu ainsi, notamment par Mauriac, pour qui Hemingway parle le langage de « la grande liberté » avec les mots qu'il faut et l'émotion juste nécessaire. Cette quête littéraire perpétuelle, qui se nourrit sans cesse d'aventures fortes, implique nombre de renoncements, et condamne l'écrivain à une forme de solitude avant de « faire front à l'éternité ou à l'absence d'éternité ».

En tout cas, il se refuse à devenir la caricature pitoyable de lui-même.

Où est-il, le beau garçon vigoureux de dix-huit ans, ce semi-sauvage plein d'assurance qui cultivait sa terre dans le Michigan du Nord, pêchait en seigneur des truites grosses comme le bras et courait dans la nature tel un des Indiens dont il était l'ami ? Cinquante ans plus tard, qui le reconnaîtrait en ce vieillard malade et fragile, presque craintif ?

Il ne saurait nier avoir été le seul responsable de ses excès. Il ne s'en lamente pas. Peut-être regrette-t-il aussi cette image déformée qu'il donnait de sa vie pour sacrifier à sa publicité. Empêtré dans les honneurs, Hemingway n'était plus lui-même. Edmund Wilson, critique littéraire dans les années 1930, avait percé à jour « Hemingway-le-photogénique, au bronzage de sportif et au sourire respirant la santé d'une vie de plein air, montrant une ressemblance frappante avec Clark Gable. Il est certainement le personnage le plus mal conçu que l'on puisse trouver dans l'œuvre de l'auteur. »[3]

Hemingway en était arrivé à haïr sa notoriété, et avec elle son apogée : le Nobel. « Ce prix est une putain qui peut vous séduire et vous coller une maladie incurable. Il fut un temps où moi aussi je l'ai su, mais maintenant, cette putain que l'on appelle "Renommée", je l'ai eu, et elle m'a eu, et tu sais qui c'est ? La petite sœur de la mort ! »[4]

La mort justement, entre toutes ses compagnes, fut celle qu'il courtisa le plus, qu'il aimait narguer. Elle lui semblait incarner la vérité suprême, que l'on veut approcher au plus près sans toutefois chercher à l'étreindre. À se frotter ainsi au danger, Hemingway pouvait ensuite écrire la vie. Il savait de quoi il parlait.

Un jour, devant Ava Gardner de passage à la Finca Vigia, il avait mis son cœur à nu, simplement, révélant en une phrase le sens de son existence : « Je passe un temps formidable à tuer des animaux et des poissons afin de ne pas me tuer moi-même. Quand un homme est en révolte contre la mort, il prend plaisir à s'emparer d'un des attributs des dieux, le pouvoir de la donner. »[5]

Hemingway refuse donc la vieillesse, « cette mort qui bouge » selon Paul Morand, et qui pour Camus vous fait passer de la passion à la compassion.

Il aime trop la vie ; la tristesse et la désillusion n'en sont que plus cruelles. L'or des petits matins se métamorphose en boue. La bise fraîche qui achevait de le réveiller d'une nuit enfumée, arrosée et peut-être coquine, se fait désormais courant d'air glacial.

Non et non !

Il rejette la perspective effrayante d'un avenir limité à un mur gris, après avoir si souvent joui de l'horizon rose des levers de soleil. Voici venu l'instant redouté où l'existence perd son sel et dépose un homme fatigué, diminué, sur le seuil du grand départ. Qui attend. Sursaut d'orgueil, crise de lucidité, acte de désespoir, qu'importe ! Hemingway décide de franchir la porte de l'inconnu, de sa propre autorité. Il veut écrire le mot de la fin, avoir le dernier mot. Tout lui échappe, et il veut échapper à tout.

Voici l'heure.

Le soleil se lève. Ernie aussi. Sans bruit. Comme un chat.

Ce 2 juillet 1961[6], Ernest Miller Hemingway sait qu'il aborde un jour unique parce qu'il n'en verra pas l'achèvement.

Vers sept heures et quart, il enfile une robe de chambre sur son pyjama et se glisse furtivement hors de sa chambre. Prenant garde à ne pas faire de bruit et, surtout, à ne pas réveiller Mary qui dort dans une chambre à l'avant de leur maison, il se dirige sans hésiter vers l'escalier qui mène au sous-sol. Il a pris le trousseau de clés que sa femme a mal caché. Il réussit à ne pas les faire tinter et s'avance vers l'armoire où il range ses armes. Il choisit une clé, l'introduit dans la serrure, la fait tourner doucement, puis, l'oreille toujours aux aguets, il écarte les battants pour décrocher sur le râtelier un fusil de calibre douze. Il referme doucement l'armoire, remonte à pas mesurés vers le rez-de-chaussée et s'arrête dans le vestibule.

Ce sera là.

Les gestes s'enchaînent, précis, calmes. Il glisse deux cartouches dans la chambre, redresse le fusil, cale la crosse sur le sol, se penche jusqu'à appuyer la double bouche ronde contre son front. D'une main il maintient l'arme, fermement, l'autre se coule le long du canon, le contourne, reconnaît la détente.

Une simple pression suffira…

Il l'exerce résolument et met un point final à sa vie, l'esprit déjà ailleurs.

3

QUATRE MARIAGES
ET UN ENTERREMENT

(2 juillet 1961)

> « J'ai compris pour la première fois
> comment des hommes peuvent se suicider
> simplement parce que dans les Affaires
> s'entassent devant eux trop de choses
> qu'ils ne peuvent pas régler. »
>
> Ernest Hemingway

Il est 7 h 30.

Mary, qui s'est levée il y a quelques instants pour boire un verre d'eau, a entendu Ernest se déplacer, sans y prêter vraiment attention. Le vacarme du fusil l'a fait sursauter, même si elle ne l'associe pas d'emblée à un coup de feu. Elle croit – ou veut croire – qu'il s'agit de deux volets violemment rabattus. Elle sent que...

À son tour, elle sort de sa chambre, éprouve alors une sensation intense de solitude dans la grande bâtisse maintenant rendue au silence. Le cœur battant, elle entre dans le hall. Elle arrive dans le vestibule. Elle voit. Et elle ne saisit pas, sur l'instant, le spectacle terrifiant qui s'offre à elle. Elle redoutait ce geste et ne peut pourtant pas se résoudre à y croire. Elle refuse de se figurer ceci : son mari vient de se donner la mort. Ce ne peut être qu'un accident. Comment pourrait-elle admettre, anesthésiée par la violence de la scène, que ce corps sans vie et presque sans tête appartient à Ernest ? L'absence de visage empêche l'identification formelle. Hemingway n'est déjà plus là, et Mary se refuse à croire à sa mort.

Plusieurs mois s'écouleront avant qu'elle puisse réaliser ce qui vient d'arriver. Sur le moment, elle n'aura pas eu conscience de mentir, et surtout à elle-même, malgré toutes ces alertes.

Comme un automate, elle sort de la maison et se précipite vers le pavillon des invités où réside George Brown, l'ami fidèle. Le shérif ne tarde pas ; les circonstances de la mort autant que la personnalité du défunt embarrassent fort les autorités.

L'idée qu'il ait pu se suicider choque, sans doute parce qu'Hemingway, ces derniers temps, revenait souvent sur sa religion, le catholicisme. En ces temps-là, il y a un demi-siècle, on pensait qu'un bon chrétien ne pouvait mettre fin à ses jours sans être exclu des sacrements. Or Mary tient à ce que son époux en bénéficie : après tant de souffrances, il mérite la miséricorde. Elle parlera donc d'un accident alors qu'il nettoyait son fusil. La thèse paraît peu crédible : les enquêteurs ne trouvent pas de matériel adéquat sur la scène.

Deux cartouches ont bien été tirées, simultanément – d'où les deux détonations rapprochées. Mais il semble étrange qu'un homme en pyjama décide de nettoyer son arme à l'aube, un dimanche matin, et sans équipement[1].

Le premier rapport officiel, qui porte la signature du coroner Ray McGoldrick et du shérif Don Hewitt, résume laconiquement : « Ernest Hemingway a succombé ce matin à environ 7 h 30, à son domicile de Ketchum, d'une blessure provoquée par un coup de fusil. Sa femme pense qu'il s'agit d'un accident survenu pendant qu'il nettoyait son fusil. »

Comment interpréter le fait que le certificat de décès d'Hemingway signale une blessure auto-infligée à la tête ? demandent les journalistes. Est-ce un suicide ou une mort accidentelle ? « Je n'étais pas là, je ne sais pas », se contente de répondre McGoldrick, peu loquace, qui poursuit : « Peut-être ne saurons-nous jamais la vérité. Personne n'y a assisté. La famille souhaite que l'on ne s'étende pas là-dessus, et je suis d'accord avec elle. L'épouse estime que c'était un accident. »

Curieusement, les autorités enterrent l'affaire avant d'entendre officiellement Mary Hemingway, interrogée le lendemain du drame. C'est une femme très secouée, il est vrai, qui, par l'intermédiaire d'un proche, avance la thèse de l'accident. Aucune autopsie n'est pratiquée, et Hemingway est inhumé au cimetière de Ketchum le 5 juillet, à la suite d'une cérémonie religieuse abrégée. Y assistent néanmoins son fils Patrick, revenu d'Afrique, et l'un de ses plus vieux amis, Bill Horne, dit Horney. À la demande de Mary, un prêtre catholique récite une prière sur la tombe, et ce verset de l'Ecclésiaste qui avait toujours bouleversé l'écrivain : « Une génération passe, une autre lui succède, mais la terre demeure ferme pour jamais. »

Hemingway, comme son père avant lui, ne laisse aucune explication à son adieu.

Le coroner va faire semblant de rechercher des évidences qui sautent pourtant aux yeux de chacun, et qu'il ne veut pas voir... La thèse de l'accident arrange tout le monde. L'enquête démontrera cependant qu'un malaise existentiel rongeait l'écrivain, et qu'une insupportable torture morale l'emportait sur la déchéance physique. Le mal-être s'accentuait de jour en jour. Hemingway n'était plus rien d'autre qu'une forteresse minée, prête à s'effondrer. L'énumération des maux enfonçait chaque fois un clou dans un cercueil qu'il avait patiemment contribué à fabriquer : diabète, cirrhose, hypertension, pannes sexuelles – conséquences de ses excès —, vue qui baisse, mémoire qui défaille, et une dépression nerveuse dans laquelle il sombrait, entraîné à grande vitesse dans l'abîme par la paranoïa.

Celle-ci avait pris une tournure aiguë. Ainsi quand il avait dîné pour la dernière fois avec Mary et son ami Hotchner au Christiana, Ernest avait remarqué deux hommes au comptoir. L'air soudain anxieux, il avait affirmé qu'il s'agissait d'agents du FBI. Il fallait partir immédiatement. Il s'agissait en fait de représentants de commerce... Sans doute un déguisement des hommes qu'Hemingway pensait à ses trousses ?[2]

Paranoïa ? Ultime posture d'un mystificateur ? Cinquante ans après sa mort, ses mystères demeurent, mais la relecture de sa vie fascinante peut aider à dissiper quelques ombres de la vie d'un homme qui a tant aimé la lumière.

4

L'ENFANCE D'UN CHEF

(1899-1911)

« Voyez son ascendance et vous verrez l'homme.
Sa chance est là. Ou son malheur. »

Gustave Flaubert

Tout Américain amené à se pencher sur son arbre généalogique constate qu'il plonge ses racines dans la bonne vieille terre européenne autant que dans le sol de l'Amérique.

Des papiers de famille, mais surtout les récits de sa mère, ont depuis longtemps fixé Ernest Hemingway sur ses origines. Il lui suffit d'écouter Grace, qui ne jure que par son père, Ernest Hall, un Britannique né à Sheffield en 1840 et dont le père, Charles, prend en 1854 la décision d'émigrer aux États-Unis. C'est un changement de vie radical pour toute la famille, car Charles décide de devenir fermier. Ce retour à la terre dans l'Iowa, à Dyersville, n'est pas au goût d'Ernest... En Europe, sa route était toute tracée : brillantes études, puis une carrière dans une profession libérale. Or le voici qui garde le bétail ! Le garçon ronge son frein, donne le change à ses parents. Et finit par fuguer.

Pendant plusieurs années, il va vivre tel un vagabond. Il sert quelque temps comme caporal durant la guerre de Sécession, mais sa carrière militaire s'arrête à peine commencée, alors qu'il est blessé par balle, dans des conditions qui demeurent obscures. Retour à Dyersville.

C'est alors qu'il rencontre Caroline Hancock, une jeune Anglaise comme lui. En 1865, il l'épouse, et le jeune couple s'installe à Chicago. Grace naît sept ans plus tard. Cette petite fille délicate cache un tempérament bien trempé. Mais son enfance est marquée par la maladie.

Adolescente, Grace se révèle une excellente musicienne, au point d'imaginer devenir cantatrice. Vocation avortée par la terrible annonce du cancer qui touche sa mère. Il ne lui reste sans doute que quelques mois à vivre, et la jeune fille doit renoncer à ses beaux espoirs, aux paillettes, à la scène, à la perspective d'une vie à New York, pour être au chevet de la malade et lui prodiguer des soins.

Que de déceptions, déjà, dans la vie du grand-père, puis de la mère d'Ernest Hemingway ! Que de destins et de vocations avortées, soumises à la prosaïque réalité, alors que chacun rêvait de succès et de grandeur…

C'est pourtant à cette époque que Grace va rencontrer son futur mari, Clarence Hemingway, alors étudiant en médecine, et qui accompagne le médecin de famille dans ses visites. Signe de la providence, il habite la même rue que les Hall, North Oak Park Avenue. Petit à petit, Clarence prend ses habitudes auprès de miss Hall, et les jeunes gens commencent à se fréquenter. Malheureusement, Caroline Hall, qui meurt le 5 septembre 1895, ne verra pas sa chère fille revêtir sa parure de mariée.

La cérémonie se déroule le 1er octobre 1896, après le retour de Grace, partie quelques mois tenter sa chance à New York. À vingt-trois ans, elle n'avait pas tout à fait renoncé à l'opéra, mais des raisons de santé auront cette fois raison de ses espoirs.

Elle regagne donc Oak Park pleine d'une terrible frustration, que sa vie de famille n'atténuera jamais complètement.

Grace n'est pas faite pour tenir une maison, et elle ne s'en cache pas. Elle aura certes six enfants, mais se fera aider par de nombreuses nurses pour s'en occuper, et continuera à donner des cours de chants après son mariage. Une rare preuve d'indépendance à l'époque : dans les premiers temps, elle gagne davantage que son jeune médecin de mari. Pour le moment toutefois, la naissance d'une petite fille prénommée Marcelline – et surnommée *Ivory* – vient en apparence cimenter son union avec Clarence. Puis, dix-huit mois plus tard, le 21 juillet 1899, Grace accouche d'un beau garçon de cinq kilos. On donne au bébé le nom de son grand-père maternel : Ernest. Plus tard, on l'appellera « Ernie », « Hem », « Hemmy »...

Il semble que, pendant l'enfance, Ernest et Grace partagent une tendresse infinie. Trop, peut-être. Le petit garçon tient de sa mère une imagination déjà débridée, mais aussi un fort tempérament. Grace chérit son fils et va même jusqu'à l'habiller en fille. Ainsi, « si Hemingway a été accusé de mythifier sa propre vie, de se réinventer, tout a commencé avec Grace, une tout aussi grande affabulatrice qu'Hemingway lui-même »[1]. Ernest se laisse faire, ce qui ne l'empêche pas de s'affirmer parfois brutalement !

La famille s'agrandit avec deux nouvelles filles, Ursula et Madelaine – respectivement surnommées « Ura » et « Sunny », de trois et cinq ans plus jeunes qu'Ernest.

Grace va, jusqu'aux dix-huit ans de son fils, consigner au jour le jour tous les événements qui émaillent son quotidien[2]. On y apprend notamment que le petit Ernest, quand il a fait une bêtise, n'hésite pas à se punir lui-même... Sans doute ne s'agit-il là que de détails, mais qui dessinent l'embryon d'une personnalité en train de se forger, déjà pleine de contradictions et d'ambiguïtés. Ainsi prétend-il ne pas avoir peur du noir comme tous les autres enfants. Il déclare d'ailleurs n'avoir « peur de rien ». Fanfaron, le jeune Hemingway ?... Pour l'heure, sa mère raconte pourtant que son petit aime se réfugier dans son giron.

Chaque année, les Hemingway prennent leurs quartiers d'été dans le Michigan, au bord d'un lac. Ils y ont un chalet, baptisé Windemere, en hommage à Walter Scott[3]. Cette existence en pleine nature est idyllique pour Clarence, passionné de faune et de flore (il a d'ailleurs créé un club « Agassiz », voué à l'observation de la nature pour les jeunes). Il lui arrive régulièrement d'acheter une volée de canetons qu'il remet en liberté sur le lac, pour la plus grande joie des enfants[4]. Cet homme pieux, dont le frère est médecin missionnaire en Chine, se trouve ici en parfaite adéquation avec le message des Écritures.

À un bémol près toutefois : bien qu'il ait en horreur la violence, il ne se prive pas de contrevenir aux réglementations et chasse sans retenue, comme si toutes les richesses de la nature étaient mises ainsi par Dieu, dans sa prodigalité, à la disposition de l'homme. Il va progressivement transmettre cette passion, ainsi que celle de la pêche, à Ernest, qui y restera attaché toute sa vie. L'enfant vit ici comme un petit Indien ou un pionnier. L'ambiance est joyeuse, et chacun de ses anniversaires donne lieu à une fête, avec un pique-nique en guise de déjeuner, et un canard pour le dîner[5]. L'année est ainsi scindée en deux : Oak Park d'un côté, rigide et sévère, Windemere de l'autre, où l'enfant exerce sa liberté et parcourt son – petit – vaste monde.

Mais dès son enfance, Hemingway va être victime de nombreux accidents, et se blesser parfois suffisamment grièvement pour en garder toute sa vie des traces. C'est ainsi qu'une grave plaie à la gorge explique sans doute les maux dont il souffrira, voire le timbre aigu de sa voix, qui lui vaudra quelques railleries, et par voie de conséquence quelques belles bagarres. Lors de cet accident, où il se plante une baguette de bois dans la gorge – il courait un bâton entre les dents –, il aurait pu mourir.

Exposition au danger, toujours suivie d'une pirouette, comme pour éprouver et prouver son courage. « Même pas mal ! »

En 1905, la belle histoire est ébranlée soudainement : Ernest le patriarche décède. Cette disparition bouleverse irrémédiablement l'équilibre de la famille, qui vivait jusque-là sous son autorité. Prières le matin, bénédicité au dîner, lecture des *Renforts quotidiens pour les besoins quotidiens* : Abba – ainsi se faisait-il appeler – rythmait la vie de la maisonnée, et son absence se fait cruellement sentir. À partir de la mort de son père, Grace ne sera plus jamais la même.

Très vite, elle investit son héritage dans des projets immobiliers. Elle achète ainsi une propriété, Longfield Farm, de l'autre côté du lac – il suffira de le traverser pour gagner le chalet –, et se met en tête de rénover complètement sa maison de North Oak Park, avant de la vendre et de construire une nouvelle demeure de quinze pièces, dotée de tout le confort moderne. Le cabinet de Clarence y trouvera sa place au rez-de-chaussée, accolé à une petite bibliothèque qui sert de salle d'attente et dont les rayonnages sont garnis de toutes les grandes œuvres classiques.

De la maison familiale, Grace ne garde presque rien. Elle fait le vide et en aurait profité, au passage, pour sacrifier dans une belle flambée les bocaux que Clarence gardait précieusement dans son bureau, et que le petit Ernest venait admirer : grenouilles conservées dans du formol, animaux inquiétants, et même un fœtus humain... Dans une nouvelle intitulée *Maintenant je me couche*, il évoquera cet épisode traumatisant, la mère dépouillant ainsi le père de sa magie et de ses trésors. Il lui en voudra à vie. Pourtant, certains remettront finalement en cause la véracité de l'histoire, et y verront l'empreinte mystificatrice de l'écrivain, désireux de laisser à la postérité un portrait pour le moins noirci de sa mère[6].

Nouvelle adresse – 600 Kenilworth Avenue –, nouvelle vie ?

Le 15 février 1906, Ernest échappe enfin, mais un peu seulement, à l'emprise de Grace. Ce jour-là, en effet, elle glisse dans une enveloppe une mèche de ses cheveux et note avec une certaine résignation dans son journal : « Il ne pourra plus jamais avoir les cheveux longs, car il a six ans et demi, et il est à l'école. » Puis elle ajoute : « Mon cher garçon, un "vrai" garçon. »[7] Il était temps de lui donner une coupe de garçon, une allure de garçon. Selon les habitudes de cette époque victorienne, les petits mâles recevaient leurs vêtements masculins à deux ou trois ans ; Ernest fut la poupée de sa mère quelques années supplémentaires, et il dut conserver son short jusqu'à quinze ans, tandis que ses camarades enfilaient déjà des pantalons.

Faut-il voir dans cette féminisation de l'enfant, qui va jusqu'à un travestissement tardif en petite fille, l'une des raisons de sa volonté ultérieure d'affirmer farouchement sa virilité, jusqu'à en devenir machiste ? Tout au long de sa vie, Hemmy détestera avoir à justifier sa sexualité ; il repoussera avec force et colère toute allusion à une éventuelle homosexualité. Tout en contribuant lui-même à semer le doute, surtout dans *L'Adieu aux armes*, inspiré de sa guerre en Italie, et dans lequel le héros – lui, en l'occurrence –, est impuissant parce qu'émasculé.

Est-ce parce que la mère d'Ernest aurait aimé donner naissance à des jumeaux qu'elle s'arrange pour que Marcelline et lui commencent leur scolarité au même moment ? Au début de septembre 1906, Ernest entre ainsi à l'Oliver Wendell Holmes School de Oak Park, pas très loin de chez lui, en compagnie de sa sœur. De dix-huit mois son aînée et plus douée que lui, Marcelline maintient son jeune frère dans l'ombre. Une rivalité qui n'arrange en rien la timidité du garçon. Son passage à l'école ne laisse donc pas un souvenir impérissable...

Pour l'heure, Ernest lit, avec frénésie. Il ne part jamais en vacances à Windemere sans avoir fait de solides provisions de lecture. Et avoue un goût particulier pour Mark Twain, le héros de son père, parce qu'il retrouve dans ses romans l'atmosphère

de ses beaux étés dans le Michigan. Il s'inspire de son vocabulaire et se montre sensible à son humour très singulier.

Alors que leurs enfants grandissent, Grace comme Clarence ont à cœur de participer à leur instruction. La mère
s'attache à leur transmettre son amour de la musique, en les
initiant au chant et en les emmenant au concert, pendant
que le père les accompagne au musée, et se charge aussi de
leur enseigner la valeur de l'argent. Chaque enfant reçoit un
peu d'argent de poche, dont le montant est fixé proportion-
nellement à son âge, et se doit de consigner chacune de ses
dépenses dans un livre qu'il montre une fois par semaine
à Clarence[8].

Ce dernier, par bien des aspects, est encore un père « à
l'ancienne », qui ne supportera pas, quelques années plus
tard, que ses enfants fument ou boivent de l'alcool. Il se
préoccupe beaucoup de leur éducation morale, et n'hésite
pas à se montrer sévère. Il est aussi extrêmement attaché à
leur transmettre sa foi. Il écrit ainsi à Ernest pour ses huit
ans : « Ton papa t'aime et prie Dieu de t'accorder de nombreuses années pour Le louer et aider tes parents, tes sœurs
et ceux qui t'entourent, profiter de la vie et toujours faire
quelque chose pour aider les autres. »[9]

5

Premières revanches

(1911-1917)

> « Nous naissons avec tout notre avoir
> et nous ne changeons jamais.
> Nous n'acquérons jamais rien de nouveau.
> Nous sommes complets dès le début. »
>
> Ernest Hemingway

Baignés de l'atmosphère encore puritaine de l'époque, les Hemingway ne se différencient guère des autres résidents aisés d'Oak Park. Ils jouissent d'une réputation de famille modèle, et participent activement à la vie sociale et culturelle de cette ville huppée qui tente d'échapper à l'attraction de Chicago, et surtout de préserver sa tranquille prospérité. Clarence aurait bien emmené sa famille découvrir d'autres horizons, mais Grace aura toujours le dernier mot, et ils ne déménageront jamais. Aussi, après avoir suivi une spécialisation en obstétrique, Clarence caresse-t-il l'ambition d'accéder au poste de chef de service du nouvel hôpital d'Oak Park. Grace, elle, se démultiplie entre ses activités artistiques locales, les associations et son goût de la politique. Toutes ses obligations ne l'empêchent pas de donner naissance à deux nouveaux enfants : une quatrième fille, Carol, le

19 juillet 1911, et Leicester, le 1er avril 1915. La famille compte donc désormais six enfants, et pourrait être la vitrine du bonheur américain, de la réussite américaine. Il en va pourtant tout autrement.

Ernest Hemingway comparera la relation entre ses parents à celle d'« un coyote avec un caniche blanc » ! À l'en croire, ils n'ont rien en commun. Il n'a pas quarante ans quand il dresse ce réquisitoire cruel. Il trouve son père trop sentimental. Il lui reproche de se contenter de se positionner en martyr, sans réaliser que « les injustices dont un homme souffre sous son propre toit ne sont qu'une preuve de sa faiblesse »[1]. Que saurait donc faire un tel homme en la circonstance, sinon « se débarrasser de cette femme [...] qui n'est qu'un flagrant composé d'égoïsme total et de sensiblerie hystérique » ? La fouetter ? « Mais ça ne servirait probablement à rien. » Ernest Hemingway parle ici de sa mère et de son père...

En 1913, avec Marcelline, il amorce ses études à la Oak Park High School, un établissement qu'il fréquentera pendant trois ans. L'un comme l'autre sont inscrits au cours préparatoire d'entrée à l'université. Seule différence dans leur choix, celui de la deuxième langue : l'espagnol pour Marcelline, et le latin pour Ernest. Hemingway aura pourtant davantage l'occasion de parler espagnol que latin dans sa vie...

Les débuts d'Ernest à la High School ne sont pas mémorables, bien que ses notes soient régulièrement au-dessus de la moyenne, avec même de forts bons résultats en anglais. Mais il se cherche, tâtonne, et continue de rester dans l'ombre de sa sœur, déjà jeune femme quand lui est toujours condamné à porter ses culottes courtes.

Avec le retour de l'été, l'année 1914, qui sera pour le monde l'une des plus sanglantes de l'Histoire, marque un tournant radical pour Ernest. À quinze ans, il lui tarde de partir pour le Michigan. Le programme prévu est de taille : il s'agit de réaliser un vaste potager à Longfield Farm. Pas de quoi effrayer Clarence et son fils, qui aiment profondément chaque année ces retours à la nature.

Clarence réalise les premières plantations, mais se retrouve rapidement rappelé par ses obligations professionnelles. Il laisse finalement à Ernest – qui n'en est pas peu fier – la responsabilité de s'occuper du reste. L'adolescent se sent très en forme depuis que sa croissance s'est accélérée, le faisant bondir d'un mètre soixante (en mai 1914) à un mètre quatre-vingts (en septembre) ! Il ne s'agit pas d'une évolution, mais bien d'une révolution, d'une métamorphose. Il prend également du poids : pas moins de quinze kilos en six mois. Bref, il devient un homme.

Évidemment, Ernest prend à mesure de l'assurance et combat sa timidité grâce aux exercices physiques que lui impose l'exploitation de la parcelle de Longfield Farm, où il vit sous une tente. Il change, et ne s'en laisse plus compter. Là, il commence à s'assumer.

En septembre, ses camarades reconnaissent à peine en ce grand gaillard bronzé et vêtu comme un adulte le gamin timide qu'ils avaient quitté quelques mois auparavant. Le bruit de sa mort par noyade courait d'ailleurs, et d'aucuns crurent que le nouvel Hemingway était le fantôme de l'ancien. Le « revenant » se sent parfaitement bien dans sa peau, grand parmi les grands, à un défaut près : sa myopie, découverte alors qu'il était en classe de cinquième, persiste, et il ne fait rien pour la corriger.

Le papillon sorti de sa chrysalide est curieux de tout, enthousiaste, plein d'énergie et intelligent. Il paraît heureux. Mais paraît seulement. Il cherche trop à attirer l'attention, à devenir le centre de tout, pour ne pas être motivé par un puissant besoin de reconnaissance. Qu'y a-t-il de vrai dans les aventures qu'il raconte à tous, dans ses mystérieuses histoires en compagnie de ses amis indiens ? Au fond, il éprouve comme chaque adolescent le besoin de s'inventer un imaginaire, ou d'enjoliver son existence. Mais chez Hemingway, ce trait de caractère est plus marqué que chez d'autres et, surtout, va se révéler durable.

C'est dans le sport qu'il trouve alors un remède à son insatiable volonté d'affirmation. En natation, Ernest se distingue. Il pose aussi sa candidature pour intégrer l'équipe de football américain de l'école, persuadé de trouver dans cette activité un moyen efficace d'affirmer sa virilité naissante. Or le succès est ici plus mitigé. La plupart du temps, en dépit de sa volonté de bien faire, il reste assis sur le banc des remplaçants.

Mais Ernest est déjà doté d'un tempérament plus que persévérant. Il s'accroche et, un an plus tard, après un rude apprentissage des mêlées, il occupe le poste de centre dans son équipe, presque toujours victorieuse pendant cette saison. Hemingway adore ce sport rugueux où les adversaires peuvent se brutaliser à tour de rôle, dans une sorte d'équilibre qui, selon lui, amène à « une certaine tolérance »[2]. Il faut savoir se montrer beau joueur, ce qui n'est pas toujours le cas d'Ernie.

Améliorer sa forme physique et s'endurcir devient une obsession pour celui qui sent aussi croître une libido jusquelà frémissante. Ernest tombe alors par hasard sur une annonce dans un journal de Chicago, et s'inscrit, avec la complicité de son père, à des cours de boxe. Voilà le sport qui symbolise Hemingway – avec la tauromachie, qui viendra plus tard. Car on parle pour l'un comme pour l'autre d'« art », et non de sport. Et dans les deux cas, c'est l'art d'un combat pur, avec son seul corps, au risque de sa vie.

Grâce à sa technique, qui s'améliore à force d'entraînement, Ernest dispose désormais d'un moyen bien réel de s'imposer face à ceux qui ne le prenaient jusque-là pas au sérieux…

Premières revanches

Il est temps désormais pour le jeune homme âgé de dix-huit ans de voir au-delà de ses gants et d'envisager son avenir. Pourquoi pas le journalisme ?

6

DANS LE VIF DU SUJET

(1917)

> « L'écriture d'un roman doit tuer le romancier.
> S'il en reste quoi que ce soit,
> c'est qu'il n'a pas assez travaillé. »

Ernest Hemingway

La presse, le métier de reporter, eh oui pourquoi pas ?

Ernest s'est inscrit au cours de journalisme lors de son avant-dernière année à la High School et a collaboré à la rédaction d'un magazine « pour de vrai », même si ce n'est que l'hebdomadaire de l'école. C'est à cette époque qu'il adopte l'un de ses surnoms : « Hemingstein », après avoir tenté « Wemedge », « Taty » et « Stein ». Plus tard, il allait adopter le célèbre « Papa »... Tout, semble-t-il, sauf Ernest !

Il rédige trois histoires courtes à l'intention du magazine littéraire de l'école, dont une s'intitule « Le jugement de Manitou », et traite de l'amitié bafouée et de la mort – un thème qui va le hanter et que l'on retrouvera dans ses romans comme dans le récit de sa vie. Le jeune homme s'essaie aussi au théâtre... Mais ce domaine ne lui réussira guère !

Dès cette époque, Ernest devient le correspondant exigeant de sa propre vie. Il se plaira toujours à dire qu'il rédige son courrier tôt le matin, pour échauffer sa plume. Puis il se met au travail à proprement parler, et prend soin de compter le nombre de mots qu'il a écrits chaque jour. Il révèle ainsi une forme de rigueur, voire de manie, que l'on ne soupçonne pas forcément chez le personnage. On préfère voir en lui le boxeur ou le bel esprit que le tâcheron. N'en est-il pas souvent ainsi ? N'est-il pas plus séduisant de croire que les grandes œuvres naissent par magie, sans effort, sans des années passées à faire ses gammes, chez des personnages pittoresques, héros romanesques de leur propre vie d'aventures ? Ernest va justement, petit à petit, se prendre lui-même à son propre jeu.

En juin 1917, le jour de la remise des diplômes, toute la famille est venue le fêter avec Marcelline. C'est comme chaque événement de cette sorte l'heure d'un bilan. Un arrêt sur image. Et quatre ans après son entrée à la Oak Park High School, bien des changements sont intervenus chez Ernest. Le petit garçon s'est métamorphosé en un jeune homme élégant. Du maladroit timide est né un séducteur plein d'assurance, prêt à lancer un défi au monde. Il a d'ailleurs sa petite idée là-dessus...

Mais pour le moment, il souhaite profiter de son dernier été de totale insouciance... Il s'adonne à ses passions de toujours et s'immerge en pleine nature. Ce sont quelques semaines charnières. Il reviendra, et souvent, à la solitude de cette forêt, mais laisse là l'enfant qu'il n'est plus. Ernest vit pratiquement tout l'été en solitaire. Il fait toutefois une rencontre marquante, celle de Bill et Kate Smith, qu'il avait déjà croisés pendant les vacances dans son enfance. Bill, qui a alors vingt et un ans, n'est pas un garçon que l'on remarque. Mais Kate !... Ses yeux sont d'un vert que l'on dirait fluorescent. Et surtout, cette fille est sûre d'elle. Ernest est envoûté, mais leurs relations resteront platoniques. Entre les Smith et lui, c'est bien une amitié qui se noue alors. Au-delà de quelques vicissitudes, elle sera l'une des plus marquantes de la vie d'Hemingway.

Le 15 octobre 1917 pourtant, une page se tourne : tandis que Marcelline commence ses études au conservatoire de l'Oberlin College, Ernest renonce définitivement à l'université et part pour Kansas City. Son père l'accompagne à la gare de La Salle Street. Les deux hommes ont du mal à cacher leur émotion. La maison va désormais sembler bien vide à Clarence... De son côté, Ernest, en proie à des sentiments contradictoires, est surtout terriblement excité. Il roule vers une autre vie. Au-delà de Kansas City, il veut découvrir le monde et devenir reporter.

7

ERNIE REPORTER

(1917-1918)

> « La seule écriture valable,
> c'est celle que l'on invente...
> C'est ça qui rend les choses réelles. »
>
> Ernest Hemingway

Depuis sa fondation en 1880, le *Kansas City Star* est à la fois une institution et un vivier : pas moins de huit prix Pulitzer ont été attribués à ses journalistes depuis sa création. Et il prospère, à la mesure de Kansas City, une ville qui vibre au rythme de l'industrie automobile. Aimer les grands espaces du Michigan n'empêche pas Hemingway d'apprécier cette modernité et ce rythme effréné propre aux grandes villes. Il ne peut qu'être enthousiaste : c'est ici qu'il doit commencer sa nouvelle vie.

Son oncle Tyler, grâce à qui il a décroché une place à la rédaction du journal, vient le chercher à la gare et l'accueille chez lui, dans une belle et grande maison, avant qu'il n'emménage dans une pension de famille où logent d'autres journalistes. Dès le lendemain de son arrivée, Ernest doit se présenter au journal. Il n'est pour l'instant question que d'une période d'essai d'un mois. Pour cela, il percevra quinze dollars par semaine. Il brûle de commencer.

C'est comme un jeune premier qu'il pénètre dans l'immense salle de rédaction, bourdonnante comme une ruche. Il est accueilli par le rédacteur en chef adjoint, Wellington, un vieux routier de la presse, un pragmatique qui a horreur des effets de manche et des envolées lyriques. Il exige du concret et lui demande d'assimiler les cent dix préceptes du *Star*, dont les plus importants se résument ainsi : « Faites des phrases courtes. Faites des introductions courtes. Employez un anglais vigoureux. Soyez affirmatif et non pas négatif. » La leçon portera. Et pas seulement dans ses articles.

Il n'a les premiers jours qu'un poste d'observation ; il répond au téléphone, prend la température... Cela lui suffit d'ailleurs pour se faire une opinion très positive : « Ça m'a l'air d'un rudement bon journal ! »[1] écrit-il à ses parents. C'est l'atmosphère qui le séduit d'abord. Et jour après jour, Hemmy assimile le B.A.-BA du métier. Il prend de l'assurance, des initiatives, tente des avancées dans des lieux improbables et dans les quartiers interlopes. On sait qu'il aime fouiner du côté des abattoirs, des dépôts de la gare. Il fréquente aussi les établissements douteux, il noue des relations dans les endroits les moins recommandables. Il y côtoie une population à laquelle ni les forêts du Michigan ni Oak Park ne l'avaient habitué. Prostituées, dealers, drogués, escrocs à la petite semaine, vrais bandits... Un échantillon, lui semble-t-il, de tous les vices qui prospèrent alors que les autorités semblent faire preuve d'un laxisme suspect.

Face à cette faune, on sent bien que, chez lui, la fascination prend le pas sur la répulsion : il se serait vanté de maîtriser l'argot homosexuel, il adore les rumeurs, il semble parfois se complaire dans cette observation d'entomologiste, au jeu de ce gigantesque théâtre humain. Sans doute saisit-il aussi dans le crime et la corruption des sujets sur lesquels essayer ses talents de journaliste en herbe. À ses yeux, chaque rencontre peut devenir l'occasion d'un article.

Cette atmosphère sulfureuse, dangereuse – mortellement parfois – a tout pour l'attirer. À cette époque, Hemingway a déjà bien souvent administré la preuve qu'il aime le risque. La fréquentation du danger, un leitmotiv de sa vie, il la trouve à la chasse, dans le combat à la vie à la mort dont la nature donne le spectacle. Mais il la trouve aussi en pleine civilisation, au cœur des villes. Il y a des prédateurs, il y a des proies. Il y a les forts, qui encaissent, qui survivent. Il y a ceux que le destin fauche. Là aussi, on tue ; là aussi, on crève.

Ici, il n'est que spectateur de cette scène funeste. Et pourtant, dès que l'occasion lui en est donnée, il passe de l'autre côté et se rue dans l'action. Un jour qu'il couvre un incendie, il va prêter main forte aux pompiers – sans doute faut-il voir dans cette anecdote l'impétuosité de la jeunesse. Il fait néanmoins par ailleurs preuve d'un assez grand sérieux pour être titularisé au terme de sa période d'essai, fin novembre.

Ernest profite de son embauche pour quitter sa pension. Un amoureux éconduit de Kate Smith, Carl Edgar, lui propose de partager son appartement, dont il fait à ses parents une description quelque peu idyllique… Il ne s'agit que d'un grenier mal isolé où il doit parfois dormir tout habillé. Mais comme il le fera en d'autres circonstances, il enjolive la situation pour les préserver. Il a aussi tendance à se mettre en valeur et à exagérer son rôle dans certaines révélations, notamment dans une affaire de détournements de fonds publics, qui aurait suffisamment gêné l'hôpital pour qu'on lui interdise désormais d'y mettre les pieds : Ernest « Rouletabille » fait frémir sa mère !

8

AVANT L'ENFER

(début 1918)

> « C'est la présence de la mort
> qui donne un sens à la vie. »
>
> Maurice Genevoix

La guerre tonne en Europe. Son bruit et son fracas parviennent aux Américains en un écho à peine assourdi et tous les journaux, à Kansas City comme ailleurs, témoignent et se divisent.

Le 6 avril 1917, le Congrès des États-Unis a rompu le pacte de non-intervention dans un conflit européen, que les présidents américains successifs s'étaient juré de respecter. La guerre d'indépendance contre l'Angleterre avait suffi, la guerre de Sécession avait fait trop de morts inutiles. En Amérique aussi, des voix s'étaient élevées pour dire : « Plus jamais ça ! » Et *ça* recommençait. En pire.

Malgré sa volonté de laisser les Européens se débrouiller entre eux, l'Amérique du cœur n'oublie pas qu'elle est aussi l'Amérique des affaires, et que nombre d'entreprises entretiennent des liens étroits avec l'Europe. Y compris avec l'Allemagne.

Devant l'avalanche d'informations en provenance de ce front lointain, l'opinion américaine commence à se poser des questions. La propagande fait son travail de sape. Et pour ce qui est des massacres, elle n'a pas besoin de noircir le tableau. Les lecteurs suivent avec horreur le récit de cette boucherie rapportée avec force détails. Ils s'intéressent aux *boys* engagés dans le conflit avant le 6 avril *via* la Légion étrangère, et dont certains s'illustrent dans le ciel au sein de la fameuse escadrille La Fayette. Ernest apprend d'ailleurs qu'un ancien reporter du *Star* a intégré cette unité aérienne en qualité de mécanicien. Il piaffait d'impatience depuis 1914 ; il répond à son tour à l'appel et, le 5 novembre 1917, à dix-huit ans, il signe pour la Seventh Missouri Infantry de la National Guard. Il touche un bel uniforme – « exactement semblable à celui de l'armée », écrit-il fièrement à ses parents –, et, chaque mardi, il participe à l'exercice dans un camp.

Mais la « Grève de la Blanchisserie », à Kansas City, est la seule affaire sérieuse dans laquelle se trouve impliquée l'unité d'Ernest. Que faire de son engagement, de son énergie, de sa volonté d'en découdre ?... Il sent qu'il *doit* partir pour l'Europe, être vraiment là où *ça se passe*, et où il peut agir. Il veut s'engager dans les marines, peut-être dans l'aviation. Mais ce sont là deux armes auxquelles sa myopie l'empêche de prétendre.

Réflexion faite, il pourrait se rendre utile dans un autre domaine, comme il l'apprend d'un confrère du *Star*, borgne à la suite d'un accident de golf, mais néanmoins engagé en France où, pendant près de cinq mois, il a conduit des ambulances.

Or Ernest va bénéficier d'un coup de chance – si l'on peut dire, car il s'agit quand même de partir à la guerre. À la fin de février 1918, le gouvernement italien recherche à Kansas City de jeunes volontaires pour conduire les ambulances de la Croix-Rouge. Exactement ce qu'il fallait à Ernest. Son camarade handicapé en profite aussi pour rempiler. Ils remettent immédiatement leur démission à Pete Wellington et se préparent à plier bagage.

Ernest, cependant, se garde bien d'annoncer la nouvelle à ses parents. Il prétend seulement que son contrat avec le *Star* se termine le 1er mai 1918, et que son intention est de partir se reposer quelques mois dans le Michigan…

Ses parents se réjouissent de le retrouver, et ils mettent les petits plats dans les grands pour le recevoir. Ernest, qui a fait un petit bout de chemin depuis l'été précédent, perçoit des changements subtils dans l'atmosphère de la maison familiale. Bien sûr, la journée se déroule joyeusement, mais on sent par moments la tristesse affleurer quand les conversations cessent. Lui cache-t-on quelque chose ? Ce quotidien austère, maintenant qu'il est un homme, lui semble-t-il rétréci ? Est-ce parce qu'ils sont déjà devenus des étrangers ?

Tandis qu'Ernest retrouve sa nature tant aimée, Clarence intercepte à Oak Park un télégramme qui notifie à son fils qu'il doit se présenter le 13 mai au quartier général de la Croix-Rouge, à New York. Le docteur Hemingway tombe certainement de haut, mais il transmet aussitôt ce message à Ernie, qui le reçoit trois jours plus tard.

Les événements se précipitent. Ernest refait ses bagages.

Avant de se lancer à l'assaut des tranchées ennemies, escale à New York, donc. Ernest est sur le pied de guerre, mais il en profite pour faire le joli cœur.

Il va d'ailleurs un peu vite en besogne, n'hésitant pas à annoncer ses fiançailles avec Mae Marsh, une vedette du cinéma muet, dont il vient à peine de faire la connaissance. La plaisanterie est cependant de courte durée, et Ernest n'aura eu le temps que d'alarmer ses parents. « Réjouissez-vous. Stop. Ne suis ni fiancé ni marié ni divorcé. Stop. Garanti authentique. Stop. Plaisantais seulement. Stop. Ici jusqu'à mercredi. »[1] Et Ernest prend soin de demander à ses parents de ne pas ébruiter sa – disons – « plaisanterie ».

Sitôt commencé, l'épisode Marsh est donc déjà terminé. Ernest a trop à faire à New York. La proximité de l'embarquement, la fièvre qui le précède, le dépaysement, l'approche de la guerre… Autant d'ingrédients à un cocktail stimulant pour le jeune homme, qui se garde pourtant bien de tout en dire à ses parents. Sa correspondance est expurgée de ce qui fait sans doute pour lui l'essentiel de son séjour new-yorkais. Il ne manque pas de louer les qualités des « jeunes femmes de la société, [qui] sont pleines de prévenance pour les officiers » ; il omet en revanche de mentionner cette fille « aussi pure qu'une madone », qu'il a croisée dans Battery Park, près du port. « Trente-sept dollars en billets d'un dollar dans son bas, correspondant au même nombre de marins »[2] … Ce détail, il le passe aussi sous silence.

Ernie découvre en effet les bas-fonds – après ceux de Kansas City, cela devient ou va devenir une habitude – et leur faune pittoresque qui gagne quelques sous avec les marins en goguette. C'est comme s'il cherchait à connaître toutes les excentricités de la débauche et les déviances en tout genre. « On pouvait, raconte-t-il, leur pisser dans la barbe pour soixante-quinze cents. […] Il y avait un autre type que l'on pouvait emmener dans un terrain vague et lui chier sur la poitrine nue pour cinq dollars. Je le jure. »[3] Même après ce qu'il a vu à Kansas City, il reste dérangé comme un jeune provincial. Curiosité adolescente, ou bien fascination pour l'obscur, l'ambiguïté et le trouble ? Tout le reste de sa vie prouvera qu'il adore côtoyer les malfrats, les pervers, les Janus, les grandes gueules. À chaque fois, il y trouvera matière à article ou, plus tard, à roman.

9

DOUCE FRANCE

(juin 1918)

« Nous savourons la moindre joie,
ainsi qu'un dessert dont on est privé. »

Roland Dorgelès

Hemingway et ses amis volontaires de la Croix-Rouge prennent la mer le 22 mai. L'arrivée à Bordeaux est prévue une dizaine de jours plus tard. La traversée n'est pas sans danger, en raison des sous-marins allemands qui maraudent dans l'Atlantique, et la « croisière » n'est pas des plus agréables. Mais personne ne s'en plaint. Il faut dire qu'une certaine Gaby divertit à sa manière les marins dans un canot de sauvetage. Ernest la tient à distance...

Il arrive enfin en France le 1er juin 1918, et compte bien, durant les quelques jours qui le séparent de son immersion au front, profiter de ce que toute la vieille Europe peut offrir de curieux et de plaisant. Bordeaux n'est qu'une escale – le temps de visiter quelques bars. Le séjour à Paris ne doit pas durer plus d'une semaine. La capitale est pilonnée par des obus géants depuis le printemps. Du coup, le jeune Américain s'étonne de l'apparente insouciance des Parisiens : « Les gens acceptent les obus comme une chose naturelle, et c'est à peine s'ils font attention à leur arrivée… »[1] Curieux, ces Français ! Mais ce ne sont pas les seuls… Ernest ne se précipite-t-il pas, avec son ami du *Kansas City Star*, à bord d'un taxi en lui demandant de prendre la direction dans laquelle semblent souffler les obus ?[2] Être au plus près du danger, déjà…

Mais cette « permission » avant la guerre est aussi en quelque sorte une initiation pour Hemingway. C'est sa première rencontre avec Paris, la ville qu'il va élire dans l'entre-deux-guerres, celle qui verra ses premiers vrais pas d'écrivain, la capitale qui accueille tout ce que l'Europe fait d'artistes. Paris de tous les raffinements, de toutes les cultures. Paris – et les Parisiennes ! Ernest a d'emblée un contact sensuel avec la ville.

Il raconte[3] ce qui lui arrive un jour qu'il arpente le boulevard Malesherbes, où se trouve son hôtel : une automobile s'arrête à son niveau, et une femme l'invite à monter. Comme la beauté vaut tous les passeports, et qu'Hemingway possède déjà un certain goût pour l'aventure, il obtempère et se laisse conduire jusqu'à un hôtel particulier, « dans une lointaine partie de Paris ». Celui-ci est le siège d'une étrange activité. Hemingway dit y vivre des instants merveilleux, tout en restant fort mystérieux : « Il m'arriva quelque chose de très beau. » La jeune femme l'a prévenu qu'ils ne se reverront pas. On le fait sortir par une porte dérobée. Et c'est fini. Fin de l'acte I, en tout cas.

Deuxième tableau : le parfum enivrant de la mystérieuse inconnue excite l'imagination du jeune Ernest, qui s'efforce – vainement – de la retrouver. Il la cherche, croit la reconnaître dans un taxi et bondit dans un autre, mais en vain. Il n'a pas noté l'adresse à laquelle on l'a conduit, il ne connaît pas Paris, et il lui faut renoncer à ses espoirs.

Dernier acte : Hemmy est donc « désespéré et déprimé ». Est-ce pour cela qu'il décide de s'en remettre un soir à un de ces individus qui savent tout des plaisirs secrets d'une ville et vous promettent la lune, à condition d'y mettre le prix ?

Toujours est-il qu'après être convenu d'un tarif, son guide singulier l'introduit dans un nouvel hôtel particulier, dont les aménagements intérieurs ménagent des fentes astucieusement pratiquées dans les cloisons. Ernest colle son œil à un judas. Arrivent alors un officier anglais et une très jolie femme. Ils se déshabillent. Alors que la jeune femme ôte son manteau et son chapeau, Ernest ne peut étouffer un cri de surprise : « Je la reconnus. C'était la femme avec laquelle j'avais été quand il m'arriva quelque chose de très beau. »

Autant dire que le premier séjour parisien d'Hemingway a été instructif, entre la visite des grands monuments, les flâneries sur les avenues et, dans un registre un peu différent, les maisons closes qui ont stimulé sa trouble curiosité. À ses parents, bien sûr, il donne une version édulcorée de ses découvertes et, dans une lettre à son père écrite le 5 juin, qu'il signe « ton vieux gosse », il annonce son départ le lendemain pour Milan, où vont commencer les affaires sérieuses.

Hemingway ne retrouvera Paris que deux ans plus tard, après bien des péripéties. Après la guerre, après avoir frôlé la mort, après s'être marié… Bref, dans une autre vie.

10

L'AUTRE RÉALITÉ

(juin-juillet 1918)

> « Il avait trouvé dans la guerre
> une révélation inoubliable
> qui avait inscrit dans un tableau lumineux
> les premiers articles de sa foi :
> l'homme n'existe que dans le combat,
> l'homme ne vit que s'il risque la mort.
> Aucune pensée, aucun sentiment n'a de réalité
> que s'il est éprouvé par le risque de la mort. »
>
> Pierre Drieu la Rochelle

Entre Paris et Milan, le voyage en train tient un peu du départ en vacances. Les jeunes gens rient, plaisantent, se racontent leurs « exploits » parisiens, avec l'espoir de revenir plus longtemps, dans un autre contexte, dès que la guerre sera finie. À son arrivée en Italie, Ernest apprend son affectation à Schio, près du lac de Garde, à cent cinquante kilomètres de Milan.

Mais avant de s'y rendre, une urgence se présente : une usine de munitions vient d'être dévastée par une explosion à vingt kilomètres de Milan ; on a besoin de volontaires. 7 juin 1918 : Hemingway entre de plain-pied dans la réalité de la guerre.

Lorsqu'il arrive sur les lieux du sinistre, l'horreur lui saute au visage : c'est un spectacle de désolation. Il faut parer au plus pressé : sécuriser les munitions intactes qui n'ont pas explosé, circonscrire le périmètre, mais aussi éteindre l'incendie qui a gagné les alentours. Et puis, surtout, extraire des décombres fumants les cadavres – ce sont essentiellement des femmes – et les rassembler dans une morgue improvisée. Il faudra un long moment aux sauveteurs pour ramasser les restes humains que l'explosion a disséminés autour de l'usine : « Nous en détachâmes beaucoup de l'épais grillage de barbelés qui avait entouré la fabrique, et sur les restes duquel nous ramassions des lambeaux de chair qui n'illustraient que trop bien la terrifiante énergie des explosifs à grande puissance. »[1]

Ernest relatera cette terrible expérience dans « Histoire naturelle des morts ». Un détail en apparence, incongru dans le contexte, a attiré son attention, comme cela arrive souvent dans les situations traumatisantes, où toute l'intensité des émotions se concentre presque métaphoriquement dans un fragment. Les femmes dans les décombres de l'incendie portaient les cheveux courts, « comme ce fut la mode plus tard, en Europe et en Amérique ». L'absence de cheveux longs, dit-il, suscitait une impression « peut-être plus troublante encore ».

Hemingway a désormais reçu l'onction épouvantable pour la tâche qui va être la sienne.

Deux jours plus tard, départ en train pour Vicence, d'où de mauvaises routes mènent à Schio. Les Américains font le trajet en ambulances – des Fiat grises. Ils sont immédiatement placés sous les ordres du lieutenant Charles Griffin. C'est une ancienne filature de laine qui fait office de caserne. Les voici à pied d'œuvre pour affronter les horreurs de la guerre.

Si le front italien sur lequel Ernest et ses camarades arrivent en ce début de juin constitue une ligne d'importance secondaire aux yeux des Français et des Britanniques, on y tue et on y mutile beaucoup, comme ailleurs. De violents combats s'y sont tenus huit mois auparavant, et Venise a bien failli alors passer aux mains des ennemis. Ce désastre évité, le danger demeure grand. La situation, très fragile, pourrait se détériorer, et poser de graves problèmes sur le front le plus exposé : en France.

Hemingway se familiarise vite avec son nouvel environnement et se plie sans mal aux règles – simples – des volontaires de la Croix-Rouge. Pour commencer, il effectue avec un conducteur expérimenté des déplacements jusqu'au front du mont Pasubio, à une quinzaine de kilomètres de son cantonnement. La mission consiste à récupérer les blessés aux postes de secours, avant de les évacuer vers des hôpitaux, par des routes étroites et bordées de ravins.

On s'installe dans une routine rythmée par les repas, où l'on sert des spaghettis, du lapin en gibelotte, des saucisses et, un matin par semaine, des œufs sur le plat, le tout arrosé de vin rouge. En dehors des heures de service ou les jours de repos, lorsque ses amis Bill Horne et Howell Jenkins sont libres, Ernest emprunte une petite ambulance Ford – pas très sûre sur les routes de montagne –, et le trio part explorer la région.

Ernest découvre aussi peu à peu les à-côtés malsains de la guerre, son train de misère avec, en tête, la peur, qui conduit même certains à se mutiler pour échapper à la fournaise.

Dans *CIAO*, le journal créé par les anciens de la section IV, Ernest dénonce les conditions de vie dans les tranchées : « C'est l'enfer ! » Mais il se refuse à en dire plus, car il ne peut « révéler de secrets militaires ». Il se vante quand même « d'avoir été dans deux batailles [...]. La bataille de Milan et la bataille de Paris », avant d'avouer : « C'est une blague ! »[2]

D'ailleurs, si les mois qui suivent doivent ressembler à la première semaine, Ernie a toutes les raisons de se sentir comme un lion en cage. Emmet Shaw, un vétéran, a raison : il lui faut de l'action. Hemingway n'a choisi de devenir ambulancier que par défaut... Il ne veut pas rester spectateur, et la position relativement protégée de sa situation ne l'intéresse pas. Le ciel – ou plutôt l'enfer – l'entend : pendant la nuit du 15 juin, la canonnade se déchaîne. L'ennemi lance une offensive contre les positions italiennes, du mont Grappa au Piave inférieur.

Mais la nature vient au secours des Italiens : des pluies torrentielles emportent le long des pentes les arbres entassés par les bûcherons italiens. Balayés comme des fétus de paille, les troncs dévalent la montagne, démolissant les ponts construits par le génie autrichien à plusieurs dizaines de kilomètres en aval. Cette « victoire » inattendue ranime le patriotisme italien et suscite une ferveur presque religieuse qui gagne les Américains de Schio, anciens et bleus.

La Croix-Rouge décide de mettre en place des postes de ravitaillement dans le secteur des combats. Il s'agit de montrer, par la présence de l'armée, que les États-Unis soutiennent les troupes italiennes, et de distribuer quelques menues provisions, de celles qui remontent le moral des hommes, sans rien changer pour autant à leur situation.

Il faut un officier par cantine ; huit hommes sont choisis, dont Ernest, Emmett Shaw, Bill Horne, Howell Jenkins et Warren Pease, futur amiral de l'US Navy. Le 1er juillet 1918, deux ambulances traversent la plaine de Vénétie vers Mestre, à quatre-vingts kilomètres de Schio.

Le spectacle désolé qu'ils découvrent en route les glace. À mesure qu'ils se rapprochent du front, l'horreur se fait plus palpable. De-ci de-là, des corps de soldats sont figés dans des postures macabres. Et partout l'odeur caractéristique de la mort, poisseuse. On entend maintenant les rafales des mitrailleuses. La boucherie n'est pas loin.

Les Américains atteignent finalement le front à San Dona. Hemingway s'installe dans une petite ferme de Fossalta di Piave, l'une des rares bâtisses à avoir résisté aux bombardements. Bill Horne et Warren Pease posent leurs sacs à San Pedro Novello, dans une ferme à deux étages qui a terriblement souffert.

Ernest prend à cœur sa mission. Il enfourche une bicyclette pour effectuer sa tournée des popotes, afin d'y distribuer ses provisions. Il pédale sur deux kilomètres avant d'atteindre les tranchées, où l'attendent comme le Messie les « poilus » italiens. En leur compagnie, « Giovane Americano » ou « Ernesto » arbore la mine réjouie du chat repu. Ses dons naturels et sa facilité de contact lui permettent de converser avec eux dans leur langue. Hemingway est doué d'une faculté d'adaptation aux situations les plus extrêmes, comme de cette souplesse d'esprit recommandée aux journalistes et aux aventuriers.

Il n'affiche d'ailleurs aucune émotion devant les scènes d'horreur. Le soir, il dîne de bon appétit et prend des notes. Là se situe sans doute le secret de son équilibre : le transfert sur le papier des sensations qui jaillissent, intactes, de ses mots. Cela seul compte.

Et puis, ne trouve-t-il pas ici ce qu'il est venu chercher ? Hemingway n'est clairement pas un militariste. Dans l'édition de 1948 de *L'Adieu aux armes*, il dira en effet que s'il a consacré tant de ses écrits à la guerre, c'est parce que celle-ci constitue un « crime constant, brutal, infernal, malpropre »[3]. Alors, pourquoi la rechercher tout au long de sa vie ? Faut-il y voir, pour celui qui eut tant de mal à s'imposer jeune homme, la volonté de rejoindre un univers presque exclusivement masculin ? Ou bien se persuade-t-il que de participer à des conflits armés donne aux écrivains qui ont connu ces expériences une supériorité sur les autres, comme il le suggérera dans *Vertes Collines d'Afrique* ?[4]

Ernest, dans sa correspondance, exagère cependant la situation. Il écrit qu'il subit de violentes attaques, et que son poste est à portée de voix des lignes autrichiennes... En réalité, dans le secteur où il intervient, on assiste à une période d'accalmie. De temps à autre, une mitrailleuse isolée crache ses rafales, et une autre tout aussi hargneuse lui répond, mais le terrain appartient surtout aux tireurs d'élite postés dans les arbres. De tels épisodes évoquent à Hemingway des scènes de chasse avec son père.

Pourtant, dans la nuit du 7 au 8 juillet, la guerre va prendre un tournant pour lui. C'est jour de canicule. Le soir, la chaleur ne faiblit pas. Ernest obtient l'autorisation de se faufiler jusqu'à un poste avancé. En fait un trou de dix mètres. Deux soldats l'accompagnent. Une demi-heure après minuit, la bataille fait rage. Obus et balles cisaillent l'air dans une cacophonie infernale. Le passage d'un énorme obus imite le fracas d'un train rapide. Ernest se plaque contre le rebord du trou, où il se fait le plus petit possible.

Ils perçoivent soudain sur l'autre rive comme un toussotement, puis une sorte de halètement de mauvais augure. Un long grondement s'amplifie, exactement dans leur direction. L'éclair, proche et brutal, les surprend. Le souffle coupé, au bord de la suffocation, Ernest se sent tout entier arraché à lui-même. « Tout mon être s'enfuyait rapidement, je savais que j'étais mort, et que ça avait été une erreur de croire que l'on mourait comme ça sans s'en apercevoir. Puis j'eus l'impression de flotter et, au lieu de continuer de m'éloigner, je me sentis retomber. Je respirai, et je fus de retour. »[5]

Il ouvre les yeux. Il a été projeté dans un autre monde. Il ne souffre pas. Près de lui, il remarque que l'un des soldats a été tué. Il a les jambes broyées. L'autre vit toujours, pourtant touché par un éclat en pleine poitrine. Ernest se penche sur le blessé, le charge sur son épaule, et se dirige vers les tranchées pour se mettre à l'abri. Il marche comme s'il était « chaussé de bottes de caoutchouc pleines d'eau chaude ».

Le jeune homme courageux n'en a pas fini avec les Autrichiens. Un projecteur l'épingle subitement dans une lumière éblouissante. Une mitrailleuse crépite. Les balles le propulsent en avant, le frappent au pied et sur le côté d'un genou. Il s'affale avec sa charge, se relève, assure le blessé sur ses épaules, franchit dans un état second les quelques mètres qui le séparent de la tranchée amie.

Sa vareuse est imbibée de sang, ce qui fait craindre à son entourage une blessure à la poitrine, heureusement à tort. Des brancardiers s'approchent, s'emparent de lui et l'allongent sans ménagement. Il souffre soudain le martyre, comme si « des démons avaient été en train de lui planter des clous dans sa chair à vif »[6]. On le transporte dans une étable sans toit. On le laisse seul, la peur au ventre.

Bien qu'il soit rapidement mis hors de danger, cette blessure va marquer de son empreinte la vie entière d'Ernest, ainsi que son œuvre, puisqu'il affligera des mêmes maux certains de ses héros comme Nick Adams, et peut-être même déterminer son destin. Ses blessures finissent de modifier sa perspective sinon chevaleresque, du moins relativement romanesque de l'affrontement suprême.

Mais au premier chef, elles mettent précocement fin à la guerre qu'il voulait tant faire. L'aventurier est arrêté dans son élan – comme il le sera souvent encore, et notamment lorsqu'il voudra lui-même libérer Paris à la fin de la guerre suivante…

En 1922, Hemingway retournera sur les lieux, tout comme son héros de *Au-delà du fleuve et sous les arbres*. Mais il sera déçu. Il ne retrouvera rien de ses souvenirs dans ce paysage verdoyant où les maisons ont déjà été reconstruites.

Pour l'heure, une ambulance l'emporte finalement au poste de secours, trois kilomètres derrière les lignes. Comme un raz de marée, la douleur le submerge, lui rendant sa lucidité. Ernest a quitté le premier cercle de l'enfer, mais la mort est omniprésente. Allongé dans la nuit froide qui le fait frissonner, il entend des gémissements, des râles, les jurons des chirurgiens couverts de sang. Il assiste aussi au tri démoniaque. Un médecin jette un œil froid sur un blessé et ordonne qu'on le dépose près des morts. Son sort est scellé.

Qu'en sera-t-il pour lui ?

11

HÉROS ET BRAVE

(juillet 1918)

> « Le véritable héros,
> après un acte de bravoure,
> est celui qui ne se nomme pas ainsi. »
>
> Jean Mermoz

Les médecins ne jugent pas son cas dramatique même s'il a reçu plus de deux cent vingt blessures causées par les tirs de mortier et de mitrailleuse[1], dont une balle logée dans le genou, qui semble anodine dans le nombre, mais qui fera parler d'elle. On l'opère – sans anesthésie – sous une tente qui pue la mort et l'éther. À peine aura-t-il droit à un peu d'alcool une fois l'intervention terminée.

Puis il est évacué vers l'hôpital de campagne de Trévise, où il bénéficie de soins attentifs. Il semble même y jouir d'un certain confort, puisqu'il racontera plus tard que pour limiter ses démangeaisons et rafraîchir ses draps, son infirmier versait de l'eau minérale sur ses pansements et, quand il le demandait, lui grattait même les pieds[2] ! Mais en temps de guerre, un séjour à l'hôpital n'est pas une cure thermale. Derrière les paravents, des blessés meurent, et cette mort que l'on voudrait pudiquement occulter rôde dans le jardin : de la salle des pansements, on aperçoit des tombes.

De Trévise, Ernest est ensuite transféré à Milan, dès que ses blessures le permettent. Là, il doit entamer sa convalescence dans le tout nouvel hôpital militaire américain. Alors et seulement alors, il faudra extraire la balle de son genou droit.

Nous sommes le 13 juillet 1918. L'expérience du front n'aura pas duré deux mois, hôpital compris. Assez pour avoir entrevu, et même bien vu la mort.

« Mourir, écrit-il à ses parents, est une chose très simple. J'ai regardé la mort en face, et je le sais très bien. Si j'avais dû mourir, ç'aurait été facile pour moi. [...] Et combien il vaut mieux mourir quand on est encore dans la bienheureuse période d'une jeunesse qui n'a pas perdu ses illusions, et disparaître dans un flamboiement de lumière, que de vivre avec un corps usé et vieux, et en ayant perdu ses illusions. »[3] Cette conviction, Hemingway l'aura toute sa vie. C'est d'ailleurs sans doute la clé de son suicide, quarante ans plus tard, à un moment où sa célébrité ne parvient pas à apaiser sa déchéance de vieillard – à soixante ans seulement –, ou en tout cas sa certitude de ne plus pouvoir jamais être le héros qu'il aura cherché toute sa vie à incarner.

En attendant, de l'autre côté de l'Atlantique, l'Amérique s'intéresse à ses boys courageux, vite célébrés comme des héros. Et Hemingway en fait partie : aux actualités Pathé, un bref plan le montre en uniforme dans son fauteuil roulant. Ce sont les seules nouvelles d'Ernest que ses parents, informés par télégramme de sa blessure, peuvent avoir pour l'instant. Le jeune homme serait le premier blessé américain sur le front italien. Une manière d'être sous les feux de la rampe ! Or, là encore, sa légende tord un peu le cou à la vérité : il y a déjà eu avant lui d'autres blessés sous l'uniforme de l'Oncle Sam. Mais, en ces jours sombres, l'heure n'est pas à la polémique…

12

AGNÈS

(juillet-décembre 1918)

« En amour, qui doute accuse. »

Alexandre Dumas

La grande histoire du séjour milanais d'Ernest n'est pas affaire de cicatrices ou de remise sur pied. L'Italie, pour Hemingway, c'est bien sûr sa première expérience – écourtée – de la guerre et sa blessure ; mais c'est aussi le lieu de sa rencontre et de son idylle avec son premier grand amour, Agnès von Kurowsky.

Agnès est la fille d'un aristocrate polonais qui vit en Amérique, où elle est née. Ici, elle est l'infirmière de nuit – une des infirmières – d'Ernest. Il tombe immédiatement amoureux d'elle. Elle est un peu plus âgée – vingt-six ans, il n'en a que dix-neuf –, grande et svelte, elle a de beaux yeux gris.

Cette passion va durablement le marquer : il va vibrer, il va souffrir, il va avoir le sentiment d'être trahi. À ce titre, ce qui pourrait passer pour une simple amourette mérite d'être raconté, d'autant qu'Agnès va passer à la postérité grâce à l'œuvre d'Hemingway, sous les traits de Catherine Barkley dans *L'Adieu aux armes*.

Elle semble jouer avec lui un jeu auquel il ne comprend pas tout. Est-il trop jeune, trop immature ? Est-elle simplement inconstante ? Elle a quitté son fiancé. Elle est donc libre, *a priori*. Et elle est courtisée ! Mais elle est si prévenante pour Ernest, et ils sympathisent. Jusqu'où ira ce rapprochement – personne ne semble le savoir avec certitude ; ni leur entourage, ni Bill Horne, l'ami d'Ernest venu grossir les rangs des malades de l'hôpital, ni les nombreux biographes d'Hemingway. Et cela compte-t-il au fond à ce point ? Ce qui importe est l'impact de cet amour trahi sur le romancier.

Pour l'heure, Hemingway espère sortir de l'hôpital avant la fin de septembre. Il est rassuré sur les suites de ses blessures et de sa nouvelle opération, ou en tout cas il se veut apaisant pour ses parents. Il trouve même le moyen de fanfaronner en exhibant comme des trophées les « quelques chouettes souvenirs »[1] que le chirurgien a extraits de son corps. Sa cantine est d'ailleurs pleine d'éclats et de médailles, et il en fait un inventaire à la Prévert, mais force est de reconnaître qu'il s'agit essentiellement d'armes et de munitions, toutes ramassées sur le champ de bataille.

Il lui tarde de retrouver sa liberté et de recouvrer toutes ses capacités. Il envie son père qui a dû passer ses vacances à pêcher, et il demande d'ailleurs quelques photos de famille. C'est ce qui lui manque de sa vie d'« avant », de la vie à l'arrière, hors de la guerre. Pour l'instant, même s'il n'est plus totalement confiné dans l'hôpital et si quelques promenades lui sont autorisées, les journées sont longues.

Une satisfaction cependant : sa promotion au grade de lieutenant, ce qui, selon lui, en fait le plus jeune de l'armée. Il attend aussi sa *medaglia d'argento al valor militare* (la « médaille d'argent de la valeur militaire »), et peut-être même la croix de guerre. Il n'est pas insensible aux honneurs et aux décorations !

À l'époque, il ignore cependant la date de son retour aux États-Unis ; il ne sait pas s'il pourra continuer à servir, et si oui, de quelle façon. Inapte, il l'avait déjà été déclaré ; il ne l'est donc que doublement. Mais il semble nourrir une vraie

passion pour la Croix-Rouge et voudrait à tout prix continuer à se rendre utile, tant que la guerre durera.

Or, on commence à sentir en Europe que le conflit
s'essouffle. Les Alliés multiplient les offensives. En Allemagne, la situation politique et sociale se dégrade. Avant
même le 11 novembre, une odeur de défaite s'est répandue.
Le 18 octobre, dans une lettre à ses parents, Ernest lui-même
prophétise la fin très prochaine des hostilités.
Il réintègre néanmoins la section IV à Schio. Il croit y
retrouver ses « copains », mais l'atmosphère a bien changé,
et Bill Horne a été affecté ailleurs.

Quelques jours plus tard, l'armistice arrive donc à point
nommé.
Reste alors à Ernest à trouver une place dans un bateau
embarquant pour New York – et tous sont bondés, car c'est
le retour des troupes à la maison. Il finit par décrocher un
billet sur le *Giuseppe Verdi* au départ de Naples au tout début
de 1919. Il espère être fin janvier parmi les siens et retrouver
ses amis.

Avant même son retour à la vie civile en Amérique, Hem
se soucie de trouver un nouveau moyen de gagner son pain.
C'est la « lutte pour la croûte », comme il dit[2]. Et ce n'est
pas sa petite pension qui va lui permettre de mener la vie de
bamboche qu'il aime…
Facteur supplémentaire : il va se marier ! C'est fait, c'est
dit : Ernest a une fiancée. Et celle-ci n'est autre que la belle
Agnès – momentanément éloignée de Milan pour son travail, mais prête à faire « équipe » avec ce noceur qu'elle
promet de suivre dans ses excès. Il lui reste donc à trouver
comment installer son jeune couple, et un peu plus, pour
lui offrir la vie dont il rêve.
Ernest ne répugne pas au travail. Il faudrait juste trouver
une place facilement, il faudrait juste une bonne idée…

Ça, c'est ce qu'il écrit à son ami Bill. Dans les faits, Agnès va lentement disparaître de sa vie. Et elle mettra beaucoup plus longtemps à s'effacer de son cœur.

Déjà ces dernières semaines en Italie, elle a accepté une mission qui l'éloignait d'Ernest, et ses lettres soufflent toujours le chaud puis le froid, redonnent espoir à l'amoureux, puis le laissent désarmé. Joue-t-elle à le rendre un peu jaloux ? À moins qu'il ait de réelles raisons de l'être...

Les derniers jours de Hem sur le sol italien ne sont donc pas d'une folle gaieté, et c'est dans l'indécision qu'il s'apprête à regagner son pays. Il s'est inventé une nouvelle vie en Europe ; que va-t-il devenir, que va-t-il faire, maintenant que la guerre est finie ? La guerre – même dans son horreur – fut comme une sorte d'épisode romanesque. Il faut maintenant sortir de la parenthèse, ou la refermer. Le retour à la réalité a déjà un autre goût, plus prosaïque, moins excitant.

Son bilan de la guerre : il a d'abord eu l'impression d'être « immortel ». C'est du moins la réputation qu'il avait dans les tranchées... Avant d'être à son tour fauché par la tempête de feu qui s'abattait sur les troupes. En une seconde, il a ainsi paradoxalement basculé du côté des – simples – vivants par le frôlement de la mort. Ou en tout cas, par le danger. Cette fréquentation du danger, ce flirt trouble, il y aspirera jusqu'à son dernier souffle.

13

UN AUTRE HOMME

(1919)

> « La guerre m'a-t-elle enseigné quelque chose ?
> se demande-t-on. Ne m'a-t-elle pas
> profondément changé ?…
> Il n'est pas de combattant réfléchi
> qui ne se soit posé cette question et,
> revoyant en songe l'être frémissant
> qu'il était le jour où toutes les cloches
> appelaient aux frontières, il ne se reconnaît plus
> dans ce jeune étranger. »
>
> Roland Dorgelès

Lorsqu'il débarque à New York, Hemingway revient chez lui en héros. Il s'est engagé pour sauver la vieille Europe, il l'a payé dans sa chair. Il est aussi un témoin et ressurgit avec beaucoup d'histoires à raconter à cette Amérique qui, bien qu'engagée, a mal connu la guerre de l'autre côté de l'Atlantique.

Il va commencer par camper ce personnage. Il répond aux interviews, donne des conférences. Il portera aussi encore quelque temps l'uniforme. Sincèrement sans doute, pas comme le déguisement qui accompagnerait sa nouvelle fonction de rescapé pour plaire aux dames lors de ses allocutions.

Il est alors le soldat Hemingway. Car il est réellement hanté par ce qu'il a vécu, et il ne suffit pas de traverser un océan pour laisser derrière soi la guerre.

Lui qui se vantait bambin de n'avoir pas peur du noir dort désormais la lumière allumée. Il souffre d'insomnies, il a perdu la tranquillité que confère l'insouciance de la jeunesse. Le front, c'est autre chose qu'Oak Park ! Il avait déjà le goût de l'alcool, mais il s'agit cette fois-ci de soulager ses souffrances morales et ses cauchemars nocturnes.

Comme c'est souvent le cas des soldats qui reviennent à la maison, il lui semble être jeté là, tel un étranger, dans un monde qui a continué à vivre sans lui. Alors qu'il a laissé une partie de lui-même en Europe, quelque part au fond d'une tranchée, dans la chambre d'un hôpital, ou peut-être au détour d'une rue quand passait une belle inconnue...

New York n'est qu'une escale ; il n'a rien à y faire. Juste le plaisir de retrouver Bill Horne, venu l'accueillir, et de s'amuser un peu. Sa destination finale est Chicago : retour au bercail ! Il lui tarde d'ailleurs de retrouver sa famille. Il n'est encore qu'un grand adolescent de dix-neuf ans...

Mais alors qu'il descend du train, c'est à peine si on le reconnaît ! Même l'affection de ses proches, dont il avait soif, lui semble rapidement déplacée. Qui fête-t-on ? Le petit Ernie de retour d'un long voyage, qui va décrire les contrées lointaines et se vanter de ses mésaventures ? Ou bien le vieux soldat fourbu qu'il faut réconforter – le héros qu'il n'est pas sûr d'être ? Dans tous les cas : quelqu'un d'autre que lui. Ainsi, il se sent hors de la fête.

Très vite, il retrouve sa dernière préoccupation milanaise : gagner sa vie, vite – et assez pour pouvoir épouser Agnès quand celle-ci reviendra aux États-Unis. Du moins s'en persuade-t-il. En attendant, dès qu'il peut, il économise ; ce qui est nouveau pour lui, si enclin à dépenser sans compter en joyeuses ripailles ou aux courses.

Son père ne voit de son côté aucune urgence à ce qu'Ernie rentre dans la vie active. Pourquoi ne reprendrait-il pas ses études ? Il est prêt à subvenir encore à ses besoins, et il lui apprend même qu'il lui aurait volontiers envoyé de quoi vivre un peu en Italie. S'il avait su ! Au lieu de se chahuter dans leurs lettres, n'auraient-ils pu s'échanger ces mots simples ?

Et bien d'autres choses encore…

En attendant de pouvoir vivre de sa plume – comme journaliste ou comme écrivain –, Ernest donne donc une série de conférences, avec un certain succès. C'est qu'il a incontestablement un talent de conteur. Et les Américains qui n'ont suivi la guerre en Europe qu'à travers l'œil des actualités cinématographiques sont curieux d'entendre ce témoignage de première main. De préférence s'il est nourri de force détails. De préférence si l'histoire est belle, si les personnages sont attachants et valeureux, les rebondissements nombreux… Et si ça saigne un peu…

De conférence en conférence, Ernest se rode et améliore le spectacle. Mais, comme il l'écrit à Bill, il finit par avoir en horreur de raconter sa guerre à des étrangers qui n'y comprennent finalement rien, mais « qui veulent être horrifiés par procuration ».

Si Ernest se montre assez doué pour raconter de belles histoires aux autres, il ne peut se mentir à lui-même.

Comme chez tant d'autres rescapés de cette affreuse boucherie, il y a chez lui la culpabilité d'être en vie. En tout cas de n'être pas le héros que l'on fête. Les vrais héros ont fait bien davantage que lui, ils ont mené des actions d'éclat, ils ont tué, ils ont descendu des avions, ils ont sauvé des existences. Pour la plupart, ils ont payé de leur vie leurs actes de bravoure. « Tous les vrais héros sont morts, écrit-il. Si j'avais été un type vraiment à la hauteur, je me serais vraiment fait tuer. »[1]

L'idée s'insinue en lui que plus un acte est héroïque, plus il est dangereux. Ou l'inverse ? Quelle que soit la réponse, l'héroïsme se paie au prix fort, et les mutilations sont là pour le prouver. Impossible d'être un héros en bonne santé ! Impossible d'être un héros heureux ?...

Cette once de masochisme – une fascination pour la marque du coup reçu et encaissé, présente déjà dans l'enfance et dans les années de lycée – se nourrit de l'expérience de la guerre. Comment une sensibilité de tout jeune homme peut-elle se débrouiller de ce fatras d'émotions dans laquelle elle est plongée ?

Ses amis sont dispersés, il ne sait quel sera son destin, il est traversé de désirs pour l'instant inaccessibles, il devient étranger à ses parents... C'est déjà beaucoup. Et voilà qu'il comprend soudain qu'il doit oublier Agnès.

Que se passe-t-il ? Au début de mars, le mariage est acquis, et il ne reste à Ernest qu'à trouver une situation. À la fin d'avril, il s'étonne en revanche que ses amis aient pu un seul instant imaginer qu'il allait se marier[2]...

Ce n'est pas comme si c'était la première fois qu'elle lui faisait faux bond. En Italie, elle avait déjà mis ses nerfs à rude épreuve. Pourtant, il l'avait quittée avec la conviction qu'elle serait sienne.

Agnès passe l'hiver à Torre di Mosta – un « patelin abandonné de Dieu » –, où elle cumule les fonctions : elle dirige un hôpital, un jardin d'enfants et... assure même la charge de maire[3] ! Il n'est donc pas encore question pour elle de rentrer à la maison. Ernest est à Oak Park, Illinois... Loin des yeux, loin du cœur. Comment entretenir la flamme dans ces conditions-là ? Et comment deviner les petits signes qui mettent sur la piste un amoureux éconduit ? Il n'y a que les lettres pour se révéler. Mais en ces temps-là, les lettres arrivent trop tard, chargées parfois d'apparences mensongères.

Autant dire que le monde s'écroule pour Ernest quand, mi-mars, il apprend de celle qu'il pense être sa fiancée qu'elle en épousera un autre – il n'en sera d'ailleurs rien, cette idylle-là étant encore, pour Agnès, de courte durée. Selon elle, Ernest se serait fait des idées et monté la tête, et ils n'auraient jamais rien vécu de plus qu'un flirt. Elle le traite comme un enfant, rappelle leur différence d'âge, et l'invite à l'oublier...

Quelle blessure narcissique au-delà de sa peine de cœur !

Pour noyer son chagrin, pour tromper son désœuvrement, Ernest décide de se mettre quelque temps au vert. Il part pour le Michigan. Au programme : pêche, pêche et pêche. Quand il revient à Oak Park, il semble guéri.

À tous, il fait savoir : « Ernest, le monde est à toi ! Toutes les filles te tendent les bras ! » Et il est bien décidé à en profiter.

14

UNE CONVALESCENCE SENTIMENTALE

(été-automne 1919)

> « Rien ne donne plus de cynisme
> qu'un grand amour qui n'a pas été partagé. »
>
> André Maurois

Pour guérir complètement, Ernest peut compter sur ses amis. Aucun ne lésine sur la boisson, et bien que la Prohibition soit promulguée depuis peu, ils savent trouver les alcools les plus variés sans grande restriction. Ces « soirées du tonnerre »[1] ressemblent à celles d'adolescents inconséquents, et le replongent – artificiellement – dans un monde où la guerre n'aurait pas eu lieu.

Et Hem d'organiser une gigantesque partie de campagne – ou plutôt une virée entre garçons au grand air. Pêche et chasse au programme. Tout le monde ne répond pas présent à cette expédition prévue pour juillet, dont l'équipement ne laisse rien au hasard : matériel de camping, cannes à pêche, fusils, mais aussi deux pistolets automatiques, des provisions de bouche – et de gosier. « Oh là ce qu'on va s'amuser ! » écrit-il à Howell Jenkins, avant de lui suggérer de prendre son appareil photo pour faire « quelques fameux instantanés »[2].

Cette ambiance festive, Hemingway n'aura de cesse de la provoquer. Il aime être un chef de bande, et il est le

« meilleur copain du monde », selon une de ses amies, Marjorie Bump[3]. « Amenez-vous ! » va devenir son cri de guerre. Même aux moments les moins opportuns...

Cet été 1919, Grace est repartie dans ses projets immobiliers : elle rêve cette fois d'un « petit havre » sur la rive opposée à Windemere, dont elle s'est lassée... Clarence, qui s'oppose à cette nouvelle dépense, préfère rester travailler à Oak Park. Ernest, qui est bien de l'avis de son père et ressassera longtemps l'affaire, privilégie dorénavant la fréquentation de ses amis – surtout Kate et Bill Smith – à celle de sa famille. « Grace Cottage » verra bien le jour : la mère d'Ernest n'en fait qu'à sa tête !

Sans doute à cause du mauvais climat familial, Ernie décide de rester loin d'Oak Park au-delà des vacances, et en quelque sorte de prolonger celles-ci. Il trouve une chambre dans une pension de Petoskey, à une dizaine de kilomètres d'Horton Bay, et c'est là qu'il se remet au travail. Il finira bien par écrire la nouvelle qu'un magazine achèterait ; de là, tout s'enchaînerait...

Hemingway s'est fait une petite réputation dans la bourgade, et en décembre, il est sollicité pour faire une allocution – toujours sur la guerre – devant les membres d'une association féminine locale. Pour l'occasion, il ressort sa panoplie et ses décorations. Et il remporte un franc succès.

Dans l'assistance se trouve une amie de sa mère, Harriet Connable, l'épouse du directeur de Woolworth au Canada (une chaîne de magasins à prix unique). Celle-ci cherche justement quelqu'un pour son fils de dix-neuf ans : Ralph est légèrement handicapé (une atrophie du bras droit), et ses parents pensent qu'il lui faudrait quelqu'un pour le stimuler. La famille Connable vit à Toronto, où elle est influente – ce qui n'échappe pas à Ernest. S'il acceptait de devenir en quelque sorte le précepteur de l'adolescent, il serait logé, nourri, blanchi, les frais afférents à sa tâche seraient bien entendus pris en charge, et il serait correctement payé.

Affaire conclue : il accepte de commencer presque sur-le-champ.

15

EN ROUTE

(1920)

> « Le charme de voyager, c'est d'effleurer
> d'innombrables et riches décors,
> et de savoir que chacun pourrait être le nôtre
> et de passer outre, en grand seigneur. »

Cesare Pavese

Ernest franchit le seuil de l'hôtel particulier des Connable, à Toronto, aux premiers jours de janvier 1920. Il découvre la maison : sa salle de musique avec orgue, le billard (où Mr. Connable le battra régulièrement), puis chalet, séparé de la maison principale par un court de tennis, transformé pour l'hiver en patinoire[1]. Luxe suprême : on met à sa disposition l'automobile, une Pierce-Arrow, et son chauffeur.

Le jeune Ralph ne va guère accaparer son fugace précepteur, qui tente de l'initier à la boxe et l'emmène voir des combats, mais sans succès. Il lui apparaît vite qu'il faudra trouver ailleurs un travail salarié, en attendant que les droits de ses nouvelles puissent le faire vivre.

Mr Connable lui donne un coup de pouce pour entrer au *Toronto Star*, qui publie une édition quotidienne et une hebdomadaire. L'expérience du jeune homme au *Kansas City Star*, alors l'un des journaux les plus réputés du continent, joue en sa faveur ; sa fougue et son éloquence font le reste. Le rédacteur en chef se rend rapidement compte qu'Hemmy est « capable d'écrire en un bon anglo-saxon et [a] un certain sens de l'humour, fort apprécié. »[2] Ernest signe une quinzaine d'articles sur les sujets les plus divers, depuis la création d'une galerie itinérante de location de tableaux jusqu'aux « dangers de se faire raser gratis à l'école de coiffure locale »[3]. « C'étaient des articles humoristiques et narquois sur les affaires locales et les manifestations mondaines sortant de l'ordinaire, dont aucun n'appartenait à la grande veine du journalisme. »[4]

Ses collègues ont vite fait de l'adopter, lui et ses drôles d'anecdotes. Il convainc ainsi l'un d'eux qu'à la fin de ses études, « il avait été vagabond, vivant au milieu d'une jungle de clochards et roulant sa bosse un peu partout. Il raconta également qu'il avait "mangé des limaces, des vers de terre, des lézards…" »[5]. Hommage à la jeunesse mouvementée de son grand-père, souvenirs de Kansas City, affabulations ou narrations piquantes d'un romancier en train de naître ?

Parallèlement à son travail, Hemmy passe d'agréables moments en compagnie de Mrs Connable et de sa fille Dorothy. Il rend chaque jour visite à la première dans son bureau pour discuter un peu, et ne se lasse pas de parler littérature avec la seconde, à qui il offre, entre autres, *Le Feu* de D'Annunzio.

Hemingway est néanmoins déçu. Il ne retrouve pas dans les locaux étroits et confinés du journal l'ambiance électrique qui régnait au *Kansas City Star*, et les Connable, malgré leur gentillesse, sont trop conventionnels pour lui. Cette vie l'ennuie, et il va d'autant moins persévérer dans cette voie qu'il l'a saisie seulement comme une échappatoire, à défaut de mieux.

Le 1er janvier, soit quelques jours seulement avant son arrivée, il écrivait en effet à son amie Grace Quinlan : « Peut-être que je ne vais aller ni à Toronto ni à K. C. [Kansas City]. Les gens des Pneus Firestone ont demandé à Kenley Smith de leur trouver un publicitaire [...] Si la place est toujours vacante, je vais la prendre. »[6]

Lui qui semblait si content de partir au Canada dix jours auparavant...

En mai, à l'échéance de son contrat chez les Connable, Ernest abandonne donc tout à la fois le *Star* et Toronto. Retour à Horton Bay. Le jeune et fougueux Hemingway tournerait-il en rond ?

Cette situation inquiète fortement ses parents, qui appréciaient *a contrario* de le savoir à Toronto, au sein d'une famille influente et susceptible de lui ouvrir des portes. Clarence et Grace, alors respectivement à Oak Park et Windemere, vont s'écrire tout au long de l'été pour essayer de pousser leur fils à se prendre en charge. Grace reproche à Ernest de négliger ses devoirs... Et leurs relations vont en s'envenimant quand il apprend les frasques immobilières de sa mère, jamais à court d'imagination quand il s'agit de décoration ou de grands travaux.

Grace va jusqu'à chasser son fils de Windemere, suite à un souper de minuit en pleine nature organisé par Ura et Sunny, avec la bénédiction d'Ernest, bien loin alors de jouer son rôle de grand frère mûr et raisonné. Il écrit ainsi à Grace Quinlan : « Ma mère était ravie d'avoir une excuse pour me flanquer à la porte, car elle m'a plus ou moins dans le nez depuis que je me suis opposé à ce qu'elle fiche en l'air deux ou trois mille dollars pour se faire construire un nouveau chalet quand ce fric pourrait servir à envoyer les gosses au collège. Ça c'est une autre histoire. Des histoires de famille. »[7] Plus encore que les mots alors échangés avec sa mère, c'est une lettre d'elle en date du 21 juillet qui blesse profondément Ernest, même s'il ne veut alors rien en laisser paraître : « À moins Ernest, mon fils, que tu te reprennes, que tu ne cesses de fainéanter et ne rechercher que ton plaisir, empruntant sans jamais songer à rembourser ; de vivre en parasite aux crochets de n'importe qui et de tout le monde ; [...] d'utiliser ton joli minois pour berner des petites filles crédules et de négliger tes devoirs envers Dieu et Jésus-Christ Ton Sauveur ; à moins, en d'autres termes, que tu ne commences à te conduire en adulte, tu cours à la faillite : *ton compte est à découvert.* » [8]

Ernest plaisante si on l'interroge sur son étrange morosité, mais finit cependant par se confier à son vieil ami Bill Horne, qui lui propose de partager son appartement dans la banlieue de Chicago.

C'est pour lui l'occasion rêvée d'échapper à l'emprise familiale. Il emménage chez Bill, dans un quartier bohème aux faux airs de Greenwich Village. Kate Smith, la Kate des folles rumeurs vraies, habite juste à côté…

16

HADLEY

(fin 1920)

> « L'avantage de l'amour au premier regard,
> c'est qu'il retarde le second regard. »

Natalie Clifford Barney

Le 31 octobre 1920, un dimanche, Kate organise une petite soirée. Ernest et Bill sont conviés, « en tenue de ville ». L'alcool ne manquera pas, et il y aura du monde !

Les deux compères arrivent déjà quelque peu éméchés, quand Kate leur présente une amie d'école : Elizabeth Hadley Richardson, dite « Hash ».

Les deux jeunes gens font à peine connaissance – lui est trop ivre, elle est un peu abasourdie par tout ce petit monde qu'elle ne connaît pas, et qui parle « un étrange sabir dans lequel la nourriture [est] la bouffetance, la mort la mortica et l'envie de rire la pouffette. »[1] Pire, tous se donnent des surnoms à embrouiller le plus sain des esprits. Ernest à lui seul n'est-il pas tout à la fois Ernie, Nesto, Stein, Boid, Wemedge ?

Cependant, dès le lendemain, ils se revoient. Hadley est de huit ans l'aînée d'Ernest. Sa conversation la tient sous le charme, mais elle se pose quand même des questions sur leur différence d'âge – bizarrement quasi la même qu'avec Agnès, comme si Hemingway exprimait inconsciemment dans ses choix amoureux un fort besoin d'être rassuré, lui le faraud inquiet.

Sur le moment, Hadley n'ose y croire et plaisante : « Je crois que je lui plais à cause de mes cheveux roux et parce que ma jupe est de la bonne longueur, mais attendez qu'il apprenne que je fais de la musique classique et que je me fiche de Harold Bell Wright. »[2]

Au fur et à mesure, ils apprennent cependant à se connaître et à dépasser les apparences. Hadley a eu une enfance marquée par une mauvaise chute, qui la laissa un temps paralysée. Elle guérit finalement, mais couvée par sa mère, elle reste persuadée de sa fragilité. Son père, lui, devient alcoolique avant de se suicider, suite à un revers de fortune. Hadley n'a que douze ans quand survient ce nouveau drame.

Cinq ans plus tard, encore un coup du destin, avec la mort terrible de sa sœur aînée, sa préférée, brûlée au troisième degré sur la moitié du corps alors qu'elle tentait d'étouffer un début de feu.

Elle n'a pas vingt ans, elle a déjà connu trois drames atroces, et sa mère ne l'aide pas vraiment à se construire. Alors que sa première année à l'université permet enfin à Hadley de prendre confiance en elle, Florence Richardson fait peser sur la relation que sa fille entretient avec la mère de sa meilleure amie un soupçon d'homosexualité... Hadley, terriblement choquée, préfère arrêter ses études et se consacrer dès lors totalement à la musique.

Hélas, le malheur s'acharne. À la fin de l'été 1920, un spécialiste diagnostique le mal de Bright – une néphrite chronique – chez Florence Richardson. Il ne lui reste au mieux que quelques mois à vivre, qu'elle passe avec Hadley. Celle-ci, épuisée, assiste à ce combat inégal jusqu'à la fin, en octobre.

C'est alors que Kate propose à son amie de venir passer quelques jours à Chicago. Le destin, enfin clément, se présente-t-il sous la forme vigoureuse du jeune Hemingway ? Dès qu'il voit la jeune fille, Ernie sait intuitivement qu'il l'épousera. Elle est douce et cultivée, sportive, et ne cherche pas à jouer avec lui comme le faisait Agnès… Il la pare de toutes les qualités. « C'est une merveilleuse joueuse de tennis, la meilleure pianiste que j'aie jamais entendue, et une sorte de rudement belle personne, et quelqu'un de terriblement bien. »[3]

Même après leur divorce et trois autres épouses officielles, il ne changera pas d'avis.

Ce sont néanmoins deux écorchés vifs qui se rencontrent en cette fin de 1920, et la prudence est donc de mise, de part et d'autre. D'autant qu'ils doivent affronter l'épreuve de la distance, l'un à Chicago, l'autre à Saint Louis. Les jeunes gens se voient très peu au cours des mois qui suivent leur rencontre. Mais ils mettent à contribution le courrier ! Deux mille feuillets seront échangés. Cette correspondance relève du jeu amoureux habituel, des préliminaires, où chacun tâte avec délicatesse le terrain de l'autre.

Ce qui ne se fait pas parfois sans quelques anicroches. Hadley se cabre quand Ernest lui annonce que le capitaine James Gamble, « un type sensationnel », son ancien supérieur, lui propose un séjour d'un an en Italie.

La nouvelle peine la jeune femme, puis la met en colère. Elle déclare à Ernest qu'elle passera le réveillon chez des amis avec Dick, « un terriblement chic type. Ceci pour que tu sois très jaloux »[4], et qu'il essaiera sûrement de l'embrasser pendant toute la soirée. Le lendemain, elle raconte son réveillon à Ernest, puis, d'un ton badin, comme si tout cela l'indifférait : « Je suppose qu'il serait tout aussi amusant de t'écrire et d'avoir de tes nouvelles de Rome que de Chicago. »[5]

Elle ignore qu'il a télégraphié à Gamble pour refuser l'offre. « Trop fauché », prétexte-t-il. En fait, il n'a laissé croire à la perspective de ce voyage que pour tester les sentiments de la jeune femme. Chat échaudé craint l'eau froide.

Leurs joutes pourraient durer ainsi sans fin. Hadley, quand une des lettres quotidiennes d'Ernest ne lui parvient pas, tremble à l'idée que ce ne soit le signe d'une rupture. Désormais, Ernest ne peut plus douter de ses sentiments. Elle va finir par fléchir.

On se chamaille un peu, on s'asticote, puis des sentiments plus forts se glissent à nouveau dans les lettres. Ernest les introduit dans les siennes avec talent. Il choisit ses mots, les sait définitifs, chacun porteur d'un message. Les phrases font mouche. Les deux amoureux avancent pas à pas l'un vers l'autre.

Dès le départ, Hadley a le tact de faire comprendre à Hemmy qu'elle ne sera jamais une entrave à ses projets. Elle veut qu'il puisse écrire, et fera tout ce qu'il faut pour cela. Avant même qu'Ernest ait réussi à publier quoi que ce soit, elle est sûre et fière de son talent. Elle se fâche parce que Bill Smith aurait affirmé que les ambitions d'Hemmy étaient exagérées... Elle défend avec force l'œuvre alors en germe et souhaite faire, très symboliquement, cadeau d'une machine à écrire à Ernest pour son anniversaire. « Je suis complètement pour ce roman et si violemment pour toi en tant que personne, écrivain et Amant que je ne peux l'écrire sur cette feuille. »[6]

Très vite, Ernest prend l'habitude de se faire relire par Hadley, qui se révèle une bonne lectrice, servie par l'oreille de la musicienne : comme elle connaît la valeur des notes et des silences, elle sait distinguer le rythme d'une prose, l'importance de la ponctuation et du choix des mots. Elle réussit à se rendre indispensable.

17

INQUIÉTUDES

(fin 1920-début 1921)

> « Si vous ne dites pas la vérité sur vous-même,
> vous ne pouvez pas la dire sur les autres. »
>
> Virginia Woolf

Ernest, pour l'heure, s'inquiète surtout pour son père. En novembre, au cours des repas dominicaux, il a remarqué la sueur qui dégoulinait soudain sur son front. Il a aussi observé que Clarence, dont le visage a pris une teinte grise, regardait souvent dans le vide. Le docteur Hemingway paraît happé par le passé et ne cesse de rappeler les souvenirs des temps heureux. Pour chasser ses tracas, Ernest se jette à corps perdu dans sa relation avec Hadley. Il lui offre bientôt une bague en platine.

Penser à sa belle lui donne du courage pour aborder un Noël qui s'annonce bien triste. La famille est dispersée : Grace a quitté Oak Park à la fin de novembre avec Leicester, son plus jeune fils, et Clarence, désemparé, se contente d'assurer le service minimum en l'honneur d'Ernest. Celui-ci s'efforce d'insuffler un peu de joie à une soirée qui en manque singulièrement.

La santé défaillante de son père le préoccupe de plus en plus.

Et puis Hemmy est déçu de ne pouvoir rejoindre Hadley pour le réveillon, d'autant qu'il sait que cela la peine : il n'a pas assez d'argent pour faire le voyage, comme il s'en ouvre à sa mère : « [Hash] voudrait énormément que je vienne à un grand dîner de réveillon du Nouvel An et à une soirée de l'University Club de Saint Louis – mais je ne peux pas franchir l'obstacle. Étant à peu près aussi argenté qu'une orange sans pépins. Mon salaire est très convenable mais entre Noël, le paiement de la vieille dette et l'achat de vêtement [...] j'ai de la peine à m'en tirer »[1]...

Autre sujet d'inquiétude, ou du moins de réflexion pour Ernie : son travail. Peu avant Noël, après une période où il continua à écrire à distance quelques articles pour le *Toronto Star Weekly*, Hemingway peut annoncer avec bonheur qu'il a trouvé une place dans un magazine, *The Coopérative Commonwealth*, dont le tirage s'élève à 65 000 exemplaires. Il gagne cinquante dollars par semaine. À Bill Smith, il confie que son emploi a tout pour plaire... sauf ce qu'il lui rapporte !

Mais très vite, il se rend compte qu'en fait ce travail ne lui plaît pas. Il rêve de quitter l'Amérique, une nation où il déteste vivre. Il voudrait s'installer en Italie, à Milan, avec Hadley, et ce, même s'il ne possède pas un sou vaillant. Il lui dépeint une vie à la fois simple et idyllique, peut-être avec Bill Horne et Howell Jenkins. Ernest rêve, transporté par ses souvenirs italiens toujours vivaces. Hadley, elle, souhaite une décision « réfléchie, et non sentimentale ». Il faut assurer l'avenir d'un couple sur une base solide, et non sur un coup de tête.

Sur ces entrefaits, Bill Horne a été licencié, et Ernest doit donc se trouver un autre hébergement. Il part s'installer au Men's Club de Kenley Smith, le frère aîné de Bill et Kate, dont les locataires lui font un accueil bien arrosé.

Dans cette joyeuse troupe, tous ont la passion de l'écriture, et il n'est pas rare d'entendre les machines à écrire crépiter jusque tard dans la nuit. Le Club et le carnet d'adresses de Kenley pourraient se révéler utiles aux aspirations littéraires d'Hemingway.

C'est là, par exemple, qu'il fait la connaissance de Sherwood Anderson, alors âgé de quarante-quatre ans. Si le nom de celui-ci ne passa que modestement à la postérité, en 1921, il est considéré comme un écrivain influent, réputé pour ses nouvelles. La sortie de *Winesburg Ohio* deux ans plus tôt a fait date. Ernest admire sincèrement la précision de son style – exactement ce qu'il veut faire –, et puise avec joie auprès d'Anderson tous les conseils que celui-ci veut bien lui donner.

18

ÉCRIRE COMME BOXER

(début 1921)

> « Il faut essayer, sentir. Avoir boxé, menti...
> Avoir tout fait, non à fond,
> mais assez pour comprendre. »
>
> Georges Simenon

Hemmy entend toujours quitter l'Amérique et épouser Hadley, mais il faudrait pour cela trouver une solution financière. L'affaire du *Coopérative Commonwealth* a fait long feu. Il postule au *Toronto Star* comme correspondant du journal à l'étranger. La plupart de ses articles n'ont-ils pas été publiés dans le *Toronto Star Weekly* ? Hemingway pousse son avantage : il a combattu en Italie, il parle un peu le français...

En attendant une réponse, il suit dans la fièvre les préparatifs du match de boxe qui va opposer le poids lourd Jack Dempsey, récemment sacré champion du monde, au Français Georges Carpentier, champion d'Europe. Ernest adore Carpentier, *alias* Geo. Il lui trouve classe et intelligence, et sait qu'il considère vraiment la boxe comme un art.

Cet art, Ernest l'exerce lui-même toujours avec plaisir. Par exemple avec Bill Smith. Il améliore aussi ses fins de mois dans un club, où il sert de sparring-partner à des poids moyens pour s'entraîner à moindres frais. Surprise de prime abord, Hadley y voit un besoin d'expulser un trop-plein d'énergie ou d'agressivité. Sans doute. Mais Ernest tient d'abord à lui prouver qu'il sait encaisser – et rendre – les coups sans broncher. Hadley commence à percer à jour ce secret besoin d'amour, le reflet d'une fragilité qu'il se garde bien d'exposer.

Et comme tous les jeunes gens de sa génération entraînés dans une épreuve aussi atroce que cette guerre-là, Ernest souffre de périodes de dépression hantées par des cauchemars terrifiants. La mort rôde, une mort qu'il a attrapée comme une vilaine maladie lorsqu'elle l'a frôlé en Italie, une mort dont il a vu les lugubres effets en cascade autour de lui, une mort qui le traquera comme un gibier, tout au long de sa vie.

En février, Ernest annonce enfin sa prochaine visite. Kate Smith l'accompagnera peut-être. Hadley, qui brûle de le « dévorer vivant », ne fait aucun commentaire : après tout, Kate est son amie. Ernest descend finalement seul du train. Doublement heureuse – de le tenir dans ses bras et que Kate ne soit pas du voyage –, Hadley le ramène chez elle. Hemmy a pris avec lui sa pèlerine d'officier en Italie et l'album contenant les coupures des articles écrits pour le *Toronto Star*.

Au cours des quatre jours et trois nuits qu'ils passent ensemble, les fiancés se lèvent tard, bavardent beaucoup. Hash ne se lasse pas de le contempler. Elle est désormais tombée amoureuse de tout l'homme, et de tout dans cet homme : sa personnalité tonitruante, son corps robuste, son visage et, derrière, son âme.

Sa sœur Fonnie juge au contraire Hemingway égoïste et immature. Lui n'ignore pas les sentiments très mitigés qu'il inspire à sa future belle-sœur... Hadley, de son côté, aura le même mois l'occasion de faire la connaissance des parents d'Hemmy, et ne se méprend pas une seule seconde sur ses chances de s'entendre un jour avec sa future belle-mère, pourtant musicienne comme elle : « Nous n'étions pas faites pour être amies, mais elle [Grace] s'y efforçait. »[1]

Quelques jours à peine après le départ d'Ernest, sur une impulsion, Hadley saute dans le train pour Chicago. Une nouvelle fois, elle soupire de soulagement quand elle constate l'absence de Kate-la-rivale. Ah, Kate ! Bien sûr, c'est une amie. Bien sûr, c'est grâce à elle qu'ils se sont rencontrés. Mais elle est trop présente. En l'absence d'Hadley, Ernie l'emmène au théâtre ou danser. Apparemment avec sa bénédiction. Mais les choses ne sont pas si simples. Hash se fait un brin provocatrice : « Il est étonnant que par suite d'un quelconque processus chimique, il ne se soit pas trouvé que tu sois sérieusement amoureux d'elle »[2], car, précise-t-elle, cette fille est « probablement une meilleure amante et une meilleure collaboratrice pour toi, et mieux en tout ». Il faut dire qu'Ernest exagère parfois, comme s'il voulait pousser Hadley à bout. Quand il ne lui parle pas de Kate, d'autres prénoms, Ruth, Frances, Irène, parsèment ses lettres. Jalousie, poison subtil... qui a au moins le mérite de tester leurs sentiments !

Mais un dimanche, Ernest perd soudain l'envie de jouer. Ce 1er mai 1921, Ernest part pour Oak Park, où l'attend une très mauvaise nouvelle. Son père lui révèle l'angine de poitrine dont il souffre, sans doute une conséquence de son diabète. Il n'en a parlé à personne. Ernest masque ses sentiments mais cette menace qui pèse sur la santé de son père le hante.

Au fil des années, et des disputes incessantes du fils et de la mère, les deux hommes se sont beaucoup rapprochés. Aux yeux du jeune Hemingway, la figure paternelle n'est pas celle du héros, ni celle du modèle, mais celle de la liberté. Liberté bridée par le statut social, entravée par les liens du mariage, piétinée lorsque l'on jette au feu ses précieuses collections de chimères noyées dans le formol, mais liberté tout de même :

rien ni personne ne lui arrachera son goût des grands espaces, de la nature sauvage, ce goût qu'il a fait partager à son fils dès sa petite enfance.

Alors qu'il pressent la fin de son père, Ernest n'aime pas le voir ainsi racorni, et profondément malheureux. C'est alors qu'il décide lui-même de s'engager. Mais cette fois-ci, en amour.

19

MARIAGE : PREMIER ROUND

(1921)

> « En tout cas, ce jour-là,
> sa femme devint son amie la plus fidèle
> et allait le rester jusqu'à son suicide. »
>
> Bill Smith à propos d'Hemingway

Le mariage ne se présente pas sous les meilleurs auspices. En mai, il est décidé qu'il aura lieu après l'été. Fin juillet, le jour exact n'est pourtant toujours pas arrêté[1]. Ce sera en fait le 3 septembre. Quant au lieu, diverses hypothèses circulent, mais toutes sont infirmées : Ernest et Hash veulent une fête intime, recevoir un nombre limité d'invités, et pour cela, ils ont choisi de se marier dans le Nord, à Horton Bay.

Les parents Hemingway prêtent Windemere pour la lune de miel. Les jeunes mariés prévoient ensuite de rentrer à Chicago, puis d'aller passer au moins un an en Italie. Ernest a désormais assez d'argent pour cela (il bénéficie même à présent d'une bourse italienne) et, en prévision, il a déjà acheté des lires. Naples, Capri, les Abruzzes – un bon coin pour la pêche... Il est là-bas en territoire connu et y a des amis. Et puis la nostalgie de ses premières amours à l'hôpital le taraude...

Contrevenant aux traditions, Ernest a vu la robe de mariée de sa promise, et montre même à certains une photo d'Hadley ainsi vêtue !

Mille petits tracas peuplent les semaines qui précèdent le mariage. Et puis les immanquables doutes, sur lesquels les amis soufflent parfois comme l'on attise un feu. Il y a ceux qui, ressassant jusqu'à épuisement tous les vieux clichés sur le mariage, trouvent Ernie moins drôle engagé que lorsqu'il se déclarait libre comme l'air, ceux qui le jugent trop jeune pour se marier – ou qui estiment trop grande la différence d'âge avec Hadley. Huit ans, ce n'est pas rien quand on vient à peine d'atteindre vingt-deux ans !

Les parents Hemingway s'y mettent aussi. Clarence prétend que son fils ne souhaiterait pas sa présence à ses noces, et Grace lui formule ces souhaits à quelques jours du mariage : « Espérons que tous tes projets sont en bonne voie, et qu'ELLE t'aime toujours. »[2] Merci Maman !

Mais le grand sujet équivoque de l'avant-mariage concerne Kate. Elle est *objectivement* source d'ennuis : va-t-elle ou ne va-t-elle pas accepter d'être demoiselle d'honneur, combien de temps occupera-t-elle les conversations concernant sa tenue, acceptera-t-elle de mettre la main à la pâte et de participer aux derniers préparatifs ?... Et surtout : quand renoncera-t-elle à ses entreprises de séduction ? Car deux semaines avant le mariage, elle tente encore à proprement parler de se glisser dans le lit d'Ernest. Ça, ce sont les *faits*.

Mais au-delà, Kate empoisonne aussi les esprits. Hem est-il si sûr de ses sentiments amicaux pour elle, est-il sûr de ne pas l'aimer plus qu'Hadley ? Les relations entre les deux femmes sont fortement ambiguës, surtout du côté d'Hadley. Quelle indulgence en apparence ! Une mansuétude teintée sans doute d'admiration. Car Kate, tout odieuse qu'elle puisse être, est fascinante. Enfin : sincérité ou cruauté de la part d'Ernest, quand il se répand dans sa correspondance avec Hadley sur les qualités de Kate, sans rien lui cacher non plus du flirt permanent qu'elle tente à son égard ?...

Ernest sombre dans le doute et la morosité deux mois avant son mariage, au point d'inquiéter Hadley. « Tu n'es tout de même pas triste au point de chercher la mortica, hein ? »[3] lui écrit-elle. Elle est à Saint Louis, il est à Chicago où il se sent fort seul. Mais il semble que le week-end qu'ils passent en amoureux mi-juillet va le requinquer.

Mi-août, Hash part en vacances de son côté. Ernest est à Chicago et doit arriver le 28 août dans le Michigan. Il espère pouvoir se ménager trois jours de pêche avant la cérémonie. Bill Horne, Kate Smith et sa mère sont déjà là, occupés à régler les derniers détails de la fête.

Ernest consacre sa dernière soirée de célibataire à Bill et Kate, qui savoure secrètement son plaisir, car Hadley ne manquera pas de l'apprendre. Elle n'ignore pas, cependant, que le lendemain, quand le couple aura prononcé le « oui » fatidique, il sera trop tard. Enfin, on ne sait jamais... Elle promet néanmoins à Ernest de bien se tenir. Mais ses yeux suggèrent d'autres perspectives...

Et puis c'est le grand jour. Le soleil brille, et les tensions familiales semblent miraculeusement apaisées. Tous les amis d'Ernest sont là, et même les Connable ; malheureusement, la famille, elle, n'est pas au complet (Marcelline, par exemple, se rétablit de troubles nerveux dans le New Hampshire). La mère du marié rayonne. Clarence, lui, a perdu toute gaieté.

La cérémonie est célébrée l'après-midi. Tout le monde s'est réuni dans la petite église méthodiste, moins sévère maintenant qu'elle est fleurie. Enfin, Hadley arrive, magnifique, éclatante, comme sortie d'un roman de Scott Fitzgerald, le futur ami du marié. Et c'est fait ! Il n'y a pas un an qu'Ernest Hemingway et Hadley Richardson se sont rencontrés, et elle sera sans doute la femme qui comptera le plus dans sa vie. Des femmes, pourtant, il y en aura bien d'autres...

Séance de photos, puis fête. Enfin, les jeunes mariés gagnent Windemere par le lac. Ils se réjouissent de passer leur lune de miel « au milieu des bois ». Tous imaginent – à l'exception de Kate – que le couple va connaître une félicité intense et des plages de sérénité dans cette nature complice... En fait, c'est un fiasco !

Sans doute fatigué par la préparation du mariage, les ennuis de santé de Clarence, la réprobation des amis – celle de Kate au premier chef –, l'attitude de Grace... Ernest est sans entrain, épuisé ; Hadley n'a pas meilleure mine, et ils tombent tous deux malades. Ils vont donc commencer par se dorloter et se soigner – leur premier *devoir*, se porter aide et assistance, pour reprendre les termes consacrés.

Ernest va alors jusqu'à Petoskey – à pied puis en stop –, pour le ravitaillement. Cette semaine d'isolement complet en tête à tête ne lui a pas réussi ; à peine en ville, il trouve un compagnon de boisson, et ne reprend le chemin du cottage que très alcoolisé. Encore faut-il, d'ailleurs, qu'il parvienne à retrouver son chemin et à parcourir la distance qui le sépare de sa toute jeune épouse...

Pas de problème : il avise un hors-bord amarré à un appontement, saute dedans et démarre... sans se soucier de dénouer les cordages qui le relient à un pilotis. Hadley, qui trouve le temps long, marche à travers bois vers Petoskey quand, chemin faisant, elle aperçoit le bolide traînant le morceau de pilotis dans son sillage[4] !

Une fois dessaoulé, il profère un flot d'excuses qui trébuchent de sa bouche pâteuse. Elle pardonne, comme elle pardonnera presque toujours... Il allume un grand feu de bois qui réchauffe la fraîcheur de septembre. Ils redeviennent le couple de jeunes mariés au seuil d'une belle vie. Hadley éprouve une confiance infinie dans le talent de son mari. Elle le sait, elle le lui a dit. Elle ne se trompe pas. Lorsque le crépuscule repeint le ciel en bleu sombre piqueté d'or, Ernest installe des matelas devant la cheminée. L'amour allume alors un autre feu.

20

PARFUM DE FRANCE

(fin 1921)

> « Paris est tout petit,
> C'est là sa vraie grandeur.
> Tout le monde s'y rencontre.
> Les montagnes aussi. »

> Jacques Prévert

Depuis leur retour à Chicago où, à la fin de septembre, ils emménagent dans un modeste et vétuste appartement du nord de la ville, le temps des vacances – même si la lune de miel ne fut pas de tout repos – a cédé la place à une sorte de grisaille. Ernie est bien résolu à reprendre son roman, Hadley à le soutenir. Mais Mrs Hemingway ne sait toujours pas sur quel pied danser. Finalement, qu'est-ce qui a changé ?

Tous les matins, Ernest écrit sur la table de cuisine. Ligne après ligne, Nick Adams, son héros, prend consistance. À midi, le couple déjeune dans un petit restaurant de quartier.

C'est alors qu'Ernest est relancé par Sherwood Anderson (l'auteur de *Winesburg, Ohio*, rencontré au Club de Kenley Smith). Ce dernier vit désormais à Paris. Les Américains de passage, lui dit-il, commencent toujours par une escale à l'incontournable librairie Shakespeare & Company, créée par une compatriote, Sylvia Beach. Sherwood marchait rue de l'Odéon quand, après avoir remarqué la Maison des amis des livres, il a vu, pratiquement en face, de l'autre côté de la chaussée, l'enseigne en anglais et, mieux encore en se rapprochant, son livre, mis en évidence dans la vitrine !

Il parle aussi à Ernest d'un formidable personnage dont il vient de faire la connaissance, une « authentique ouvrière des mots » dans le corps d'un bouddha : Gertrude Stein. Il décrit encore par le menu ses riches fréquentations et sa vie parisienne.

Les termes, à la fois chaleureux et enthousiastes, forment une sorte d'invitation. Pourquoi ne pas venir à Paris ? suggère Sherwood à Ernest. Il insiste sur la liberté qu'il pourrait gagner ici, dans cette petite capitale où le monde des lettres est en pleine ébullition, et où les Américains vivent à l'aise financièrement.

Hemingway penche encore pour l'Italie, mais Hadley, qui a entendu dire que les maternités italiennes n'ont pas recours à l'anesthésie, lui rappelle que l'on accouche mieux en France ! D'ailleurs, argumente-t-elle finement, n'est-ce pas lui qui doit « enfanter le premier » ?

Ernie pèse le pour et le contre. Il est partagé entre ses souvenirs italiens toujours vivaces et les promesses d'un avenir français. Il a entière confiance en Sherwood et en son jugement, mais il écoute aussi sa femme. Va pour Paris !

Peu avant la fin de novembre, Ernest et Hadley grimpent dans le train pour New York. Kate, Bill, Howell, Clarence et Marcelline sont venus les accompagner. L'émotion des uns et des autres est palpable. Kate sourit, mais la gorge nouée. Bill paraît fataliste ; seul compte le bonheur de son ami. Clarence regarde son fils comme s'il voulait graver ses traits, une dernière fois, dans sa mémoire, car il se sait malade et se sent chaque jour décliner. Le reverra-t-il seulement ?

Il fait froid. Marcelline remarque les mains nues et gelées d'Hadley. Elle roule ses propres gants et les lance à sa jolie belle-sœur – un souvenir, dit-elle. Howell Jenkins l'imite soudain et offre à Ernest son cache-nez[1].

Pour tous, il s'agit d'un adieu.

21

LA GÉNÉRATION PERDUE

(1922)

> « Mais Paris était une très vieille ville,
> et nous étions jeunes, et rien n'y était simple,
> ni même la pauvreté, ni la richesse soudaine,
> ni le clair de lune, ni le bien, ni le mal,
> ni le souffle d'un être endormi
> à vos côtés dans le clair de lune. »
>
> Ernest Hemingway

Paris change de Chicago ! La ville possède pour un Américain ce côté village qui séduit d'emblée les visiteurs. Il y règne une atmosphère grisante, peut-être parce que le sort du monde s'est souvent décidé ici. L'histoire jaillit des pavés ou des vieilles pierres, à chaque pas. La capitale française n'a pourtant rien d'une vieille dame qui se laisserait aller à la nostalgie d'un passé illustre. Paris respire. Paris vit. Paris jouit. Paris avance vers l'avenir.

Tout comme ce couple de jeunes Américains, qui se présente à la réception de l'hôtel Jacob et d'Angleterre, au 44 de la rue Jacob, dans l'attente de l'appartement où il doit emménager quelques jours plus tard, dans le Vᵉ arrondissement voisin. Comme nombre d'Américains expatriés logent également au Jacob, Ernest est loin de se trouver en terre

étrangère. Modeste correspondant du *Toronto Star* (pour soixante-quinze dollars par semaine, plus les frais), il sait qu'il
démarre, mais du bon pied et au bon endroit, puisque l'y
ont précédé quelques pointures notoires, dont Washington
Irving, un siècle plus tôt.

La traversée de l'Atlantique à bord du *Leopoldina*, de la
French Line, avec une escale à Vigo, en Espagne, est plus
gaie que celle d'il y a trois ans. Hadley a obtenu un franc
succès en divertissant les passagers avec plusieurs récitals de
piano. Quant à Ernest, après avoir formé un ring avec des
tables, il s'ennorgueillit d'avoir boxé trois rounds avec Henry
Cuddy, un professionnel en route pour Paris où l'attendent
plusieurs matchs. Hemmy dira avoir *failli* mettre K.-O. le
champion qui, beau joueur ou bon perdant, souhaiterait le
voir boxer à Paris [1]...

À peine ont-ils débarqué au Havre que les Hemingway
rêvent de partir pour l'Espagne. À Vigo, ils ont remarqué
combien le change leur est favorable, comme à Paris [2], et que
la baie « grouille de thons ». En outre, les « grandes montagnes brunes, ressemblant à des dinosaures fatigués s'affais-
sant dans la mer » [3] qui ceignent presque le port regorgent
de rivières à truites. À ce tableau idyllique, Ernest ajoute que
le vin ne coûte pas très cher, et que le cognac au litre est très
abordable. Cela, plus « de l'eau verte dans laquelle nager et
des plages de sable » : « Le lieu rêvé pour un mâle ! »

L'arrivée à Paris l'enthousiasme pareillement.

À l'approche de Noël, Hadley et Ernest visitent la ville
dans les meilleures conditions. Ils flânent boulevard Montparnasse, s'arrêtent à la terrasse du Dôme, en face de la
Rotonde en cours de rénovation. Comme il fait un froid vif,
ils s'installent près d'un brasero à charbon de bois et
dégustent du punch chaud pour se réchauffer. Ils prennent
plaisir à rentrer chez eux par les petites rues et, le froid
aidant, ils imaginent ce même Paris livré aux loups autrefois,

un Paris où, dans quelque taverne, un ancien étudiant trous-
sait la gueuse quand il n'écrivait pas de sublimes poèmes.
Ce mauvais garçon, François Villon, promis à disparaître de
curieuse façon sur d'autres routes, se gardait bien de regarder
en direction du sinistre gibet dont chacun de ses pas le
rapprochait.

Pour l'heure, les larcins d'Ernest ne risquent guère de le
conduire à la potence. Faute de moyens, il lui arrive, paraît-
il, d'étrangler des pigeons au jardin du Luxembourg pour
pouvoir se nourrir le soir…

Leur hôtel, « propre et bon marché »[4], leur plaît bien, de
même que le restaurant du Pré-aux-Clercs, à l'angle de la rue
Bonaparte, dont ils font leur cantine. Ils prennent leur petit
déjeuner dans des bistrots du quartier. Et pour le *reste*, Ernest
se frotte les mains, car leur « chambre ressemble à une belle
boutique de spiritueux – rhum, asti spumante et Vermouth
Cinzano occupent entièrement un rayon »[5]. Pas de prohibition, à Paris !

Au début de janvier 1922, les Hemingway prennent possession de leur nid au quatrième étage d'un vieil immeuble,
74, rue du Cardinal-Lemoine, derrière le Panthéon et l'École
polytechnique. Ils n'allaient pas loger éternellement à l'hôtel,
et c'est un excellent emplacement, à deux pas du quartier
Mouffetard qu'Hemingway décrira dans les premières pages
de *Paris est une fête*.

À l'instar de tout visiteur étranger, il écarquille les yeux
devant les usages et les commodités du pays qu'il aborde.
« Les vieilles maisons, divisées en appartements, [compor-
taient], près de l'escalier, un cabinet à la turque par palier,
avec, de chaque côté du trou, deux petites plateformes de
ciment en forme de semelle, pour empêcher quelque *locataire*
de glisser. »[6]

L'appartement, « un local de grande classe », comble
Ernest. Il y installe sa machine à écrire et commence enfin
sa prospection, grâce à quelques lettres d'introduction à

l'intention de Sylvia Beach, Gertrude Stein, Ezra Pound ou Lewis Galantière, le secrétaire parisien de la Chambre de commerce internationale.

Impossible à un familier des grands espaces et des forêts, comme Hemingway, de se perdre dans ce « village » français, où les bivouacs américains, implantés souvent depuis longtemps, ne manquent pas ! À commencer par le « vaste studio » de Gertrude Stein, au 27 de la rue de Fleurus. Miss Stein, arrivée à Paris avant la guerre, comme Natalie Barney et Edith Wharton.

L'entrée d'Hem chez Gertrude ne passe pas inaperçue. Ce grand garçon plein d'assurance possède un charme auquel elle ne se montre pas insensible. « Il avait, dit-elle, un aspect étranger, avec des yeux qui rayonnaient d'un intérêt passionné, plutôt qu'ils n'étaient passionnément intéressants. »[7] Gertrude et Alice B. Toklas, son amie, l'adoptent donc sans tarder.

Ernest prend l'habitude de bavarder avec miss Stein, notamment lors de longues promenades, et il admire sincèrement cette femme au physique ingrat[8]. Les conversations tournent autour de la littérature, et ils parlent forcément du *Ulysse* de James Joyce, « un sacrément beau livre »[9] selon Ernest.

Une rumeur voudrait que l'écrivain meure de faim. « Ces sacrés Irlandais, déclare Ernest ; il faut toujours qu'ils gémissent à propos d'une chose ou d'une autre, mais on n'a jamais entendu parler d'un Irlandais mourant de faim. » D'ailleurs, « on peut trouver tous les soirs cette bande de Celtes chez Michaud, un restaurant où Binney [Hadley] et moi ne pouvons nous permettre d'aller qu'environ une fois par semaine »[10]…

Autre sujet de conversation, plus épisodique : le sexe et l'étrange rapport qu'Hemingway entretient avec la sexualité

sous toutes ses formes – jusqu'à l'homosexualité et la trans-
sexualité (son troisième fils deviendra lui-même femme) –,
qui s'explique par la dualité entre son éducation, très puritaine, et son insatiable curiosité. Il a probablement été
déniaisé fort tard, mais il n'en parle pas et la plupart de ses
romans ne font que suggérer les scènes d'amour. Dans *Paris
est une fête*, il explique avec franchise que tout ce qu'il ne
comprenait pas « avait sans doute quelque rapport avec la
sexualité. Miss Stein, ajoute-t-il, pensait que j'étais trop
ignare en la matière et je dois admettre que j'entretenais
certains préjugés contre l'homosexualité, n'en ayant jamais
eu qu'une connaissance fort primaire. » C'est la raison pour
laquelle, plus jeune, il avait toujours un couteau sur lui afin
de se prémunir contre toute agression sexuelle. Il se répétait
un dicton fort trivial de la région des Grands Lacs : « Suffit
pas de baiser, faut garer son cul. »

Et puis un jour, Gertrude déclare à son ami qu'il appartient à une « génération perdue ».

Que veut-elle dire par cela ? Elle ne lui paraît pas si perdue
que ça, sa génération… Il la considère plutôt comme effritée,
éreintée, mais au risque de s'y méprendre, seuls les cas désespérés n'ont pas d'issue !

Nombre de rescapés de la Grande Boucherie n'en sont pas
pour autant sortis indemnes, même ceux que les balles, les
obus, la pelle tranchante ou les gaz ont épargnés. Tous sont
revenus avec des images imprimées à vie dans leur cervelle
secouée par l'horreur. Tous portent encore en eux, après
qu'elle leur a longtemps collé à la peau et qu'elle a imprégné
leurs vêtements, la puanteur si singulière de la mort. Tous
possèdent une fêlure secrète que le temps ne refermera pas, et
que ravivent les cauchemars. Il ne s'agit peut-être pas d'une
génération complètement perdue, mais d'une génération de
fêlés. Et Ernest s'y reconnaît.

Hemingway se plaît à Paris, même s'il trouve la ville plus triste en hiver. La guerre est proche encore, ce que rappellent les écharpes de deuil accrochées ici et là et les veuves que l'on croise, tout de noir vêtues, souvent d'une jeunesse désespérante. Paris essaie de se ressaisir.

Hem sort beaucoup, explore son nouveau territoire, dont les bars, les brasseries et les librairies constituent des repères – et des haltes – de choix. Son parcours initiatique, après Gertrude Stein, l'a évidemment mené tout droit chez Shakespeare & Company, la librairie de Sylvia Beach, rue de l'Odéon, en face de la Maison des amis des livres d'Adrienne Monnier, sa compagne – elles ne font pas mystère de leur liaison.

Sylvia, à la fois libraire et éditrice *pas comme les autres*, jouera un rôle déterminant dans la littérature anglo-américaine, mais relativement méconnu. Ernest prend vite ses habitudes, chez l'une comme chez l'autre. De Sylvia, femme « délicieuse et charmante et hospitalière »[11], il devient le meilleur client. Au cours d'une vie jalonnée de rencontres et de femmes, il n'aura peut-être pas de meilleure amie qu'elle.

Cette fille de pasteur, qui a quitté Princeton pour Paris en 1915 afin d'y étudier la littérature française, y découvre la librairie d'Adrienne Monnier. Vite conquise, à tous les points de vue, par Adrienne, Sylvia plonge au cœur de la France de l'écriture, et même de son avant-garde puisqu'elle rencontre les familiers du lieu : Aragon et Breton, ainsi que leurs aînés, Fargue, Gide, Larbaud ou Valéry. Lorsqu'elle retourne aux États-Unis vers la fin de la Grande Guerre, elle entend ouvrir une librairie à New York. Un projet qui n'aboutit pas. Elle retrouve donc Paris, et Adrienne.

C'est ainsi qu'en novembre 1919, Shakespeare & Co, librairie de langue anglaise et bibliothèque de prêt, voit le jour dans une ancienne blanchisserie, au 8 de la rue Dupuytren, puis au 12, rue de l'Odéon. Les membres éclairés de la colonie anglo-saxonne de Paris en font vite leur annexe, un carrefour des lettres et des arts. On y croise Gertrude Stein, marraine de bien des talents, Aldous Huxley, Fitzgerald, Ezra Pound, ou bien Robert McAlmon, très apprécié de Sylvia qui lui recommande souvent des auteurs, et qui aidera Hemingway à publier son premier ouvrage. Et James Joyce, de plus en plus découragé par le mauvais sort qui s'acharne sur *Ulysse*, encore à l'état de manuscrit.

C'est là que l'intervention de la libraire va être déterminante. Un jour de l'été 1921, Joyce se confie à Sylvia : son roman a peu de chances d'être publié en Angleterre ou aux États-Unis, où les éditeurs le qualifient d'obscène. Sylvia a le don d'écouter, et si elle n'écrit pas, elle possède le talent du lecteur, le flair du truffier de chef-d'œuvre. Et ce livre en est un. Elle se met au travail avec l'auteur et, le 2 février suivant, le jour même des quarante ans de Joyce, elle fait paraître le premier exemplaire de son roman.

Ce « drôle de petit éditeur », comme l'appelle Joyce, ne manque pas de constance, et il lui en a fallu – pour vérifier le travail de composition des ouvriers français qui ne comprenaient pas l'anglais, comme pour accepter les corrections incessantes apportées par le romancier, qui assimile chacune de ses interventions à un « acte créateur ». Elle doit encore régler les détails de l'impression, des souscriptions, de la distribution. Et enfin sorti, l'ouvrage continue de justifier sa réputation de « livre le plus difficile du monde », en accaparant Sylvia au point qu'elle doit refuser de publier *L'Amant de lady Chatterley* de D. H. Lawrence...

Les deux femmes se démènent pour les auteurs, connus ou non. Outre l'édition d'*Ulysse*, il revient bientôt à Sylvia de représenter à Paris des écrivains et de petits éditeurs américains.

Chez Sylvia, Américains et Britanniques, en expatriés nostalgiques, aiment à respirer l'air du pays, et ils se sentent chez eux. Au point que certains s'y font adresser leur courrier et jouissent même de privilèges bancaires. Les deux « maisons » face à face attirent les personnalités les plus illustres des lettres, qui ne cessent de traverser la rue dans les deux sens. De son côté, la Maison des amis des livres se transforme souvent en salon littéraire, où sont lus les nouveaux textes de Paul Valéry, d'André Breton, où l'on peut entendre Paul Claudel présenter ses œuvres, ou encore assister aux récitals donnés par Erik Satie et Darius Milhaud.

Certains jours, la librairie ressemble davantage à un wagon de métro bondé de lecteurs qui se connaîtraient tous. Les habitués se pressent dans la pièce du fond rebaptisée la « fesse du pion » par Fargue – qui en fera d'autres. On reconnaît André Maurois, Jean Cocteau. On s'interpelle. On se félicite. On s'engueule. Et Adrienne – dite « la nonne », parce qu'elle est toujours vêtue de bure grise, un éternel fichu de laine crue sur les épaules – affiche la mine réjouie d'une bonne mère chatte. À l'occasion, elle entraîne la petite troupe jusqu'à leur appartement, au 18 de la même rue, pour un repas dont elle a le secret. Adrienne se démultiplie avec bonne humeur, bavarde, conseille, discute, ne laisse personne indifférent. Hemingway n'est pas le dernier à se précipiter chez elle, et il intègre vite le cercle des favoris.

Ernest et Joyce, dans cette assemblée, en resteront à une relation de bon voisinage – sans plus. L'Irlandais trouve le jeune Américain talentueux, mais fonceur, comme un taureau ; Ernest respecte son aîné, tout en se demandant s'il y a plus compliqué que lui…

Bien souvent, Paris adopte donc l'heure américaine, toutes les heures, devrait-on dire. Car la plupart de ces talents ne font pas que feuilleter ou emprunter des livres chez les deux muses, ils se cherchent une terrasse accueillante pour écrire, un bistrot, un café ou un bar pour se retrouver et échanger des ragots. Exercice qu'adore Hemingway.

À Montparnasse, tous les arts, toutes les cultures, toutes les ambitions, toutes les misères et tous les espoirs se fondent en une sorte de kaléidoscope vertigineux. Il s'agit d'une fête permanente, où il n'est pas rare de voir des escrocs banqueter avec des notables en goguette, où des messieurs très bien le sont soudainement un peu moins, où des dames du meilleur monde peuvent oublier, l'espace d'une soirée, jusqu'au sens du mot vertu. Bref, il s'y passe toujours quelque chose. C'est un bouillonnement constant d'inspiration, avec ce qu'elle comporte de meilleur, et de pire. En tout cas, quel merveilleux terrain d'observation pour un écrivain !

Hemmy s'y plonge, certes pour s'amuser un peu – il est marié –, mais surtout pour écrire. De cette époque naîtra *A Moveable Feast* (*Paris est une fête*), publié après sa mort. À sa façon, il va permettre au petit groupe d'expatriés qu'il forme avec John Dos Passos, Malcolm Cowley, Archibald MacLeish et Scott Fizgerald d'abandonner cette étiquette de « Génération perdue » (*Lost Generation*) que leur a collée Gertrude Stein.

Ernest se sent encore rescapé de la boucherie généralisée qui a cisaillé sa jeunesse comme celle de toute une génération, mais cette période sombre a forgé un homme, et cet homme veut dévorer le monde.

22

AMERICAN MONTPARNASSE

(début des années 1920)

> « Montparnasse devint aussitôt
> une grande gare internationale,
> une Mecque, une Rome,
> un Nombril du monde,
> un de ces ports pour toute embarcation,
> une cité Paradis, un Enfer,
> un point névralgique, une île flottante. »
>
> Léon-Paul Fargue

Montparnasse ? Une sorte de cour des Miracles sans les miracles, ou alors très peu. L'homme des Hautes Plaines se montre critique à l'égard de la faune des « Montparnos », dont il n'apprécie guère le dilettantisme affecté, surtout chez ses concitoyens venus profiter du dollar fort et des plaisirs français, que leur éducation puritaine leur interdit à domicile. Ceux-là, quand ils écrivent une ligne, ne le font que pour demander une rallonge à leur famille. Hemingway juge sévèrement cette bohème qui dilapide, avec ostentation, l'énergie qui devrait être consacrée à la création.

Pourtant, à ses yeux, Montparnasse est unique, héritier du Montmartre des Lumières et des Ombres du XIXe siècle. Qui, par exemple, pendant les Années folles, aurait pu concevoir que la gardienne de la Ruche – ce lieu qui était au quartier ce qu'avait été le Bateau-Lavoir à Montmartre – couvrait son poulailler avec des toiles de Chagall ? Hemingway explore ce territoire, les sens en éveil, comme l'homme des bois parcourait les grands espaces du Michigan.

Au café de Versailles, place de Rennes, les poètes symbolistes se retrouvent bruyamment, comme les élèves de l'académie Matisse, et on y croise une future héroïne de l'aviation française, Hélène Boucher. Le hasard place d'ailleurs Ernest et Hélène en présence.

Ce jour-là, il s'est installé près de la terrasse devant un gin. Un homme d'une quarantaine d'années vient de rejoindre deux jeunes filles assises côte à côte devant une petite table. Ernest croit le reconnaître ; le garçon de café lui confirme qu'il s'agit bien de Kees Van Dongen, le portraitiste du Tout-Paris, le « peintre des névroses élégantes ». Et lorsqu'on l'interroge sur les deux adolescentes bavardes, le garçon répond que la demoiselle à l'air sérieux est Dolly, la fille de l'artiste. La blonde, mignonne et élancée, le regard bleu, « demeure juste à côté, chez ses parents, rue de Rennes ». « Elle s'appelle Hélène Boucher. Pour nous, c'est Leno. Tout le monde la connaît, dans le coin. Elle vient de temps en temps avec sa copine. Ses parents les autorisent à cette sortie. Ici, il n'y a pas de risque pour des filles bien, moins que plus bas sur le boulevard. »[1] Hélène n'a alors que quatorze ans.

Ernest a la bougeotte. Il arpente le boulevard Montparnasse vers Raspail et le carrefour. Le Dôme et la Rotonde se font face, chacun avec sa faune interchangeable. Pour l'instant, le premier a sa préférence, mais on le voit aussi au Sélect, sans doute le plus extravagant des grands cafés du « delta de Vénus », l'autre nom du quartier, dans la périphérie chaude du carrefour Vavin. Le scandale y est conseillé : il attire le chaland que l'ambiance assoiffe aussi sec.

Le Dôme a été fondé en 1898. Il se dit que son histoire commença véritablement le jour où le patron de la Rotonde refusa de servir une jeune Américaine assise à sa terrasse, parce qu'elle ne portait pas de chapeau et, comble de l'insolence, parce qu'elle fumait aussi sans vergogne. Malin, le patron du Dôme, un Auvergnat, invita la jeune Américaine à s'installer, tête nue, et à fumer autant qu'elle le voulait. Ce geste très commercial se révéla habile, car l'établissement devint bientôt le point de rassemblement des Anglo-Saxons. Sinclair Lewis, dans un article sarcastique de l'*American Mercury*, note ainsi en 1925 : « Parmi les autres avantages du Dôme : il se trouve dans un coin charmant ressemblant à la Sixième Avenue à la hauteur de la Huitième Rue, et tous les serveurs comprennent l'américain, en sorte que les patrons peuvent facilement s'expatrier sans les services de Berlitz. C'est l'endroit parfaitement standardisé, où des rebelles standardisés fuient l'écrasante standardisation de l'Amérique. »

À deux pas : le Sélect. Une jeunesse ! L'établissement n'ouvre qu'en 1924. Mais il introduit une innovation séduisante pour les Montparnos, et que vont rapidement adopter ses voisins : il reste ouvert toute la nuit avec, campée à la caisse, Mme Sélect, une femme qui en impose (comme Marcellin Cazes chez Lipp). Les artistes la suspectent d'entretenir d'étroits rapports avec la police et de faire appel à elle au moindre petit écart…

Quant à la Rotonde, juste en face du Dôme, dont Vlaminck faisait le noyau de Montparnasse – un quartier qui était lui-même le centre du globe –, et que Léon-Paul Fargue voyait comme « le Vatican de l'imagination », ce n'est pas l'établissement que préfère Hemingway, et de loin. Dans un article pour le *Toronto Star Weekly*, il prétend que cet établissement plutôt touristique rassemble la « lie » américaine, et plus particulièrement new-yorkaise. Arthur Cravan, étrange personnage, poète et boxeur, qui s'appelait en réalité Fabian Avenarius Lloyd, et dont l'oncle n'était autre qu'Oscar Wilde, avait été un habitué. Un soir de 1916, ce garçon à la stature imposante, comme Hemingway, fait une entrée remarquée et annonce à la cantonade le prochain combat de boxe qui, à Barcelone, va l'opposer à Jack Johnson, le champion du monde. Cravan tient la forme et un excellent niveau, car il ne sera mis K.-O. qu'au sixième round.

Les Américains occupent le terrain et s'y entendent. En 1923, un peintre californien, Hilaire Hiler, reconvertit le Caméléon, un ancien bistrot, en cabaret, qu'il rebaptise le Jockey. Le spectacle vaut le détour : le patron, un garçon grand et fort, n'est pas le dernier à vider les bouteilles, et les filles, peu farouches, chantent à tue-tête des chansons de salle de garde.

Hiler va favoriser l'arrivée du jazz et du blues dans son établissement, sur la façade duquel il a peint des Indiens et des cow-boys, ce qui a le don d'attirer ses nombreux compatriotes. Le saloon tient ses promesses : chaque soir s'y tient une *party* débridée sous la houlette de la fameuse Kiki (de son vrai nom, Ernestine Prin).

Elle est d'ailleurs l'une des rares Montparnos à trouver grâce aux yeux d'Hemingway. Quand elle estime avoir assez poussé la goualante et chauffé suffisamment les éléments masculins de la salle, Kiki prend le melon de Pascin et circule parmi la foule, où il n'est pas rare de trouver Man Ray, Foujita, Kisling, Scott Fitzgerald, parfois Max Ernst et quelques proches de la bande, tous plus ou moins des habitués. Robert Desnos écrit à une table à l'écart. Lorsqu'il n'y a plus de place sur sa feuille, il interpelle le garçon, et lui commande de lui apporter une nouvelle nappe sans tarder. La nappe de papier est le territoire d'expression des auteurs pauvres.

Cocteau et Aragon font parfois des apparitions, un peu égarés loin de leur quartier général, le Bœuf sur le toit – plus mondain, mais où l'on boit aussi avec plus de retenue, les dames bien comme il faut n'y montrant pas leur culotte. À Montparnasse, tout arrive !

C'est ainsi que, le 15 décembre 1923, Coco Chanel organise au Père-Lachaise des funérailles à la japonaise pour Raymond Radiguet, l'auteur au visage d'ange du *Diable au corps*. Tout est blanc – les tentures, le cercueil, les fleurs. En tête du cortège se tient Cocteau : en compagnie de Picasso et de Brancusi, venus le soutenir, il enterre son amant (platonique ?). Hélas, tant de blanc ne demeure pas immaculé, et de mauvais esprits, sur le passage du poète effondré, lancent ironiquement : « Voici le veuf sur le toit ! »

S'il fréquente tous ces établissements, Ernest préfère la Closerie des Lilas, qui vient tout juste de se refaire une beauté. Le poêle, ami chaleureux des poètes, qui trônait au milieu de la salle, a été remplacé par le chauffage central. Et des percolateurs nickelés ornent désormais le fond du bar. L'établissement a cependant gardé la magie qui fit de ce modeste bal champêtre le royaume de la littérature. Les plus belles plumes et les plus beaux pinceaux s'y mêlent : Guillaume Apollinaire, André Billy, Francis Carco – l'âme du Montmartre de toujours –, l'écrivain italien Filippo Tommaso Marinetti qui, à Paris, a lancé le 20 février 1909 le futurisme *via* un manifeste publié dans *Le Figaro*, le peintre Gino Severini, membre de son groupe, mari de Jeanne Fort, la fille de Paul, le « prince des poètes », Fernand Léger, André Salmon, Constantin Brancusi, Max Jacob, ou encore, dès la fin de la guerre, Louis Aragon et Tristan Tzara, piliers du mouvement dada...

De fait, la Closerie mène une double vie, comme la plupart de celles et ceux qui la fréquentent. Si le soir elle est peuplée d'artistes, de poètes et de romanciers venus des horizons les plus divers, elle accueille dans la journée une population plus studieuse, souvent des écrivains en quête d'un café hospitalier où ils ne risquent pas d'être importunés.

Hemingway s'en réjouit. « Il n'était pas de bon café plus proche de chez nous que la Closerie des Lilas »[2], un lieu idéal pour écrire tranquillement. « Un cahier à couverture bleue, deux crayons et un taille-crayon (un canif faisait trop de dégâts), des tables à plateaux de marbre, le parfum du petit matin, beaucoup de sueur et un mouchoir pour l'éponger, et de la chance, voilà tout ce qu'il vous fallait. »[3]

Hem ne demeure pas toujours en retrait du brassage ambiant et se frotte volontiers à la faune locale, sous le regard perdu du maréchal Ney, sabre au clair sur son cheval de bronze devant l'établissement. Il s'attache à Blaise Cendrars, héros de la Grande Guerre qui lui a dévoré un bras, l'un des personnages les plus aptes à le séduire, « avec son visage écrasé de boxeur et sa manche vide retenue par une épingle »[4], à Ford Madox Ford, l'auteur du *Bon Soldat*, ou au poète Evan Shipman, qui sera l'un de ses très rares amis traités avec gentillesse dans *Paris est une fête*.

Il évolue à l'aise dans ce nouveau monde cosmopolite qui lui sied parfaitement : « Tel était le Paris de notre jeunesse, au temps où nous étions très pauvres et très heureux. »[5]

Ernest commence sa balade en bas de chez lui. Rue du Cardinal-Lemoine, direction les quais et les bouquinistes, haltes aux bistrots, détour par Lipp, avant de remonter vers le centre de gravité de la vie des Montparnos : le Dôme, la Rotonde – surnommée « Raspail Plage » par les Espagnols et les Sud-Américains – et le Sélect à partir de 1924. Cette promenade de santé, salutaire pour les jambes et le cœur, implique également une belle descente et un foie rodé.

Voici, délimité par Hemingway, l'univers de la colonie américaine de la rive gauche. (On estime que treize à quinze mille Américains se rendirent à Paris à cette époque, et, pour la plupart, s'installèrent à Montparnasse.) Tout le monde s'y connaît ou ne tarde pas à faire connaissance, la jeunesse n'ayant pas encore la retenue qu'affectent les autochtones de la rive droite. « Dans les trois principaux cafés, expliquera-t-il plus tard, je remarquai des gens que je connaissais de vue, et d'autres à qui j'avais déjà parlé. Mais il y avait toujours des gens qui me semblaient plus attrayants et que je ne connaissais pas et qui, sous les lampadaires soudain allumés, se pressaient vers le lieu où ils boiraient ensemble, dîneraient ensemble et feraient l'amour. »[6]

Au début des années 1930, Fargue abondera dans ce sens : « Tel poète obscur, tel peintre qui veut réussir à Bucarest ou à Séville, doit nécessairement, dans l'état actuel du Vieux Continent, avoir fait un peu de service militaire à la Rotonde ou à la Coupole, deux académies de trottoir où s'enseignent la vie de bohème, le mépris du bourgeois, l'humour et la soûlographie. »[7]

Hemingway a cependant établi rapidement une distinction entre les fumistes – nombreux –, qui parlent et boivent beaucoup, et surtout se font payer à boire, et ceux qui travaillent, peignent, écrivent avant de venir se détendre, quitte à abuser et finir fin saoul, comme souvent Fitzgerald. Il y a les vrais artistes, qui gèlent dans leurs ateliers et s'efforcent de vendre leurs œuvres à d'éventuels mécènes familiers des cafés ; il y a ceux qui écrivent sur un coin de table, comme Desnos le soir et lui, Hemingway, pendant la journée, et qui font ensuite la fête. Et puis, il y a tous ceux qui voudraient bien en faire autant, qui le disent, mais qui ne font rien d'autre que s'accrocher à autrui et reporter au lendemain ce que, de toute façon, ils ne feront jamais.

Paris n'est pas qu'une fête pour Hemingway : il y travaille beaucoup. Certes, ses activités journalistiques et littéraires exigent des contacts, des rencontres, donc d'aller dans les cafés, les restaurants, les boîtes, sans oublier les librairies de ces chères Sylvia et Adrienne, ou le salon de Gertrude Stein. Mais seule l'écriture l'obsède.

Une exception : la boxe. Il donne même quelques cours.

Ernest a fait la connaissance d'Ezra Pound, qui demeure avec sa femme rue Notre-Dame-des-Champs, et le considère comme un « chic type ». Hemmy admire le génie des lettres. Mais le juge piètre boxeur. Il lui donne donc quelques leçons, mais déchante vite devant cet élève qui « a tendance à attaquer menton en avant et est en général aussi gracieux qu'une écrevisse. Il en veut, certes, reconnaît-il, mais s'essouffle vite. »[8]

Contre toute attente, Ezra progresse, « et il est maintenant capable de vous filer des beignes terribles », écrit Hemingway à Howell Jenkins, pas plus de deux semaines plus tard[9]. Ces beignes, précise Ernie, « je peux en général les esquiver à temps, et quand il devient trop coriace, je l'envoie au tapis. C'est un gars courageux et il a appris à cogner dur. Un de ces jours, je ne ferai pas attention et il me mettra K.-O. »

Ernest n'oublie pas ses parents, et de préférence son « cher Papa », mais sans être prolixe, comme s'il tenait à conserver ses distances. Ses lettres portent alors sur son travail, sa rémunération – soixante-quinze dollars par semaine plus les frais – et les personnalités qu'il rencontre pour le *Toronto Star*, notamment Lloyd George ou Georges Clemenceau. En avril, il a couvert la Conférence économique internationale organisée à Gênes, ce qui lui a permis de revoir son ami irlandais le major Eric Edward Dorman-Smith.

C'est à cette époque qu'il relance Bill et Kate, dont il n'a plus de nouvelles depuis sa querelle avec Kenley Smith. La femme de celui-ci avait en effet accusé Hadley d'avoir eu un flirt avec un certain Wright, et Hemingway avait défendu sa femme en des termes assez vifs. Dans une lettre datée du 19 février 1922, Bill ne cache pas que leur amitié avait « subi des changements profonds et très regrettables »[10]. Ernest est blessé par ce courrier, et il craint que Kate ne le boude. Il est d'autant plus pressé de la recontacter qu'elle a huit cents dollars en chèques qui lui appartiennent et qu'elle devait lui envoyer à Paris, sitôt que le couple aurait une adresse stable. Ernest a besoin de cette somme pour préparer son reportage à la conférence de Gênes.

Il raconte aussi à ses parents ses excursions à travers la France : il a aimé la Picardie, une visite sur les champs de bataille de l'Aisne, où les Français « travaillent dur à reconstruire les villes et enlaidissent la plupart d'entre elles avec la nouvelle et laide architecture française »[11]... Et toujours avec sa femme, qui « n'a jamais été plus belle », il passe des vacances en Suisse, à Chamby-sur-Montreux, dans l'attente d'un reportage en Russie – qui n'aura finalement pas lieu. Hadley, qu'il avait rebaptisée *Bones* (« os »), « répond maintenant au surnom de Binney », petit nom dont il s'est aussi affublé. « Je suis le Binney mâle, dit-il, et elle est la Binney femelle. Le Mâle Binney protège sa Femelle – mais la Femelle met au monde les jeunes. »[12] La force est donc de son côté à lui.

Puis les voici à Milan, après être passés à pied de Suisse en Italie par le col du Grand-Saint-Bernard, heureux d'avoir effectué une marche de cinquante-sept kilomètres en deux jours. Les jolis pieds de Mrs Hemingway souffrirent de cette expédition montagnarde en chaussures de ville, et il fallut aider Mr Hemingway à parcourir les deux derniers kilomètres dans la neige, en lui offrant régulièrement de généreuses rasades de cognac[13] !

La suite de leur virée italienne relève du pèlerinage, qui les conduit à Recoaro, à Schio et sur le Piave, avant de s'achever à Venise. Pas une seule fois, même pendant le retour à Paris, le « nom-de-celle-qui-ne-doit-pas-être-évoquée », à savoir Agnès, n'est prononcé, mais ils sont au moins deux à y penser furieusement.

23

ÉCRIRE, C'EST VIVRE

(1923)

> « Notre métier n'est pas de faire plaisir,
> non plus de faire du tort,
> il est de porter la plume dans la plaie. »
>
> Albert Londres

Sans cesse de travailler au manuscrit d'*In Our Time* (*De nos jours*), Hemingway sillonne donc l'Europe, pour le journal ou pour son plaisir, mêlant souvent l'utile à l'agréable.

À Milan, il a eu l'occasion de rencontrer une première fois Mussolini, alors rédacteur en chef d'*Il Popolo d'Italia*. Tout au long de l'interview, le futur Duce ne cessa de caresser son chien-loup. « L'engeance de la dent du dragon », avait écrit le correspondant du *Toronto Star* à propos du fascisme... Un peu plus tard, à l'automne, il se rend en Grèce pour témoigner de l'horreur des affrontements gréco-turcs, après que les Turcs ont chassé les Grecs d'Anatolie. Dans *Les Neiges du Kilimandjaro*, il brodera autour d'un spectacle dont il ne fut pas le témoin : celui des evzones en fustanelle qui s'enfuyaient alors que leurs officiers leur tiraient dessus. « C'était ce jour-là qu'il avait pour la première fois vu des morts en tutus blancs et en chaussures à la poulaine avec des pompons au bout. » Réminiscence de son cauchemar italien : les cadavres de femmes aux cheveux courts. Et toujours sa fascination pour la transgression des sexes.

La santé d'Hadley, sa « pauvre chère petite Wicky Poo »[1], tracasse Hemmy. À la fin novembre 1922, elle doit demeurer à Paris, « terriblement mal fichue », « affreusement patraque et malade », alors qu'Ernest est en Suisse où il a convié une amie, Isabel Simmons, à passer quelques jours... Hadley finit par le rejoindre en janvier, mais son départ de Paris vire au cauchemar pour Ernie : à la gare de Lyon, où elle doit prendre le train pour Lausanne, Hash se fait voler une petite valise qui renferme les manuscrits d'Ernest – onze histoires, un roman et des poèmes. Et le pire est à venir. Il découvre que sa femme avait joint nombre de doubles aux originaux, soit près de trois ans de travail. Ce qui rend la catastrophe définitive.

Hemingway en souffre comme de l'amputation d'un membre. « Je me sentais à moitié content que le roman ait disparu, déclarera-t-il par la suite. [...] Je pourrais en écrire un meilleur. Mais les histoires me manquaient, comme si elles avaient été un mélange de ma maison, de mon boulot, mon seul fusil, mes petites économies et ma femme. »[2]

Seuls quelques articles ont survécu, les esquisses de « Paris 1922 ». C'est toujours ça. Ernest n'a pas pour habitude de ressasser les drames. Comme il le confie à Bill Horne, son vieux camarade de la Croix-Rouge, « nous devons aller de l'avant. On ne peut jamais revenir aux choses du passé ou essayer de retrouver l'ancien plaisir que nous donnait quelque chose ou retrouver les choses comme nous nous les rappelions. Nous les avons en nous telles que nous nous les rappelons, et elles sont belles et merveilleuses... »[3]

Ernest ne cesse donc d'aller de l'avant. Il écrit. Il voyage. Il passe de la Suisse à l'Italie avec aisance. À l'occasion d'une escale à Orbetello, il rencontre l'écrivain Robert McAlmon, dont il apprécie les nouvelles et, surtout, les potins. Ernest en est friand, McAlmon est une source providentielle. Ce séjour est partagé entre farniente pur, absorption de boissons fortes, parties de tennis où Hadley, radieuse, bat souvent les hommes, et son propre travail de reporter qui, vers la fin de mars, le rappelle à Paris, d'où il part pour l'Allemagne.

À la demande du *Star*, il doit y rassembler la matière pour une douzaine d'articles sur un vaste sujet : les Français et les Allemands. Le premier de ces papiers, intitulé « La France va-t-elle avoir de nouveau un roi ? », paraît dans le *Toronto Star* du 13 avril 1923 ; il sera suivi de cinq autres ce même mois, et d'encore cinq en juin[4].

Si le journaliste Hemingway possède la « patte » pour transmettre l'information, il sait aussi faire preuve de discernement dans cette Europe toujours sous le coup du bouleversement de la Grande Guerre. Il couvre des événements dont les coulisses le déçoivent parfois. Ainsi, la conférence sur la paix de Constantinople l'a-t-elle laissé sur sa faim. Il l'a trouvée « très ennuyeuse et bourrée de cachotteries ». « Aujourd'hui, constate-t-il, les Turcs sont exactement comme des marmottes : quand on veut les voir ils sont dans leurs trous, et puis dès qu'on est parti ils en sortent. »[5]

De même, il prévoit que Mussolini, qu'il a longuement rencontré à Milan et qu'il considère comme « le plus grand bluffeur d'Europe », s'emparera du pouvoir avec les fascistes. Cet entretien a débouché sur trois articles. Et les fascistes rendront bien à Hemingway son inimitié, au point de faire interdire *L'Adieu aux armes* tant qu'ils seront au pouvoir.

C'est à cette époque, après deux séjours en Espagne (au printemps, en compagnie de William Bird et de Robert McAlmon, et le second en juillet avec Hadley), qu'Ernest se découvre une nouvelle passion : la tauromachie.

Il s'est d'abord installé à Madrid, dans une pension de toreros, d'où il parcourt toute l'Espagne avec ses deux amis, assistant à chacune de leurs performances à « Séville, Ronda, Grenade, Tolède, Aranjuez »[6]. Hemingway veut comprendre.

Avec Hadley, il repart cette fois à Pampelune et passe cinq jours et cinq nuits de folie, entièrement voués à la corrida. Ernest vibre dans cette atmosphère sensuelle de fête, où le sang se mêle au soleil et à la mort. Il ne se lasse pas d'admirer la foule en liesse, jamais fatiguée, toujours en mouvement, les « visages de buveurs à la Vélasquez » ou les « visages de Goya et du Greco ». Quel spectacle que ces « hommes en chemises bleues et mouchoirs rouges décrivant des cercles, sautant, flottant dans la danse »[7] ! Le matin, les taureaux sont lâchés dans la rue, les accès aux rues latérales étant condamnés. Devant les bêtes affolées, les jeunes hommes de Pampelune courent de toutes leurs forces pour tenter de franchir, sans se faire encorner, les deux kilomètres qui les séparent des arènes, où les bêtes fumantes vont, dans l'après-midi, combattre et souvent mourir.

Sur les huit meilleurs toréadors présents en la circonstance, cinq sont blessés – « juste un par jour »[8], remarque Ernest. C'est « la meilleure semaine que j'aie jamais passée depuis la Section », s'enthousiasme-t-il. « Bon Dieu, ils ont de vraies corridas dans cette ville. [...] Ce n'est pas juste cruel comme on nous l'a dit. C'est une grande tragédie – et la plus belle chose que j'aie jamais vue, et ça demande plus de cran et d'adresse et encore de cran que le pourrait n'importe quoi. C'est juste comme avoir un fauteuil de premier rang à la guerre sans que rien ne puisse vous arriver. »[9]

Cette étrange fascination d'Hemingway pour la tauromachie, coutume qui peut paraître barbare à tant de lecteurs, semble s'expliquer par son trouble rapport de toujours avec la mort. La mort qui l'a frôlé de près en 1918, mais qui a tué tant de ses camarades de combat. La mort qu'il nargue depuis comme le torero qui affronte le regard du taureau. Les aficionados ont pour habitude de dire que, dans ce combat inégal, l'animal a sa chance, mais le jeune Américain qui découvre pour la première fois l'atmosphère envoûtante des arènes sait parfaitement que c'est faux : si au mieux le taureau est gracié, cela ne l'empêchera pas alors de finir le plus souvent à l'abattoir. Ce qui passionne Ernest, c'est le flirt obscène avec la mort, obscène parce que public, offert à tous.

Cette année 1923, la vie sourit à Ernest. Hadley attend un bébé et doit accoucher en octobre. Ils espèrent un garçon ; Bill en serait le parrain.

Ce n'est pas la seule bonne nouvelle puisque, grâce à Ezra Pound, Ernest s'apprête à publier chez McAlmon son premier livre, *Three Stories and Ten Poems* (*Trois histoires et dix poèmes*). La publication d'*In Our Time* (*De nos jours*) est, elle, retardée.

L'été venu, les Hemingway embarquent pour Montréal.

24

LE PURGATOIRE CANADIEN

(fin 1923)

> « La dure réalité,
> c'est qu'il éprouvait le sentiment
> de ne pas maîtriser sa vie,
> et que cet enfant arrivait trop tôt. »
>
> Sylvia Beach, à propos d'Hemingway

Hadley préférait la France, pays de l'accouchement en douceur ; Toronto l'emporte finalement sur Paris, « car c'est la spécialité de la ville », explique Ernest à Ezra Pound[1].

La grossesse d'Hadley s'est bien passée, mais a pesé sur le moral d'Hemmy. Gertrude Stein se souvient, dans son *Autobiographie d'Alice Toklas* : « Il débarqua chez nous un matin et il y resta ; il resta pour le déjeuner, il resta pour l'après-midi, il resta pour dîner et il resta jusque vers dix heures du soir, et alors, soudainement, il nous annonça que sa femme était enceinte et, avec beaucoup d'amertume, il ajouta : "Et moi, moi, je suis trop jeune pour être père". Nous le consolâmes de notre mieux et le renvoyâmes auprès d'elle. »[2]

Ils partent le 17 août de Cherbourg pour Toronto. Et c'est là que John Hadley Nicanor Hemingway – hommage au toréador Nicanor Villata – ouvre les yeux sur le monde le

10 octobre 1923. « Si le bébé avait été une fille, nous l'aurions appelée Sylvia »[3], dira Ernest à Sylvia Beach ; « comme c'est un garçon, nous ne pouvions pas l'appeler Shakespeare », ajoute-t-il en souriant à l'évocation de leur librairie fétiche.

Soutenue par le gaz hilarant employé alors, Hadley déclare que sa peur d'accoucher était exagérée, preuve que tout s'est bien déroulé, en seulement trois heures. « On m'informe qu'il est très beau, commente l'heureux papa à l'intention de Gertrude et Alice à Paris, mais personnellement, je lui trouve une extraordinaire ressemblance avec le roi d'Espagne. »[4]

Depuis son retour, il n'arrête pas de se déplacer, rallie un jour la baie d'Hudson, file à New York afin d'y rencontrer Lloyd George, l'accompagne dans le train spécial qui le conduit au Canada… Et c'est justement dans ce train qu'il a appris la naissance de son fils, deux semaines avant le terme.

Son voyage avec l'ancien Premier Ministre britannique écarté du pouvoir en 1922 n'a rien d'une sinécure : il le trouve « hargneux, mesquin et vicieux ». Ernest supporte d'autant plus mal cette cohabitation ferroviaire qu'il a manqué la naissance de son fils et laissé son épouse seule. Il revient sur sa frustration dans une lettre à Ezra Pound : « Étais dans le train à déconner avec des correspondants et des magnats du charbon titrés […] pendant que le bébé naissait. […] L'ai appris à environ dix miles de Toronto, et suis arrivé avec l'intention de tuer [Harry] Hindmarsh, le City Editor »[5] – en l'occurrence le rédacteur en chef chargé des nouvelles locales.

Trop absorbé par son travail, il avoue n'avoir pas trop de temps pour s'occuper de son fils, bientôt surnommé « Bumby » ou « Jack ».

Depuis quelque temps, Hemingway ne mâche pas ses mots sur le Canada. Il se plaint d'à peu près tout – et d'abord du prix prohibitif de la bière. Dans une lettre à Sylvia Beach, où il annonce son retour en France, il n'hésite pas à écrire : « Les Canadiens sont au fond tous des tapettes en dessous des grands espaces illimités. Il n'y a pas de gigolos faute de vieilles femmes ayant de l'argent. [...] J'aimerais bien balancer un crochet au menton du Canada. J'aimerais bien flanquer un coup bas à tout le Canada. »[6]

Les choses sont claires. Il est vraiment temps de partir.

25

BUMBY VOYAGE

(1924)

> « Il est nécessaire de voyager,
> il n'est pas nécessaire de vivre. »
>
> William Burroughs

Le 19 janvier 1924, Hadley, Ernest et Bumby embarquent sur le *My Antonia* de la Cunard Line à destination de Cherbourg, avec Paris pour objectif. Cette fois, Hemingway a démissionné du *Toronto Star.* Une fois de plus, il ne regardera pas en arrière. Mais certains amis du journal le rattraperont à Paris, et notamment Morley Callaghan, un boxeur comme Ernest.

Aussitôt en France, la petite famille déniche un appartement au 113, rue Notre-Dame-des-Champs, un semi-meublé, malheureusement situé au-dessus d'une scierie, tout près de chez Ezra. Dorman-Smith étant de passage à Paris, il peut, comme parrain désigné (finalement à la place de Bill), tenir Bumby sur les fonts baptismaux de la chapelle épiscopale de Saint-Luc, le 10 mars 1924. Gertrude Stein est la marraine. Elle appelle son filleul « Goddy » ou « Godson »…

Ernest voudrait bien écrire. Comment faire, toutefois, avec une femme fatiguée et un bébé qui pleure ? Il essaie d'aligner les mots et d'enchaîner les phrases dans un café, mais sans vraiment y parvenir. Il existe heureusement des oasis.

Pour se changer les idées, il part traquer l'inspiration en Provence, avant d'estimer, sa visite achevée, que « ce n'était pas un coin pour écrivain »[1]. Mais il regrette de ne pas savoir tenir un pinceau !

Sa randonnée touristique de six jours le mène entre autres « sanctuaires » à la maison close fréquentée par Van Gogh à Arles, et lui permet d'assister à la corrida de Nîmes. Il visite aussi Avignon, Les Baux et Saint-Rémy, avant de planifier un voyage en Espagne, du 26 juin au 16 juillet 1924, avec Hadley, mais sans le petit Hemingway, que le couple abandonne aux bons soins de sa femme de ménage, Marie Rohrbach, promue nourrice.

L'Espagne procure à Ernest un puissant dérivatif, d'autant qu'il se plonge de nouveau dans l'univers de la tauromachie et s'éprend de son rituel.

Au cours d'un séjour à Burguete, une commune de la province de Navarre, il descend dans l'arène chaque matin pendant cinq jours. Il se fait accrocher par le taureau, mais persévère, réussit quatre *veronicas* (la plus fréquente, la plus simple et la plus belle des passes de *cape* : le torero présente au taureau la cape tenue à deux mains, en faisant un geste similaire à celui que fit sainte Véronique en essuyant le visage du Christ en route pour le Calvaire) et, le dernier matin, un *natural*, une passe qui lui impose de tenir la muleta dans la main gauche, alors que le taureau le charge depuis sa droite.

Une masse de plusieurs centaines de kilos de muscles qui fonce vers lui, les cornes acérées prêtes à l'éventrer – voilà un test impressionnant pour évaluer son courage !

Or, chez Hemmy, le courage – dont il fera preuve toute sa vie – n'est pas affaire d'inconscience. On peut même se demander, comme l'a fait Norman Mailer, pourtant admirateur inconditionnel de l'écrivain, s'il ne s'agit pas plutôt de combattre ses peurs. « Il est peu probable que Hemingway ait été un homme courageux qui ait recherché le danger pour les seules sensations qu'il lui procurait », écrit-il dans la revue *Esquire*. « La vérité de son odyssée est que toute sa vie il a lutté contre sa lâcheté et la tentation du suicide, que son paysage intérieur était un cauchemar et que ses nuits se passaient à combattre ses démons. »[2]

Quoi qu'il en soit, cette semaine-là, à Burguete, le jeune novice attend chaque jour la bête de pied ferme et, en une occasion, s'attire l'admiration des Espagnols : il attrape un taureau par les cornes, lutte un instant et finit par lui mettre « le nez dans le sable »[3], où il le maintient pendant six minutes. Cette performance lui vaut sur-le-champ la proposition d'un emploi de picador.

Bien sûr, de tels événements s'arrosent. Ernest se saoule. Bill Bird, qui est de la fête, le suit. Répondant au fameux cri de ralliement d'Hemmy – « Amenez-vous, les gars ! » –, les amis sont presque tous là : McAlmon, John Dos Passos et Dorman-Smith, bien décidés à profiter eux aussi de leurs vacances. Ils vont jusqu'à prendre le risque de partir pour Andorre, à quatre cents kilomètres de là, avec une pauvre carte routière et un peu d'argent – celui que leur a donné Ernest. Ils ne disposent pas de boussole et se hasardent dans une contrée dépourvue de routes[4].

En les attendant, Hemmy grogne. Il a l'impression que le monde entier lui en veut – sauf les Espagnols –, que ses amis l'ont « pigeonné dans les grandes largeurs », « entubé financièrement et littérairement »[5], alors qu'il n'a plus assez d'argent pour payer la note d'hôtel et assurer le retour de son couple à Paris. Heureusement, se console-t-il, « je prends un grand et non-intellectuel plaisir aux triomphes immédiats de l'arène, avec leur récompense en ovations »[6]. Il estime bénéficier de solides compensations, comme « l'alcoolisme, être montré du doigt dans la rue, le respect général, et les autres choses auxquelles les types littéraires doivent attendre d'avoir quatre-vingt-neuf ans pour y avoir droit. »[7]

Entre deux nouvelles, Ernest a terminé dix histoires. Et ces histoires, il voudrait bien les vendre, car il ne dispose plus maintenant de son revenu de journaliste.

La *Transatlantic Review*, dans laquelle un de ses textes a été édité, risque de cesser de paraître. Hemingway obtient de l'un de ses amis de Chicago – marié à une riche héritière – de la renflouer momentanément. Mais malgré ses efforts et la réduction des dépenses, malgré les sacrifices des jeunes auteurs qui acceptent de donner leurs textes en échange de clopinettes et de claques dans le dos, la *Transatlantic Review* disparaît à la fin de l'année. Il enrage à cause du formidable potentiel et des chances selon lui gaspillées.

La vie parisienne reprend donc, cahin-caha. Tandis que Bumby fait ses premières dents (*trente*, prétend son père !), Ernest achève une histoire amorcée avant le voyage en Espagne. Une centaine de feuillets, qui peignent en mots le paysage à la manière de Cézanne avec ses pinceaux. La rédaction de *La Grande Rivière au cœur double*[8] le fait souffrir au point qu'il se sent « affreusement mauvais »[9] – mais d'« un genre différent de mauvais ». En fait, son style progresse, notamment grâce aux précieux conseils de Gertrude Stein.

Puis Ernest caresse à nouveau des rêves d'Espagne. Toute la période parisienne sera ainsi faite d'allers et retours.

Le 9 novembre 1924, il annonce à Howell Jenkins, son « cher vieux Carpative », qu'il compte absolument sur sa présence à Pampelune l'été suivant. Sous la plume d'Ernest, tout y est formidable, surtout quand, après avoir laissé la voiture et marché quinze miles sur un sentier « où même les mules tombent dans les pommes », on arrive à la rivière Irati, qui traverse la région la plus sauvage des Pyrénées espagnoles. On y pêche des truites géantes. Quel spectacle ! Quel décor ! Idéal pour camper une semaine. Ernest appâte son ami avec la description d'énormes forêts de hêtres et de pins qui n'ont « jamais vu la hache ».

Après ce bain de nature et d'eau glacée, cap sur Pampelune pour les corridas, six en six jours et, chaque matin, une corrida amateur « où se produiront les célèbres Espadas Howell Griffiths Jenkins et Ernest de la Mancha Hemingway, représentant les Abattoirs de Chicago ». « Amène-toi ! » insiste Hemingway, car il s'agit du « spectacle le plus fou et le plus amusant que tu aies jamais vu. La population tout entière éméchée pendant une semaine, taureaux lâchés dans les rues tous les matins, danse et feu d'artifice toute la nuit »[10]...

Quant à Bumby, pas de problème : il séjournera tout le mois de juillet dans la famille de Marie Rohrbach et tétera ainsi le français *à la source* !

On sait qu'Hemingway avance dans la vie sans regarder en arrière. Cela peut sembler cruel et injuste à ceux qui l'ont accompagné un temps avant d'être laissés sur le bord de la route. Certes, il y a le changement de vie, de continent. Mais il y a aussi les rencontres qu'une telle existence, placée sous le signe du mouvement et de l'action, suscite sans arrêt.

En cette année 1924, à Paris, Hemingway fait la connaissance d'Evan Biddle Shipman, correspondant de l'*American Horse Breeder*, une revue qui a tout pour plaire à Ernie, amateur éclairé de courses équestres et grand parieur en ce domaine comme en beaucoup d'autres. Ils sympathisent à ce point qu'Ernest lui dédicacera *Men without Women* (*Hommes sans femmes*) en 1927 et que, dans l'introduction de *Men at War* (*Hommes en guerre*), en 1942, il évoquera ses faits d'armes pendant la guerre d'Espagne. Shipman est l'un des rares amis d'Ernest à avoir toute sa confiance. En témoigne le service qu'il lui rendra en 1933, en acceptant de servir de tuteur à Bumby, à Key West.

Shipman, comme Dos Passos, en sait long sur le principal tracas d'Hemingway, ce souci qui agite tout écrivain et qu'il finit par confier à Bill Smith, revenu dans ses grâces – même s'il affirme le contraire : « Maintenant, j'ai cessé de me tracasser pour savoir si j'aurai du succès en tant qu'écrivain, me contentant d'écrire et espérant que peut-être ma production finira tôt ou tard par atteindre son but. »[11]

Cette certitude étonne chez un écrivain en herbe d'à peine vingt-cinq ans. Ne fanfaronne-t-il pas un peu trop alors qu'il n'a encore quasiment rien publié ? À vrai dire, très soutenu par la formidable confiance d'Hadley en son génie, et sûr de lui parce qu'il se compare désormais aux autres auteurs de sa génération, il combat ses doutes à coup d'incantations. Cette douloureuse attente de la réussite littéraire est chez lui motrice et mobilisatrice. Aux aguets, il attend son heure.

Au moment où il rédige ces mots, il guette la réponse de la George H. Doran Company qui, vers la fin de septembre ou au début d'octobre 1924, a dû recevoir des mains de Dos Passos les histoires d'*In Our Time* (*De nos jours*), un manuscrit que la maison d'édition finit par refuser.

Un jour quand même, il en est sûr, on finira par reconnaître son talent…

26

PORTRAITS D'ARTISTES

(1924)

> « Tel était le Paris de notre jeunesse
> au temps où nous étions
> très pauvres et très heureux. »
>
> Ernest Hemingway

Un soir du printemps 1924, Hemingway flâne sur le boulevard du Montparnasse. L'atmosphère est joyeuse, et Ernest estime avoir bien travaillé ; sa Remington chérie mérite un peu de temps libre. Il s'arrête au coin de la rue Delambre, quand Jules Pascin, attablé à la terrasse du Dôme en compagnie de deux modèles, une brune et une blonde, l'aperçoit et l'invite à les rejoindre. Ernest s'approche : la brune est intéressante, Pascin n'en est visiblement pas à son premier verre.

Julius Mordecai Pincas – Pascin par anagramme – est né dans une famille juive bulgare. Après des études menées à Budapest, Vienne, Munich et Berlin, il s'installe à Paris, où il devient le « prince de Montparnasse ». Ce personnage original et attachant, ce nostalgique définitif au regard désabusé, érotomane romantique, peintre de talent, est miné par une tristesse permanente qui transparaît même dans ses dessins érotiques. Il est écartelé entre deux femmes. L'une est l'officielle – peintre,

Hermine-Lionette Cartan se fait appeler Hermine David –, l'autre, Lucy Krohg, est l'épouse du filleul d'Edvard Munch. L'amour fou qu'il leur voue à égalité l'empêche de les départager et le conduira d'ailleurs au suicide[1].

Ce double amour ne le prive pourtant pas de la fréquentation d'une multitude de filles d'un soir, promues modèles l'espace d'une aventure, et promises à la postérité par le talent du maître qui prend plaisir à prolonger son fantasme érotique sur la toile. À Oak Park, les braves gens le lyncheraient !

Bientôt assis près de la brune, Ernest commande une bière : « Si vous aimiez vraiment la bière, vous seriez chez Lipp », lui dit Pascin. Le peintre, considéré à quarante ans ou presque comme un ancêtre à Montparnasse, demande son âge à l'Américain. « Vingt-cinq ans », répond-il avec assurance. Mais où Pascin veut-il donc en venir ?…

Ernest ne tarde pas à l'apprendre : voudrait-il coucher avec la brune ? « Elle en a besoin », précise-t-il. Hemingway, un peu embarrassé, pense que Pascin a déjà dû faire le nécessaire. La fille se cambre pour mettre en valeur sa superbe poitrine moulée dans un chandail noir. Sans se démonter, elle explique : Pascin fanfaronne peut-être, mais c'est son travail qui l'excite, rien d'autre. « D'après toi, réplique le peintre, il faudrait te peindre et te payer et te baiser et t'aimer en plus. »

Sur ce, il commande une nouvelle fine à l'eau. « Et ne tombez pas amoureux du papier de votre machine à écrire ! »[2] Ernest prend congé.

Hemingway consacrera un chapitre entier au peintre (« Avec Pascin, au Dôme ») dans *Paris est une fête*. Il l'aime bien. Il ressent en lui une dimension tragique qu'il ne sait comment définir. Et puis, le peintre travaille, ce qui le distingue de ces postulants à la gloire qui hantent les cafés, plus en quête d'argent pour boire que d'un mécène. Ces oisifs, pourtant venus à Paris afin de taquiner l'inspiration et séduire la Muse littéraire, préfèrent se laisser aller, répétant à l'envi, entre deux ivresses, qu'ils ne tarderont pas à produire une œuvre. Ces « clochards clinquants »[3] ne trompent personne, à commencer eux-mêmes.

Aux yeux de l'Américain jeune et ambitieux qui aspire à s'éloigner d'un puritanisme anglo-saxon très tenace, Paris incarne la nouvelle frontière du progrès en tout et d'une libération avant l'heure, libération des sens d'abord, de l'inspiration ensuite. C'est la capitale de tous les possibles. Pour un jeune homme curieux, ouvert, plein de sève et avec un minimum de dollars, Paris représente l'eldorado à portée de mains. C'est simple : ici on lève le coude, là on lève une fille, ce qui n'empêche pas les audacieux de procéder simultanément.

Dans ce contexte très érotisé de libération des arts, donc de tout, la femme prend naturellement une place de choix, à commencer par la Parisienne, élégante, sexy, spirituelle, souvent cultivée, et surtout libre. Cette alchimie sensuelle vaut tous les cocktails les plus délicatement dosés. Au sein de la communauté américaine, comme des autres groupes étrangers, on ne s'embarrasse d'ailleurs pas pour parler de ces filles délicieusement coquines, au savoir-faire indéniable, sans préciser lequel. Elles laissent un sillage de parfum qui attise le désir et l'entretient. Qu'importe leur condition : femmes du monde, danseuses, actrices, couturières, soubrettes, trottins, grisettes, les Parisiennes dégagent un charme fou, dont il serait bien dommage de ne pas profiter.

Sans se départir d'une certaine réserve – à cause d'Hadley que ces spectacles amusent, mais aussi parce qu'il a encore un fond de puritanisme à évacuer –, Ernest reste attiré par le sexe féminin. Des filles, il en rencontre. Souvent de braves filles, à l'exception des bourgeoises, ces « emmerdeuses » qui viennent s'encanailler. Celles-là, Hemmy les laisse sur leur banquette. Il leur préfère les autres, plus nature, hautes en couleur, simples, pas folles, mais qui aiment la vie et le disent. Et le prouvent. Et la vie les aime. Les artistes aussi. Ils puisent en elles l'inspiration comme l'apaisement des sens.

Loin d'être farouches, elles ne se donnent pourtant pas au premier venu. Elles flairent le bourgeois policé mais cochon et se ferment alors plus hermétiquement qu'une huître, surtout si l'intrus leur propose de l'argent. Elles savent aussi repérer celui qui leur ressemble, riche d'illusions et d'espoir, forcément talentueux, auquel elles offrent amour, chaleur et gîte.

Dans ce tourbillon des Années folles, suite de bals, de fêtes, de nuits d'ivresse, Kiki personnifie la sensualité absolue. Elle est à la fois comédienne (naturellement), chanteuse, peintre, écrivain, fille de joie au sens noble ; bref, une touche-à-tout. Hemingway la trouve d'emblée différente, et il ne tarde pas à se lier d'amitié avec elle.

Ernest et Kiki ont d'ailleurs assuré leur ancrage dans ce Paris fou à la même époque. C'est au Salon d'automne de 1922, grâce à Foujita qui y expose son *Nu couché à la toile de Jouy*, qu'elle a fait son entrée dans le monde de l'art. Elle passe ensuite entre les mains de Man Ray, dont elle devient l'égérie et dont elle restera le grand amour, Man Ray qui immortalise son dos nu et son port hiératique en 1924, avec la photo *Le Violon d'Ingres*. Elle fréquente aussi, comme modèle, comme muse, comme amante ou amie, Kisling, Foujita, Cocteau, Henri-Pierre Roché (qui écrira *Jules et Jim*), Picasso, Simenon, Brassaï et Eisenstein... et toute la faune d'une époque qui veut s'étourdir.

Kiki incarne le Montparnasse déjanté. Avec ses lumières, ses éblouissements, ses génies et ses ombres. Kiki, c'est l'expression de la liberté féminine, la « garçonne » affranchie dans toute sa splendeur, la soif de vie, les amours volages, les chagrins sincères, les abandons et les fuites, la drogue, les excès, les amitiés fidèles, la soie des palaces et l'odeur rance des prisons. C'est l'auberge espagnole de tous les plaisirs et de tous les interdits. Mais avant tout, l'incarnation de la joie de vivre.

Après cinq années de carnage, Montparnasse se pose en antidote à la bêtise des gouvernements, l'âpreté aux gains des grandes entreprises capitalistes dont il se murmure que le patriotisme, à la manière d'un tableau dans le salon d'un bourgeois, cachait un coffre-fort. Kiki symbolise aussi l'histoire vivante du lieu, car elle a connu des fantômes, comme Modigliani, mort de phtisie en 1920.

Née de père inconnu, abandonnée par sa mère, elle a fait de chacun, ici, un membre de sa famille. Ainsi, chez la Mère Rosalie, rue Campagne-Première, là même où le cher Modigliani prenait ses repas, elle a fait la connaissance d'Utrillo, qui l'a « croquée » évidemment, puis, au Jockey, elle a rencontré Van Dongen, Derain, Pascin, et elle y a dansé le tango avec Miró. Et Man Ray enfin, dont elle a fait la connaissance dans de singulières conditions, après une violente dispute avec le patron du Dôme.

Le photographe lui propose de poser dans son atelier, à sa manière : « Je peins ce qui est impossible à photographier, et je photographie ce qu'il est inutile de faire en tableau. La photographie, c'est de l'art comme la peinture. Je vous photographie plus belle que Foujita. » Il va voir en Kiki « la femme-peinture ». Kiki et Man Ray se séparent hélas en 1925, et la jeune femme embarque pour les États-Unis avec un Américain – et beaucoup d'illusions –, avant de revenir avec autant de désillusions à Montparnasse, où l'on assiste à sa déchéance, accentuée par l'alcool et la drogue. La cartomancienne qu'elle est devenue à la Coupole pourrait sans mal prédire sa fin pathétique, que la chanteuse des rues, qu'elle est aussi, aurait pu mettre en couplets : elle meurt abandonnée et solitaire à l'hôpital Laennec en 1953. Seul, Foujita suivra le corbillard jusqu'au cimetière de Thiais.

Il revient pourtant à cette « fleur de pavé » d'avoir aussi été une muse pour Ernest Hemingway, ainsi qu'une source de nostalgie pour l'Américain qui l'aimait bien, lui qui prononcera rarement ce mot extrême au cours de sa vie.

27

L'AMI FITZ

(1925)

« C'est un homme, mais un joyeux drille.
Je crois qu'il n'a jamais dessoûlé. »

Blaise Cendrars

À la fin de 1924, les Hemingway font de nouveau leurs bagages. Direction Schruns, dans le Vorarlberg, le *land* le plus occidental d'Autriche, où ils sont « impatients de déguerpir », parce qu'en petite forme.

Bumby apprend l'allemand tandis que ses parents skient et randonnent jusque sur un glacier, à près de 3 200 mètres d'altitude où, précise Hemmy, soufflait « un tel blizzard que mon organe génital, à savoir mon pénis, ma biroute, mon baigneur ou mon outil a failli geler, et qu'il a fallu le frictionner avec de la neige »[1]. Ernest ne cesse d'écrire, entre deux tournées de bière, deux randonnées à ski.

Il continue avec acharnement à Paris où, dit-il, il travaille « comme un fils de pute ». L'expression revient souvent dans sa bouche, mais aussi dans ses textes. « *Son of a bitch* » passera d'ailleurs mal chez son éditeur, Horace Liveright. Mais dans un courrier daté du 15 mai 1925, Ernest lui fait remarquer qu'elle figure dans le dernier livre d'Harold Loeb (*Doodab*) et dans *Gatsby le magnifique* de Scott Fitzgerald. Aussi écrit-il tranquillement que « ce terme [est] en train de devenir tel que ça ne [fait] rien aux gens de le voir imprimé »[2]...

Il se consacre plus spécialement à une histoire sur la corrida, une pièce d'orfèvrerie qui, affirme-t-il à Dos Passos, « fait de la gnognotte de tout ce que j'ai jamais pu écrire »[3]. Il jubile aussi parce que le magazine culturel allemand *Der Querschnitt* prend le texte sur la tauromachie que Picasso va illustrer. Les amis artistes de Montparnasse répondent tous présents, puisque Pascin se chargera quant à lui d'un recueil de « poèmes cochons » d'Hemingway, publié aussi par *Der Querschnitt*. Décidément, les Allemands se montrent moins pudibonds que son éditeur américain, qui lui a fait retirer l'histoire « Là-haut dans le Michigan » d'*In Our Time* parce qu'une « fille se fait baiser ». Ernest avait alors ironisé : l'histoire se serait-elle appelée « Au loin en Iowa », elle aurait été publiée, « si le baisage avait été transformé en une séance de grillage de maïs en commun »[4]...

En mai 1925, au Dingo Bar, rue Delambre, Hemingway rencontre Francis Scott Fitzgerald, désormais installé à Paris. Il va lui porter une attention amicale au moins égale à celle dont il honore Dos Passos, qu'il avait connu en Italie en 1918 et qu'il retrouve en France en 1922. Et il est certain que Scott Fitzgerald va être la figure la plus marquante des débuts littéraires d'Hemingway.

De leur premier contact, Ernest conserve le souvenir d'un « homme qui ressemblait alors à un petit garçon, avec un visage mi-beau mi-joli »[5]. Et de préciser : « Il avait des cheveux très blonds et bouclés, un grand front, un regard vif et cordial, et une bouche délicate aux lèvres allongées, typiquement irlandaise qui, dans un visage de fille, aurait été la bouche d'une beauté. » Il éprouve une réelle admiration pour son aîné.

Fitzgerald, né le 24 septembre 1896 dans le Minnesota, va devenir l'un des écrivains américains les plus célèbres, et mourra pourtant dans la misère, à Hollywood où il végétera comme scénariste.

En attendant, à la terrasse de la Closerie, Scott fait lire à Ernest *Gatsby le Magnifique*, un chef-d'œuvre qui ne porte pas encore ce nom et qui connaîtra un échec relatif à sa sortie. (Sur les 75 000 ventes escomptées, moins de 24 000 exemplaires seront vendus jusqu'à la mort de l'auteur. Fitzgerald en est désespéré.) Peu avant que les routes de Scott et d'Ernest ne se croisent, Maxwell Perkins, directeur littéraire des éditions Charles Scribner's Sons, s'est voulu réconfortant en écrivant à Fitzgerald : « Quoi qu'il en soit, je crois que nous pouvons être sûrs que sitôt le tumulte et les vociférations de la foule des critiques et des échotiers apaisés, *Gatsby le Magnifique* s'imposera comme un livre tout à fait extraordinaire. Peut-être n'est-il pas parfait ! Mais mener à la perfection le talent d'un cheval somnolent est une chose, et c'en est une autre de maîtriser le talent d'un jeune et sauvage pur-sang. »[6]

Cet éditeur proche de ses auteurs sait de quoi il parle, et on comprend pourquoi Hemingway intégrera bientôt sa maison. Comme les ventes de *Gatsby* ne décollent pas, Fitzgerald doit continuer la rédaction d'articles et de nouvelles que lui commandent à prix d'or des journaux, notamment le *Saturday Evening Post*.

Mais Scott multiplie les excès. Il boit plus que de raison, dépense sans compter, lui qui pleure de n'avoir pas été riche dans sa jeunesse. Et, surtout, il partage cette existence déjantée avec Zelda, qui flirte très vite avec la folie puis y sombre irrémédiablement, et qui comme lui vit en personnage de roman.

Il voudrait se précipiter dans le bonheur, mais redoute qu'après y avoir goûté l'occasion ne se représente plus. Il se condamne ainsi à une éternelle errance dans l'insatisfaction, qu'il trompe avec l'écriture et l'alcool. Désenchanté et sentimental, amoureux de sa femme qui ne lui refuse rien et le suit au bout de ses fantaisies, Gatsby Fitzgerald est fou de la folie qui exige trop de la vie et sage de « la sagesse de préférer l'écriture à tout le reste »[7]. L'unique point de repère stable est sa fille « Scottie », avec laquelle il aura le comportement d'un père exemplaire jusqu'à la fin de sa vie.

De plus, il souffre de l'aventure de Zelda, son excentrique épouse, avec un aviateur français. Il a besoin d'une épaule solide, ce qui explique sans doute l'ascendant qu'Hemingway va prendre sur son nouvel ami. Il porte en lui une fêlure, comme une « touche de désastre »[8]. À Paris, il traîne une sorte de mélancolie, qu'il tire encore d'une culpabilité, celle de ne pas être ce qu'il aurait voulu être – un homme équilibré avec une épouse saine d'esprit. Il porte ses déconvenues comme autant de remords, notamment celui de n'avoir pas vraiment fait la guerre, donc de n'être pas un héros.

Et alors ? lui écrit Hemmy, qui, lui, a subi l'épreuve du feu : « Au nom du ciel, ne te fais pas de mouron parce que tu as raté la guerre, car moi, je n'y ai vu et n'en ai tiré rien de valable comme ensemble, pas seulement en ce qui me concernait, ce qui est le point de vue camelote et romantique, mais parce que j'étais trop jeune. Dos Passos, heureusement pour lui, est allé deux fois à la guerre, et a grandi entre les deux. »[9]

Comme tous les hommes qui se noient dans leurs propres cauchemars, il aspire à l'amour de toutes les femmes, à la reconnaissance de tous les hommes, à la paix, tout simplement. La littérature aide Scott à combler les vides, à « réparer le désordre de sa vie ». Il atteint sa vitesse de croisière vers trois heures du matin, l'heure idéale où tout dort, où la nuit dissipe les interdits, l'instant suspendu où tout semble possible. Ces instants-là se glissent dans les textes comme les silences dans une partition.

Les Hemingway dînent à l'occasion chez les Fitzgerald, dans leur appartement, 14, rue de Tilsitt, un meublé « sombre et sans air », d'après Ernest, qui détaillera l'existence du couple dans *Paris est une fête*. Ils habitent ainsi un

Paris revisité, qu'Hemingway invite ses lecteurs à parcourir avec lui : place de la Contrescarpe, quartier de la Mouffe qu'il adore – sans s'arrêter au Café des amateurs, « le tout-à-l'égout de la rue Mouffetard », puisqu'il en existe un autre, « plaisant, propre et chaud »[10], place Saint-Michel ! Un lieu calme où il prend ses aises pour écrire, et où il se sent si bien qu'il précisera : « [Je] m'enfonçai dans mon histoire et m'y perdis. »

Oui, mais voilà : le désir d'Espagne le reprend. Une fois encore, Ernest lance son fameux cri de guerre : « Amenez-vous ! »

28

OLÉ !

(1925-1926)

> « À ses yeux, la tauromachie incarnait le courage,
> la violence, la beauté et la sensualité.
> Bref, ce qu'il représentait à sa façon. »

Antonio Ordóñez, à propos d'Hemingway

L'Espagne à nouveau. Le 1ᵉʳ juillet 1925, Hemingway, au mieux de sa forme – juste ennuyé d'avoir laissé son chat Feather Puss à Paris – prend la plume pour vanter à Scott la beauté de la région de Pampelune et de Burguete. Il se garde bien de lui décrire les paysages sauvages, car il sait que rien de tout cela ne correspond à l'idée que Scott se fait du paradis, à savoir, ironise-t-il, « un splendide vide plein de riches monogames, tous puissants et membres des meilleures familles se saoulant tous à mort ».

Et l'Eden d'Hemmy, quel est-il ? Un paradis où s'élèveraient deux maisons : « L'une, dit-il, où j'aurais ma femme et mes enfants, et serais monogame et les aimerais fidèlement et bien, l'autre où j'aurais mes neuf ravissantes maîtresses, chacune à l'un des neuf étages. [...] J'enverrais mon fils verrouiller les ceintures de chasteté de mes maîtresses parce que quelqu'un viendrait juste d'arriver au galop, porteur de la nouvelle qu'un monogame notoire nommé Fitzgerald avait été vu se dirigeant à cheval vers la ville à la tête d'une compagnie de buveurs ambulants. »[1]

Ces vacances se déroulent presque comme à l'accoutumée, entre corridas (vingt-quatre) et cuites habituelles. Elles manquent cependant tourner à la bagarre à cause d'Harold Loeb, jaloux de la complicité d'Ernest avec lady Duff, sa récente conquête, et en proie à la propre rancœur de Guthrie, bisexuel et alcoolique notoire.

Bref, Hemingway n'a pas manqué de matière humaine pour bâtir les personnages de *The Sun Also Rises* (*Le soleil se lève aussi*) : lady Duff y devient Brett Ashley, un sacré numéro de femme qui se déplace avec de jeunes homosexuels, tandis que Loeb se transforme en Robert Cohn, un écrivain américain chauve, ancien champion de boxe de Princeton – ce que Loeb fut réellement. Cette année-là, Loeb n'était pas accompagné par sa maîtresse Kitty Cannel, qui apparaît cependant dans le livre sous les traits de Frances Clyne.

De retour à Paris, Ernest se plaint de ses anciennes blessures : « Mes deux jambes se sont mises à m'embêter pas mal, et j'imagine que quand j'aurai quarante ans ou à peu près, si je ne les maintiens pas en bon état de marche, je vais avoir de gros ennuis. »[2] Il nage tous les jours dans la Seine, pourtant « plus froide que la côte du Maine »[3].

Hadley, qui, elle, s'occupe de Bumby, ne peut pas trop voyager. Ernest dit avoir peur de partir avec l'une de ses petites amies, parce qu'il a « horreur des complications, enfants illégitimes et pensions alimentaires »[4]... Il voudrait pourtant bouger, retourner en Italie, « être à Venise et [se] payer un petit baisage romantique et des Camparis »...

Finalement, ce sera l'Autriche, plus saine pour ses maux de gorge, et où il se prépare à passer un hiver studieux.

Au début de décembre 1925, il expédie à son éditeur, Horace Liveright, de chez Boni and Liveright, le texte de *The Torrents of Spring* (*Torrents de printemps*), dont la lecture a passionné Dos Passos. Il entend également se consacrer pleinement à ce roman qu'il a commencé en Espagne...

Grace Hemingway lui a envoyé la critique d'*In Our Time* (*De nos jours*) parue en novembre dans le *New Republic*. Si élogieuse soit-elle, elle ne le transporte pas de joie : l'auteur reconnaît dans son texte l'influence de Sherwood Anderson et de Gertrude Stein. Or Hemingway a décrété une fois pour toutes qu'il serait Hemingway, et personne d'autre !

Il traite d'ailleurs Sherwood Anderson avec une certaine condescendance depuis son arrivée à Paris. Il le plaint sincèrement pour le piètre accueil reçu par *Many Marriages*, un livre paru en 1923 et qu'il lui promet de relire « un de ces jours quand, précise-t-il un rien cruel, je pourrai lui accorder une meilleure chance »[5].

Il apprécie Anderson, mais celui-ci n'est déjà plus essentiel à sa carrière. Le rapport de forces s'est inversé entre les deux hommes, Hemingway prenant le dessus. Il n'est pas sûr, à ce moment, que Sherwood s'en aperçoive. Sans doute apprécie-t-il le soutien viril que lui apporte son protégé de naguère, lequel semble bien progresser et prouve qu'il n'a rien perdu de son assurance, bien au contraire...

À sa mère, qu'il remercie à la mi-décembre, il donne quelques nouvelles : Dos Passos, qui séjourne à Schruns, a dû partir au Maroc pour le *Harper's Magazine*, mais reviendra en février pour profiter de la neige. Il annonce aussi la visite d'une consœur, une certaine Pauline Pfeiffer, dont il se garde pourtant bien de dire qu'il la voit de plus en plus souvent. Ils sont tous deux journalistes ; entre confrères, il est normal de se fréquenter – pas de suspicion. Du moins dans les premiers temps.

Pauline Marie Pfeiffer est de quatre ans l'aînée d'Ernest. Issue d'une famille aisée de catholiques très fervents, cette jolie fille a choisi le journalisme pour échapper à son milieu. Elle est diplômée depuis la fin de la guerre et, dès lors, elle a travaillé pour différents journaux de Cleveland et de New York, avant de collaborer aux prestigieux magazines *Vanity Fair* et *Vogue*. C'est au cours d'un déplacement à Paris pour ce dernier qu'elle fait la connaissance d'Ernest, et qu'elle se lie d'amitié avec Hadley.

Du cran, du courage, cette fille en a. Mais Ernie s'intéresse d'abord davantage à sa jeune sœur Virginia, avant de découvrir que c'est peine perdue, Jinny préférant elle aussi les jeunes femmes… De son côté, Pauline n'accorde guère d'attention à ce rustre qu'elle juge fainéant. Pourtant, sans qu'une attirance soit flagrante au départ, il est certain que ces deux-là se remarquent, que leur curiosité va virer à la fascination, et à ce qui peut être considéré comme de l'amour.

Mais leur heure n'a pas encore sonné.

C'est à cette époque que se manifestent les premiers grincements dans la belle relation qu'entretiennent le jeune écrivain et Gertrude Stein, qui a su l'accueillir en lui prodiguant force conseils. Il juge maintenant qu'il peut se passer de cette aide. Gertrude a bien senti l'ambition très personnelle qui l'animait : il ne veut rien devoir à personne et s'imposer comme le meilleur. Cette double obsession l'amène à écarter de sa route tout ce qui peut lui porter ombrage.

Il va d'abord s'en prendre à un ami de sa bienfaitrice, Robert McAlmon, qui se serait vanté d'avoir fait connaître Ernest. Hemingway rumine sa rancœur : « J'ai défendu cette miteuse rognure d'orteil pendant trois ans contre tout le monde parce que je connaissais son affreusement malheureux arrangement anglais [sic !], etc. Mais maintenant, c'est fini. Vais écrire sur lui une histoire genre Mr et Mrs Elliot. »[6]

Les scrupules n'avaient pas étouffé Ernest en la circonstance. L'histoire de « Mr et Mrs Elliot », publiée dans la

Little Review, s'intitule d'abord « Mr et Mrs Smith ». Elle raconte les difficultés d'un couple à avoir un enfant et l'évolution des relations entre un homme nettement plus jeune et sa femme. L'exercice est cruel. Sans doute par crainte de poursuite ou peut-être parce que la femme de Smith meurt en mettant au monde leur enfant, Hemingway décide de changer le titre en « Mr et Mrs Elliot », par allusion directe au poète T. S. Eliot, lequel ressemble singulièrement au personnage principal : comme lui, il est originaire de Boston et a été étudiant à Harvard, il écrit de longs poèmes, est vierge, a été séduit par sa femme sur une piste de danse, souffre d'un mariage sans amour et marqué par la misère sexuelle. Ce portrait à la fois précis et exhibitionniste de l'intimité d'un couple est un coup bas porté par Hemingway au poète, un coup qu'il regrettera cependant, reconnaissant avoir une grande dette à l'égard de son œuvre.

La cible visée, Chard Powers Smith, reconnut néanmoins sa situation personnelle dans cette satire féroce et fut atterré de voir ainsi exposé son présumé problème conjugal. Au début de 1927, il adresse une lettre de protestation à Hemingway, le traitant de « méprisable ver »[7]. Dans sa réponse datée du 21 janvier, Hemmy lui dit avoir trouvé la comparaison « très flatteuse »... « J'ai le sentiment que vous devez être une autorité sur tout ce qui peut être méprisable et n'essaierai pas de contester votre classification. [...] Je suis sûr d'être pour vous un méprisable ver, car vous me l'avez dit, et je me sens très humble comparé à vous ; car pour moi, mon cher Smith, vous êtes une très méprisable montagne. »[8]

Le monde se remet à tourner rond pour Ernest à la fin de l'hiver 1925-1926, quand il reçoit un exemplaire du magazine *This Quarter* édité à Paris, que lui a envoyé Ernest Walsh, son rédacteur en chef. *In Our Time* y est encensé. « J'espère seulement que je serai capable d'écrire comme vous dites que j'écris », déclare Ernest, avant d'ajouter : « Hadley voudrait savoir où vous avez déniché ces détails concernant mes rapports avec de jeunes Juives. Cela a été longtemps une épine dans le pied de notre ménage. »[9]

Il ne peut s'empêcher de critiquer vivement les autres auteurs présents dans la revue, notamment la poétesse Harriet Monroe, qu'il qualifie de « vieille chipie desséchée [...] qui dirige une revue [*Poetry*] depuis longtemps défunte... »

Évidemment, l'attaque la plus virulente porte sur McAlmon, dont Walsh a osé affirmer qu'il était meilleur que Mark Twain.

Le ton se fait plus paternaliste avec Scott Fitzgerald. *Gatsby* a fini par s'imposer, avec même une adaptation théâtrale puis cinématographique. Hemmy est heureux que son ami, toujours à court d'argent, ait touché les droits de l'adaptation de *Gatsby*. « Avec ça, l'encourage-t-il, tu devrais être en mesure d'écrire un assez bon roman, le dollar étant à environ trente francs. Peut-être un de ces jours auras-tu le prix Nobel. Me suis laissé dire qu'il n'avait pas encore été décerné à un Américain. »[10]

Il plaisante, bien sûr, et enfonce le clou : « Suis en train de recommander à Mr Walsh de te donner les deux mille dollars du prix *This Quarter* et viens à l'instant de convoquer mon *attorney* pour faire de toi mon héritier. [...] Chink [Dorman-Smith] dit qu'il te léguera Belmont Forest[11] si tu le désires. Pauline Pfeiffer dit que tu peux avoir son job à *Vogue*. J'ai écrit à Scribner de t'envoyer tous mes chèques de droits d'auteur. »[12]

Ernest n'a été tendre avec aucun de ses amis.

Quatre jours plus tard, Ernest envoie à Maxwell Perkins, chez Scribner's, le manuscrit du *Soleil se lève aussi*. Il travaille aussi à plusieurs histoires et se félicite d'en avoir publié une, deux mois plus tôt, dans *Le Navire d'argent* d'Adrienne Monnier. L'excellent accueil qu'il a reçu à la sortie de la revue lui ouvre les portes du marché français. Les critiques ont été jusqu'à le comparer à Prosper Mérimée – qu'il avoue n'avoir jamais lu. Ce succès le conforte dans ses certitudes.

Hemingway est de nouveau à Madrid, et se réjouit de voir officier dans l'arène l'élite de la tauromachie : Rafael Gómez Ortega, dit *El Gallo* (« le coq »), Juan Belmonte, Sanchez Mejias, Cayetano Ordóñez y Aguilera, dit *El Niño de la Palma* (modèle d'Ernest pour *Le soleil se lève aussi*), Nicanor Villalta Y Serrés, etc. Et, de l'autre côté, les superbes taureaux des élevages Miuras, Concha y Sierra, Villamartas, Perez Tabernos ou Pablo Romero.

Ernest piaffe d'autant plus que deux événements ont contrarié son séjour espagnol. Bumby a attrapé la coqueluche, et sa mère l'a contractée. Lui-même a dû se plier à la contrainte d'une quarantaine dans l'ancienne villa de Scott Fitzgerald, à Juan-les-Pins. Par ailleurs, ayant reçu son congé de leur appartement parisien, il lui faut impérativement revenir à Paris avant le 8 août, pour régler les formalités nécessaires et débarrasser les lieux de leurs affaires.

Mais cet été 1926 sera surtout marqué par sa rupture avec Hadley. Il lui dédie *Le soleil se lève aussi*, ainsi qu'à leur fils. Mais il emménagera seul rue Froidevaux, face au cimetière du Montparnasse, dans un studio qu'a mis à sa disposition Gerald Murphy, un riche ami de Scott.

Cette séparation affecte Hemingway plus qu'il ne veut le laisser paraître. Il se confie à Fitzgerald et convient qu'« Hadley a été parfaite », il reconnaît aussi « qu'à tous les points de vue tout a été entièrement de [sa] faute »[13]. Il sait pourtant aussi se montrer injuste avec elle, allant jusqu'à prétendre qu'elle veut retarder le divorce et ferait n'importe quoi pour y arriver. Il prétend même qu'il se tuerait si la situation n'avait pas trouvé d'issue à Noël (1926)[14].

Puis il tourne la page sur ce volet de sa vie. Il se justifie auprès de Scott, parlant de l'enfer qu'il a vécu depuis le dernier Noël, de ses insomnies, avant d'avouer finalement qu'il s'est en quelque sorte habitué à cet état. Après tout, écrit-il,

« comme c'est nous qui nous fabriquons notre enfer, nous devrions certainement nous y plaire »[15].

Hemingway n'est plus vraiment lui-même, du moins en apparence. Il dit ne plus boire, ne plus mettre les pieds dans un bar, n'être revenu ni au Dingo ni au Dôme, pas plus qu'au Sélect, qu'il n'a vu personne, qu'il ne va voir personne. Il exagère, comme toujours. Cela dit, il se sent seul, et là, il s'agit de l'ébauche d'une vérité.

Mais seul, il ne le restera pas longtemps.

29

COMPLICATIONS SENTIMENTALES

(1926-1927)

> « L'homme est incapable de choix,
> et il agit toujours cédant
> à la tentation la plus forte. »
>
> André Gide

L'affaire couvait depuis un bout de temps. Hadley, désormais mère avant d'être épouse, avait flairé le danger et voulait protéger la bulle familiale, surtout Bumby. Hélas, la menace avait rapidement gagné. Et cette menace s'appelait Pauline Pfeiffer.

La liaison de la jeune journaliste et d'Hemmy dure depuis avril 1926. Sans gêne apparente, il a invité sa consœur à les retrouver en Autriche, sur la Riviera ou en Espagne. Son nom revient en permanence dans la conversation. Hadley a compris que ses jours sont maintenant comptés. Elle connaît trop bien Ernest pour savoir que cette évolution est irrémédiable.

C'est Pauline elle-même qui l'informe de son histoire avec Ernest, alors qu'elles traversent la France et longent la Loire pour rejoindre la propriété de Gerald et Sara Murphy. Les

Murphy, les Fitzgerald, les Hemingway – et Pauline – ont pris la route de Pampelune. L'atmosphère est tendue.

À la fin du séjour, tandis que Pauline remonte à Paris avec les Murphy, Ernest et Hadley décident de se séparer, une décision effective en septembre. Hadley se retrouve désormais seule avec Bumby.

La jeune femme partage la vie d'Hemingway depuis six ans et s'est efforcée de s'y adapter. Mais c'est pour découvrir, malgré l'arrivée d'un solide garçon – Bumby a maintenant trois ans –, que la vie de famille n'est pas faite pour lui.

Une page se tourne.

Le mois suivant, un autre chapitre s'ouvre. Car en octobre paraît *Le soleil se lève aussi*.

Pour ce roman commencé en Espagne, poursuivi à Paris et achevé dans les Alpes autrichiennes, six mois seulement après *Torrents de printemps*, Ernest n'a pas eu besoin de dévaliser les bibliothèques et de s'approvisionner en références, ni d'interroger des témoins pour donner de l'épaisseur et de la vraisemblance à ses personnages. Il lui a suffi de puiser dans sa mémoire, les souvenirs magnifiés de sa guerre, de l'Espagne, de Paris, et de leur insuffler un rythme.

L'histoire raconte le drame de Jack Barnes, un jeune journaliste américain vivant à Paris, où il s'étourdit de boisson et de fêtes. Pendant la Grande Guerre, il a été affecté – et blessé – en Italie, et sa blessure l'a rendu impuissant. Or il est tombé amoureux de lady Brett Ashley et sait que cet amour ne pourra être assouvi. À cette histoire, le roman mêle aussi les ingrédients de la pêche, de l'Espagne et de la corrida... Bref, le décor des grandes années européennes d'Hemmy, ainsi convoquées pour la postérité.

Le succès est immédiat, y compris auprès de la critique, même si certains se montrent aussi offusqués, surtout par la personnalité et le comportement des personnages. On salue les dialogues concis, le verbe précis, le ton juste, le réalisme et le caractère tragique de ce roman poignant. Le livre vaut à son auteur ce compliment d'Archibald MacLeish : « Ancien combattant avant d'avoir vingt ans, célèbre à vingt-cinq, Maître à trente. »[1] Pas mal pour un premier roman !

Hemingway ne savoure qu'à moitié ce succès, à cause des critiques qui, tout en saluant les dialogues et le style, présentent le livre comme immoral. Or pour Ernest, son roman n'est pas « une satire gratuite ou amère, mais une sacrée tragédie avec la terre restant ferme pour jamais comme le héros »[2].

Ce ne sera malheureusement pas le dernier malentendu entre l'écrivain et les critiques.

Et pour Maurice-Edgar Coindreau, son traducteur, le public se trompe aussi, transformant Hemingway « en un homme qu'il n'était pas [...] le doubl[e] d'un matamore qui lui ressemblait comme un frère, mais qui n'était tout de même pas lui. »[3] Du moins pas à ce point.

Si la plupart porte aux nues cette étoile montante de la littérature américaine, du côté de Paris, en revanche, ça grince : chacun cherche à reconnaître les grands personnages de Montparnasse, ou à se retrouver... Zelda elle aussi tempère l'enthousiasme général en déclarant tranquillement que ce livre s'apparente surtout à un mélange de « corridas, de conversations oiseuses et de conneries ». Hemingway rétorque : « Le soleil se lève aussi, comme votre bite si vous en avez une »[4]. Mais il accuse le coup, car Jack Barnes, c'est quand même lui. Sorte de héros romantique qui ne se lamente pas, qui souffre en silence, éternel amoureux relégué dans l'ombre de sa passion et qui n'ose l'avouer. Tout ce qui est écrit là a de quelque manière été vécu par son auteur, et il en ira ainsi pour tous les livres suivants.

Quant à Grace, elle ne mâche pas ses mots. Ce livre devrait faire « honte » à son fils ! Il attend que la colère passe, puis il prend sa plus belle plume : son ouvrage « n'est pas plus déplaisant que la réelle vie intérieure de quelques-unes [des] meilleures familles d'Oak Park [...] ; dans un tel livre, tout ce que la vie des personnages a de moins recommandable est étalé au grand jour, tandis qu'à Oak Park, il y a un très joli côté pour le public, et le genre de choses dont j'ai pu un peu me rendre compte en observant ce qui se passait derrière des portes closes. [...] Je n'ai honte de mon livre que dans la mesure où il ne parvient pas à faire vivre les gens que j'ai voulu présenter. » [5]

Désormais, Ernest s'inquiète de son avenir avec Pauline. Il l'a demandée en mariage sans tarder, mais la famille de la jeune femme ne manifeste pas un grand enthousiasme. D'autant que Pauline et Hadley ont conclu un singulier accord : cette dernière n'accepte de divorcer qu'à condition que son époux et sa maîtresse cessent toute relation pendant au moins cent jours ! Hemmy assiste à la confrontation entre ces deux femmes, avec la mine gourmande du chat qui voit se chamailler deux souris, sachant qu'il en mangera au moins une... Quoique ennuyé, il se garde bien d'intervenir.

Le divorce est finalement prononcé le 11 mars 1927. Hemingway fait en sorte que les droits d'auteur du *Soleil se lève aussi* soient entièrement reversés à Hadley et à leur fils Bumby.

Il est un vainqueur sans victoire, il le sait, même s'il savoure sa nouvelle liberté. Il éprouve une sorte de remords, qui le poussera à critiquer sévèrement les amis – notamment les Murphy – qui entérinent ce qu'il jugera avoir été une bêtise.

À la veille d'épouser Pauline, Ernest part en Italie réaliser un nouveau reportage sur Mussolini. Désormais au pouvoir, le Duce ne l'impressionne pas le moins du monde, et il profite de ce voyage pour retrouver Ezra Pound, faire un saut à Pise, à Florence, à Bologne, à Gênes, et amasser des informations pour une nouvelle à venir : *What Does the Fatherland Say ? (Qu'en pense la patrie ?)*.

Peu à peu, la vie sourit de nouveau à Ernest. Rien ne s'oppose plus à son union avec Pauline. Ils se marient donc à l'église le 10 mai 1927 dans le XVIᵉ arrondissement, déjà loin du monde des Montparnos, qu'il avait chéri et qui appartient désormais au passé, comme sa vie avec Hadley, comme sa jeunesse, à l'exception sans doute de l'Italie de 1918.

Là-bas, il a déjà reçu l'extrême-onction et affirme avoir été baptisé dans la religion catholique. Mais l'aurait-il vraiment été qu'il n'aurait pu se marier avec Hadley selon le rituel méthodiste... Sa conversion au catholicisme donne la mesure de son amour pour Pauline, lui qui n'accordait guère d'importance aux religions.

Mais Paris vaut bien une messe !

30

« PAPA »

(1927-1928)

> « Pourtant, tout homme tue
> l'objet de son amour. »
>
> Oscar Wilde

Le charmant village où les Hemingway se rendent pour leur voyage de noces est idéalement situé entre l'embouchure du Vidourle et celle du Rhône, limitrophe d'Aigues-Mortes. L'air méditerranéen tonifie les amants, et Hemmy prend des notes pour *The Garden of Eden* (*Le Jardin d'Éden*), un roman dans lequel des jeunes mariés pimentent leurs relations amoureuses pourtant intenses avec une séduisante jeune femme. Il finalise aussi avec Maxwell Perkins les histoires qui figureront au programme d'une nouvelle collection lancée en octobre. Le recueil rassemble quatorze récits, dont une aventure de Nick Adams, sous le titre *Men without Women* (*Hommes sans femmes*).

Le couple regagne Paris pour un mois seulement, sans vraiment déposer ses bagages. Il repart en Espagne pour une désormais traditionnelle plongée dans le monde de la tauromachie – « tauro-magie », pourrait-on dire. L'œil d'Ernest vaut dorénavant celui de maints spécialistes ; il sait différencier les taureaux selon les élevages, il maîtrise le rituel presque religieux qui précède, accompagne et suit la corrida. Son attachement sincère à la culture taurine plaît aux Espagnols, qui le saluent et commencent à écouter ses jugements.

Hemmy se rengorge. Et cela soigne sans doute un peu la peine que lui causent ses parents, qui réprouvent et son divorce et ses écrits. Il se justifie sur les deux fronts, tente d'expliquer à son père les raisons du naufrage de son mariage, assure ne pas avoir commis le péché d'adultère. La situation était intenable, mais il affirme avoir été fidèle pendant plus d'un an, bien que son cœur ait été déchiré en deux. De même, lui confie-t-il, « j'ai le sentiment que finalement ma vie ne sera pas non plus une cause de honte. Pour ça aussi, il faut du temps »[1].

Bien que Pauline appartienne à une famille riche, Ernest doit souvent faire et refaire ses comptes. Il vit sur les cent dollars prêtés par Scott Fitzgerald et sur les sept cent cinquante dollars que lui a envoyés Maxwell Perkins. Certes, l'Europe ne coûte pas cher à un Américain, mais tout de même... Comme il a cédé ses droits du *Soleil se lève aussi* à Hadley, il *doit* maintenant écrire. « Le seul ennui, dit-il à Fitzgerald, c'est que je *ne peux pas*, absolument *pas*, écrire la moindre chose sur commande. »[2] Pour cette raison, il a refusé un à-valoir de mille dollars pour dix histoires, sans parler de quinze mille dollars supplémentaires qu'aurait pu lui rapporter la publication des mêmes histoires en feuilleton...

Il se concentre sur son nouveau roman, *L'Adieu aux armes*, et adopte alors une nouvelle hygiène de vie, basée sur la pratique intensive du vélo. Aller-retour de Paris à Versailles avec Pauline, projet de randonnée jusqu'en Picardie avec MacLeish. Il s'entraîne dur, et réussit maintenant à grimper les quatre kilomètres de la côte de Béhobie, près d'Hendaye. Il n'est pas peu fier de son exploit car, dit-il, « la première fois que j'ai essayé, j'ai dû descendre cinq fois et j'étais claqué »[3].

C'est dans ce même courrier d'octobre 1927 qu'Hemingway fait sien pour la première fois le surnom qui lui restera : « Papa ».

Après ses prouesses à bicyclette sur les routes de région parisiennes, Papa va skier à Zweisimmen, en Suisse. Cette parenthèse lui permet au moins de digérer l'article « rudement irritant » qu'a écrit Virginia Woolf sur *Le soleil se lève aussi* et *Hommes sans femmes*[4]. Papa ne décolère pas contre cette romancière anglaise féministe, à l'époque maîtresse de Vita Sackville-West et membre du Bloomsbury Group, ces « gens [...] qui ont tous plus de quarante ans et se sont chargés eux-mêmes d'être modernes et d'être tous très prometteurs et les sauveurs de la littérature »[5]... Non content d'avoir été déformé, Hemingway enrage de se voir accusé de tricher et de faire semblant. Il ne cache pas le choc que lui a causé la lecture de l'article : « Je suis heureux de ne pas l'avoir lu quand j'avais l'une de ces satanées dépressions, quand on a l'impression qu'on ne pourra jamais se remettre à écrire. »[6]

Pour l'heure, c'est un élément très matériel qui l'empêche d'écrire : Bumby lui a accidentellement mis un doigt dans l'œil, et l'ongle de l'enfant a « découpé une grande demi-lune »[7] dans la pupille de Papa. Pendant dix jours, il est comme aveugle et soigne la douleur avec des gouttes de cocaïne. Il profite de son immobilisation pour se laisser pousser la barbe.

Les vacances d'hiver le laissent frustré, mais moins que le retour à Paris, dans un appartement sans chauffage pendant une semaine parce que toutes les canalisations sont crevées. Ernest attrape un rhume de cerveau puis la grippe, la troisième en un an. Quand il dresse le bilan de sa santé, incapable qu'il est d'écrire dans cet état fiévreux, il se rend compte – ajoutant encore un anthrax dont il a failli mourir à la liste de ses maux récents, sans parler de sa gorge – qu'il doit tout cela « au fait d'avoir mené une vie exemplaire de non-buveur et non-fumeur »[8] !

Assurément, les temps ont changé.

Le parcours-Montparnasse s'enrichit cependant d'une nouvelle halte : l'inauguration de la Coupole, le mardi 20 décembre 1927, provoque un regain joyeux.

Tout ce que Paris compte d'artistes, soit près de trois mille invités, participe à cette fête qui surclasse les autres. Parmi eux, les piliers de la vie locale : Kiki et Man Ray, Foujita et Youki, future Mme Desnos, Kisling, Vlaminck, Cendrars, Derain, Salmon, Cocteau, Maurice Sachs, Aragon, etc. Avec sa décoration commandée à trente-deux peintres, la Coupole devient le nouveau centre de gravité de Montparnasse, et d'une certaine manière de la vie artistique parisienne. S'y côtoient surréalistes et abstraits, acteurs en vogue et écrivains. Giacometti y vient chaque soir, le groupe de « Cercle et Carré » et « Création-Abstraction » s'y réunit, on y croise indifféremment Mondrian, Lawrence Durrell, James Joyce, Samuel Beckett, Anaïs Nin, Marcoussis, Louis Armstrong, Henry Miller, Brancusi, Delaunay, Brassaï, les cinéastes Fritz Lang et Bunuel, Antonin Artaud, André Derain, Giorgio De Chirico, Curzio Malaparte, Pablo Picasso, René Crevel, Robert Desnos, Max Jacob, Salvador Dalí, ou encore le noyau soviétique constitué d'Ehrenbourg, Eisenstein et Prokofiev, etc. Toutes les célébrités du moment se précipitent dans cette « basilique du parisianisme »[9].

Tout ce beau monde s'amuse et s'imbibe copieusement, Francis Scott Fitzgerald en tête, souvent en compagnie de George Gershwin et d'Alexander Calder, qui ne se sépare jamais de deux mystérieuses valises où il entasse des figures en fil de fer.

C'est le « Paris Kiki ».

Hemingway retrouve avec plaisir la *reine de Montparnasse*[10], souveraine d'un royaume bizarre en lequel Pascin voyait « le pubis vérolé de Paris ». Son magnétisme, Kiki le doit entre autres au charme de sa voix. En outre, « elle avait remplacé ses sourcils, complètement épilés, par des lignes délicates et ondulantes semblables au tilde espagnol, noirci ses cils avec au moins l'équivalent d'une bonne cuillère à thé de mascara, et fardé sa bouche d'un rouge écarlate qui accentuait l'érotisme canaille de ses contours, et contrastait vivement avec la blancheur plâtreuse de ses joues, dont l'une arborait un grain de beauté très artistiquement piqué juste au-dessous de l'œil. Son visage était magnifique de n'importe quel angle, mais non sans une malicieuse perversité. »[11] Ernest partage cet avis et reconnaît à Kiki une primauté en son royaume et une singularité égalée par aucune femme de l'époque. Elle s'est elle-même façonnée dans tous les sens, et a fait de son visage une œuvre qui passera à la postérité. Sans ces icônes féminines, Hemingway eût-il autant aimé Montparnasse et Paris ?

Mais il va s'en aller, une fois de plus ; plier bagages et changer d'horizon, sans regret, avec en tête de merveilleux souvenirs qui imprégneront chaque mot de *Paris est une fête*. Sa manière de saluer son passé parisien. Non sans un gros pincement au cœur.

31

MON PÈRE, CE LÂCHE

(1928)

« On n'a pas le droit de renoncer,
de baisser les bras, de déserter ainsi.
Cette mort est une trahison. »

Ernest Hemingway
après le suicide de son père

Fin de la période parisienne et retour aux États-Unis
– mais certainement pas au bercail familial ou en un lieu de
son ancienne vie, Oak Park ou Chicago. Il est grand temps
de quitter un Paris qui ne lui porte plus chance, car Ernest,
après avoir enchaîné les désagréments de santé, se blesse dans
ses toilettes, dont la lucarne mal fixée lui tombe sur la tête.
À la fin de février 1928, Pauline et Papa embarquent à
La Rochelle. Destination : Key West, au sud de la Floride,
via Vigo, les Canaries et La Havane.

Le choix de Key West ne doit rien au hasard. L'idée viendrait de Dos Passos, alors sous surveillance du FBI. Dos
Passos connaît le prix de la tranquillité et se révèle de bon
conseil pour dénicher un lieu à part.

Key West est une petite île mouillée au sud de la Floride.
Elle a tout l'air d'un morceau de paradis perdu dans l'Océan.

Un souci tout de même, et parfois colossal : l'île essuie chaque année l'assaut de cyclones, et il arrive alors que l'enfer se déchaîne au paradis ! Mais si l'on excepte cet inconvénient, on vit très bien sur cet îlot de quinze kilomètres carrés, qui forme une escale pour le ravitaillement en carburant des navires de croisière, des ferries et des bateaux de pêche.

Key West enchante d'emblée Ernest et Pauline, alors enceinte. Ils s'installent dans un appartement de location et ne tardent pas à nouer de nouvelles relations. Ils font notamment la connaissance de Charles et Lorine Thompson, appelés à devenir pour longtemps de très proches amis. Comme Charles est un pêcheur chevronné, Ernest ne trouve pas meilleur maître et apprend de lui toutes les ficelles de la pêche au gros en haute mer. De plus, la famille possède un magasin d'articles de marine et de pêche ainsi qu'une usine de boîtes à cigares. Ce qui ne gâte rien. Le propriétaire du Sloppy's Joe, un bar où il prend bientôt ses habitudes, lui prête son cabin-cruiser, l'*Anita*, quand il ne sert pas à la contrebande de rhum avec Cuba.

Papa, toujours fidèle à son fameux « Amenez-vous ! », propose à Perkins, son éditeur, de les rejoindre au printemps. La rédaction de *L'Adieu aux armes* avance, et la pêche aux tarpons, barracudas et lutjanidés lui change les idées les après-midi où il ne travaille pas.

Dans l'immédiat, il se prépare à être père une deuxième fois et, à quelques semaines de l'accouchement de Pauline, le couple quitte Key West pour l'Arkansas et la propriété familiale des Pfeiffer, à Piggott. Clarence avait suggéré que Pauline se rende à l'hôpital d'Oak Park, où il se serait fait un plaisir d'offrir ses services d'obstétricien, mais quinze jours après sa proposition, il n'avait toujours pas reçu de réponse, et l'échange sembla tourner court.

Le 27 juin 1928, alors qu'une vague de chaleur submerge la région, Pauline est admise au Research Hospital de Kansas

City, où elle amorce un travail de dix-huit heures. Le lendemain naît par césarienne un beau garçon qui se prénommera
Patrick. La jeune maman apprend toutefois qu'elle ne doit
pas envisager une autre maternité avant trois ans.

Il faut donc du repos à Pauline. Ernest, lui, va consacrer
son été à l'écriture, à la chasse et à la pêche. Il a décidé de
se retirer dans le Wyoming, pour achever *L'Adieu aux armes*
et pour taquiner la truite avec Bill Horne, en attendant Pauline en septembre, pour l'instant restée à Piggott. Hemmy
pense accomplir ensuite un voyage en Europe, à Paris, puis
en Espagne. « Il faut que je voie quelques taureaux de
plus. »[1] Il rêve de Pampelune, de Valence avec ses sept corridas en sept jours, Valence où il devrait se trouver, « au lieu
d'être ici à essayer d'écrire »[2]...

Patrick ne va donner que des joies à son père : il ne pleure
jamais, il rit tout le temps et, précise-t-il de manière très
imagée, « il est bâti comme des chiottes en briques »[3].
Hemingway trouve dans la naissance de ce nouveau fils
l'occasion de vanter ses propres qualités jusqu'au délire fanfaron : virilité, fécondité, dont il n'est pas peu fier, dispositions
d'étalon qu'il a décidé de mettre « à la disposition de
Tous »[4]... Il éprouve le besoin de se comparer – certes sur
le mode ironique – à Dos Passos, qui « est pratiquement
"stérile" ».[5] Que dire alors de Fitzgerald lui-même, auquel il
écrit, et qui n'a *qu'une* fille !...

Quant à Zelda, « quatre-vingt-dix pour cent de tout ce
qui ne va pas »[6] pour son mari devraient lui être imputés.
Elle serait à la fois responsable du malheur de Scott et de ses
faiblesses littéraires. Toute trace d'indulgence pour elle
semble disparaître. Et ce n'est pas fini. Hem est en verve, et
il n'épargne personne.

En octobre, avant de reprendre la route de Key West et
après avoir déposé Patrick, bientôt surnommé « Mousie », à
Piggott, les Hemingway effectuent une visite à Oak Park.

C'est alors qu'Ernest découvre son père vieilli et visiblement mal en point. Il paraît suspicieux, tendu, irritable. Il a
aussi adopté un comportement bizarre, fermant à clé tous
les tiroirs de son bureau. Il exige que son fils Leicester, âgé
de treize ans, l'accompagne dans ses déplacements auprès de
ses patients. Tout cela plonge Grace dans l'angoisse.

Clarence fait à peu près bonne figure auprès d'Ernest et
de Pauline, mais on sent que la tragédie est proche. Hemmy
attribue le comportement de son père à sa maladie, qui progresse certainement et dont ils ne parlent pas. Le docteur
Hemingway ne dit rien non plus des difficultés dans les-
quelles il se débat et pourrait bien se noyer. Marasme finan-
cier, et marasme psychologique. Ernest n'a donc pas le
moindre soupçon de l'état dépressif extrême de son père
lorsqu'il arrive à New York pour passer quelques jours auprès
de Maxwell Perkins.

De retour à Key West, ils prennent possession d'une belle
maison blanche, que Lorine Thompson leur a dénichée et
où les rejoint Madelaine, la sœur cadette d'Hemmy, sa
Sunny. La jeune femme déteste son emploi d'assistante den-
taire, aussi accepte-t-elle immédiatement la proposition que
lui fait l'écrivain : être à ses côtés pour taper ses textes et
servir accessoirement de gouvernante à Patrick.

Ernest peut maintenant s'atteler à la relecture de *L'Adieu
aux armes*.

Deux semaines plus tard, il repart à New York, où l'attend
le petit Bumby, venu de France passer les fêtes de fin d'année
avec son père. Papa est ravi, leurs retrouvailles sont joyeuses,
et ils se réjouissent de profiter l'un de l'autre en Floride.
Mais ils n'ont pas le temps d'y arriver que leur parvient,
à l'arrêt de Trenton, un télégramme annonçant la mort de
Clarence, survenue le jour même. Ernest confie en catastrophe son fils à un agent Pullman, emprunte (par télégraphe) cent dollars à Fitzgerald, et saute dans le rapide de
Chicago.

Clarence s'était réveillé avec une forte douleur au pied, ce qui lui laissait imaginer un problème artériel grave sans doute provoqué par son diabète. La gangrène menaçait, nécessitant peut-être une amputation. Le docteur Hemingway s'était confié à Grace, mais refusait de consulter un confrère. Il s'était donc rendu à son travail, à l'hôpital, comme si de rien n'était. Après le déjeuner, il avait bricolé au sous-sol – en fait, il brûlait des papiers –, puis était monté dans sa chambre. Il avait sorti le vieux revolver Smith & Wesson de son père, posé le canon sur sa tempe droite. Et avait tiré.

Leicester, alerté par le coup de feu, s'était précipité dans la pièce. Son père gisait inanimé, étendu en travers du lit, un orifice au niveau de l'oreille gauche.

À l'enterrement, Ernest aurait interdit au garçon de pleurer. On ne pleure pas chez les Hemingway ! Et l'on dit qu'aucune larme ne coula des yeux de Leicester pendant la cérémonie, pourtant très émouvante.

Désormais intronisé chef de toute la famille, Ernest prend à cœur de s'occuper des siens – de sa mère, de ses jeunes frère et sœurs. Ils dépendent de lui, autant que Pauline et Patrick.

Il commence par passer en revue les papiers du docteur Hemingway, et ne tarde pas à découvrir l'étendue de ses dettes. La maison d'Oak Park est déjà hypothéquée, il reste des impôts à payer sur divers terrains sans importance, une assurance à capital différé prise par son père mais déjà croquée et, comme il souffrait de maladies chroniques, il n'a pu souscrire à aucune autre… Comme une bête acculée, il ne dormait plus. La douleur au pied aura été le détonateur.

Hemingway ne veut pas le montrer, mais il le confie à Perkins : « J'avais une très grande affection pour lui, et ça me fait énormément de peine. »[7] Il va cependant en vouloir à ce père aimé, qui n'a laissé aucun message, rien qui permettrait à sa famille de comprendre son geste. Il ne lui pardonnera jamais son suicide, qu'il assimile à une fuite honteuse, et s'en expliquera à sa façon dans *Pour qui sonne le glas*, lorsque son héros parle du suicide de son père : « Je n'oublie-rai jamais combien je fus malheureux en découvrant qu'il était lâche. S'il ne l'avait pas été, il ne se serait pas ainsi laissé mener par sa femme. Je me demande souvent ce qu'il serait devenu s'il avait épousé une autre femme. »

S'il reproche à son père sa faiblesse, Ernest tiendra tou-jours sa mère responsable de cette mort. Il la soupçonnera d'avoir contraint le docteur à d'insurmontables acrobaties financières. Et étrangement, il va lui demander de lui envoyer le revolver avec lequel Clarence s'est suicidé.

Peut-il alors imaginer qu'un tiers de siècle plus tard, il mettra ainsi fin à ses jours, avec une arme à feu, comme son père qu'il aimait tant quand ils allaient naguère chasser et pêcher ?

32

L'ADIEU AUX ARMES

(1929)

> « La vie d'un écrivain, en mettant les choses
> au mieux, est une vie solitaire.
> Il œuvre dans la solitude
> et s'il est assez bon écrivain pour cela,
> il doit affronter chaque jour l'éternité,
> ou son absence. »
>
> Ernest Hemingway

Le 22 janvier 1929, Ernest écrit à Perkins, son éditeur, pour l'informer qu'il vient d'achever *L'Adieu aux armes*, et il l'invite à Key West, où l'un ou l'autre des bons petits hôtels pourra l'héberger, que ce soit la Casa Marina, qui a la préférence de Papa, le Concha ou l'Overseas.

Le livre se présente bien, et Scribner y croit beaucoup – ce qui ferait l'affaire d'Hemmy, qui vient de remettre à sa mère un chèque pour les frais de succession et la première des mensualités qu'il s'est engagé à lui verser (soit 678,93 dollars).

Il appréhende la parution d'*À l'ouest rien de nouveau*, d'Erich Maria Remarque, dont Scott Fitzgerald vient de lui donner un exemplaire. Ernest redoute la concurrence de ce roman au thème assez proche du sien, avec la Grande Guerre pour fond, et qui figure déjà en tête des meilleures ventes en

Europe. Mais Scribner a confiance, et offre dix mille dollars à Ernest pour la publication en feuilleton de *L'Adieu aux armes*, prévue de mai à octobre 1929, avant sa sortie en librairie.

Hemingway s'embarque donc rassuré pour l'Europe. Il a rendez-vous en juillet avec Joan Miró à Montroig, en Espagne. Les deux hommes se sont connus à Montparnasse en 1926. Ernest lui raconte ce qui lui est arrivé sur un ring à Paris, juste avant son départ pour l'Europe – et qu'il n'est pas prêt d'oublier : l'affaire Callaghan ![1]

Morley Callaghan est un journaliste et écrivain canadien. Ernest et lui se connaissent et s'apprécient. Fort de ses premiers succès littéraires, Hemingway a aidé Callaghan à publier ses nouvelles (dans le *New Yorker*). Elles ne sont pas sans rappeler parfois le style d'Ernest, mais « en pleurnichard et moralisateur »[2] selon Graeme Taylor. Voici donc le Canadien à Paris avec sa femme, bientôt mêlé au groupe des écrivains de la Génération perdue. Il se lie d'amitié avec Scott et Zelda Fitzgerald, et se rapproche aussi de James Joyce. Mais ses liens avec Hemingway se distendent rapidement. Car Callaghan, cogneur comme tout bon Irlandais d'origine, met Hemingway K.-O. au cours d'un combat de boxe arbitré par Fitzgerald.

Or Callaghan ne paie pas de mine : « Petit, brun, replet », d'après le portrait qu'en brosse John Glassco qui l'a rencontré le jour de son arrivée à Montparnasse, il possède une « face lunaire et une petite moustache », et il ressemble à Hemingway, avec « les mêmes yeux de politiciens, petits et matois, le même sourire indécis et la même voix engageante »[3]. Et une allonge plus frappante !

Après avoir recouvré ses esprits, Ernest s'en prend vivement à l'arbitre, en l'occurrence Fitzgerald, et lui reproche de n'avoir pas respecté le temps réglementaire fixé à une minute pour un round. De fait, Ernest accuse Scott d'avoir laissé faire pour qu'il soit humilié.

Après tout, pourquoi pas ? Une correction ne ferait pas de mal à ce costaud qui défie tout le monde, certes sans méchanceté, mais comme s'il voulait toujours prouver son courage. Hemingway finit par agacer. Il avait cru narguer Callaghan au bout de ses gants, mais il ne tenait pas la distance face à ce boxeur plus doué.

McAlmon, lui, n'est pas passé loin de cette frappe redoutable – pour des raisons littéraires, en s'attaquant au style de Callaghan. Le Canadien, qui admire James Joyce et considère *Ulysse* comme le plus grand roman du siècle, souhaite donc faire sa connaissance, justement par l'intermédiaire de McAlmon. Mais ce dernier l'apostrophe : « Si vous faites si grand cas de Joyce, pourquoi n'écrivez-vous pas comme lui, au lieu d'imiter votre idole constipée – j'ai nommé Hemingway ? » Et McAlmon de décrier « cette prose frugale, cassante, constipée, figée », celle du « faux naïf par excellence ». La moustache de Callaghan frémit. Il croit nécessaire de se justifier, son interlocuteur jouissant d'une très honorable réputation littéraire. Et l'altercation est évitée de justesse, McAlmon avouant n'avoir finalement lu ni Joyce ni Hemingway, n'en éprouvant pas le besoin parce qu'il les connaît. Il déclare à Callaghan qu'il l'estime quand il sort de ses gonds, et que « c'est au sortir de ses gonds que l'on reconnaît le bon écrivain »…

En Espagne, Hemingway ne digère toujours pas d'avoir été mis au tapis. Callaghan, qu'il croyait être de ses amis, se vante de l'exploit, et c'est le malheureux Fitzgerald qui en fait les frais.

Il faut suivre Hemmy. Gare à celui – ou à celle – qui ne le peut pas. Hadley n'a pas suivi, incapable de s'occuper à la fois de Bumby et de son mari, c'est-à-dire de donner à un garçonnet une stabilité, les soins et l'éducation dont il a besoin, tout en répondant présente chaque fois qu'Hemmy voulait plier son baluchon et partir en voyage. Il s'est lassé et a trouvé plus aventurière.

Parmi les fréquentations d'Ernest à ressentir durement son affection exigeante, McAlmon fait preuve d'un courage que tous n'ont pas. Les Canadiens Graeme Taylor et John Glassco peuvent en témoigner. En 1928, ils viennent tout juste de faire la connaissance de Robert McAlmon, déjà une légende pour les Anglo-Saxons qui découvrent Montparnasse.

Ce soir-là, au bar de la Coupole, et sans doute pour tromper une solitude devenue chronique, comme son amertume, il se rapproche de la terre natale en vidant force whiskies – pas moins de six doubles en une demi-heure, ce qui explique une conversation chaotique, émaillée de jurons, avec les deux écrivains en devenir et la romancière britannique Diana Tree. Il demeure néanmoins aimable avec ses compagnons, paraît s'amuser, d'autant que deux bouteilles de vin de Moselle censées arroser un canard succèdent au whisky, au vermouth et à la fine de ces messieurs. L'atmosphère se réchauffe, si bien que McAlmon, assis entre les deux jeunes gens, leur passe familièrement un bras sur l'épaule, pinçant l'oreille de l'un, tapotant la joue de l'autre. Selon Glassco, McAlmon paraît simplement heureux d'être vu en leur compagnie, apparemment peu soucieux « d'obtenir leurs faveurs concrètes ».

À cet instant, « un individu à forte carrure et face lunaire, vêtu d'un tweed informe, dont la cravate était fixée par une épingle en or » interpelle la tablée d'un tonitruant : « Alors Bob, on reprend ses vieux tours ? » C'est Hemingway. Le ton est goguenard et plein à craquer de sous-entendus. Une joute oratoire commence, et dérape, vu l'état d'ébriété avancé des deux partis, les spectateurs comptant les points. « Regardez-le, déclare enfin McAlmon. […] Ce n'est qu'un pauvre type venu de sa cambrousse. Mais il ira loin ; croyez-moi, ce gars-là, il a un talent naturel pour attirer l'œil du public. Les feux de la rampe sont allumés, attendez donc de le voir dans quelques mois. »[4]

Sur ces mots, McAlmon se lève et invite ses deux nouveaux compagnons à le suivre rue de Lappe car, leur confie-t-il, « me taraude un désir authentique de dépravation ».

Les relations d'Ernest avec son entourage relèvent souvent du rapport de force. Il se réjouit pourtant sincèrement d'apprendre le mariage de Dos Passos, en août 1929, avec Katharine Foster Smith, « sa » Kate, la sœur de Bill. L'affaire a été rondement menée : les jeunes mariés se sont rencontrés à Key West et ne se connaissent somme toute que depuis quelques mois. Le 4 septembre, de Madrid, il adresse ses félicitations à John, sans associer à ce vœu son amie Kate – à laquelle il souhaite simplement de prendre de l'âge…

À Dos Passos, il raconte aussi ses virées à travers l'Espagne avec Pauline, le voyage le long de la frontière portugaise, la cuite à Puebla de Sanabria, une « chic ville », deux formidables corridas à Palencia. Il lui dit tout le bien qu'il pense déjà de son « sacrément bon » prochain livre, *Le 42ᵉ Parallèle*, à paraître l'année suivante, et lui recommande de tenir « l'argent loin de Kate ». Il revient enfin sur le suicide de son père et là aussi conseille à Dos « de ne pas laisser de fusil à porter de la main du vieux de Kate ». Il annonce aussi leur retour aux États-Unis en décembre, ou en mars, car « l'Europe est de la merde »[5].

Le même jour, il écrit à Fitzgerald, qu'il sait très occupé à terminer la rédaction de *Tendre est la nuit*. Les chapitres qu'il a lus lui semblent meilleurs que tout ce que Scott a produit, à l'exception de certaines parties de *Gatsby*. « Jérémie Hemingstein le grand Prophète Juif » lui prédit qu'il va lui aussi « écrire un si sacrément beau livre »[6].

En Floride, il avait travaillé dur – mais sans négliger la pêche au gros, laissant à Sunny et à Pauline le soin de taper ses textes, qu'il relisait le matin. Maxwell Perkins, flairant déjà le succès, lui avait rendu visite et, bien que réjoui par la lecture de larges extraits, avait suggéré d'alléger le manuscrit des nombreux *fuck* (« enculer »), *shit* (« merde ») et *cocksucker* (« suceur de bite »)… Ce qu'Ernest avait accepté – à condition de superviser ces modifications[7].

Le premier volet en feuilleton de *L'Adieu aux armes* avait paru en mai 1929, alors qu'Ernest, Pauline, Madelaine, Bumby et Patrick voguaient vers Paris. Mais voilà qu'Ernest apprend que les deuxième et troisième épisodes ont été interdits de diffusion à Boston, en dépit de la chasse aux mots crus et de la suppression des passages les plus suggestifs. Il craint que son éditeur ne passe son livre « à l'eau de Javel » en supprimant ce qui faisait sa sensualité, son essence même. Il n'en est rien.

La sortie du livre, le 27 septembre 1929, va à la fois marquer la carrière d'Hemingway et l'histoire de la littérature américaine. Le livre se vend à plus de 80 000 exemplaires en quatre mois. Hemingway peut se féliciter d'avoir réécrit « trente-neuf fois la dernière page avant d'en être satisfait »[8], comme il le confie à un journaliste après son retour à Key West.

L'accueil de la critique tient du concert de louanges. Dans la préface qu'il fait du roman pour sa parution française aux éditions Gallimard, en 1931, Pierre Drieu la Rochelle considère le pessimisme d'Hemingway comme étant « l'apanage de la force et de la jeunesse »[9]. Il lui trouve aussi une dimension toute nietzschéenne : « Plus l'homme est fort, plus il entre dans la vie ; et quand il entre dans la vie, il ne peut y trouver qu'une vision tragique. »

Le succès devenant triomphe, *L'Adieu aux armes* est adapté au théâtre par Laurence Stallings. Mais la pièce, qui se joue à Broadway, ne restera que trois semaines à l'affiche, en 1930. Hemingway ne semble pas s'en formaliser outre mesure[10]. Ses rapports au théâtre furent d'ailleurs tous infructueux. Il avait voulu adapter lui-même *Le soleil se lève aussi* – entreprise qui reste à l'état de projet. Quant à l'adaptation de *The Killers*, elle connut aussi un échec cuisant, au point que l'éditeur préconise le retrait du nom de l'auteur de l'affiche…

En 1932, le cinéma, avec Frank Borzage, porte à son tour l'histoire de *L'Adieu aux armes* à l'écran, Helen Hayes et Gary

19 JUIN 1960, LORS DU DERNIER VOYAGE
EN ESPAGNE, DÉDIÉ À LA TAUROMACHIE.

ERNEST ET SA MÈRE GRACE,
WALLOON LAKE, 1899.

ERNEST, LE DEUXIÈME EN PARTANT
DE LA GAUCHE, À CÔTÉ DE SON PÈRE,
OAK PARK, 1905.

LE JEUNE ERNEST EST ÉLEVÉ AU MILIEU
DE NOMBREUX LACS ET DE VASTES FORÊTS.
C'EST AINSI QUE NAQUIRENT LES PASSIONS
DE TOUTE SA VIE : LA PÊCHE ET LA CHASSE.

ERNEST À LA PÊCHE, 1904.

HEMINGWAY, AU CENTRE, DANS L'ÉQUIPE
DE RUGBY DE L'OAK PARK HIGH SCHOOL, 1915.

AGNÈS VON KUROWSKY, MILAN, 1918.

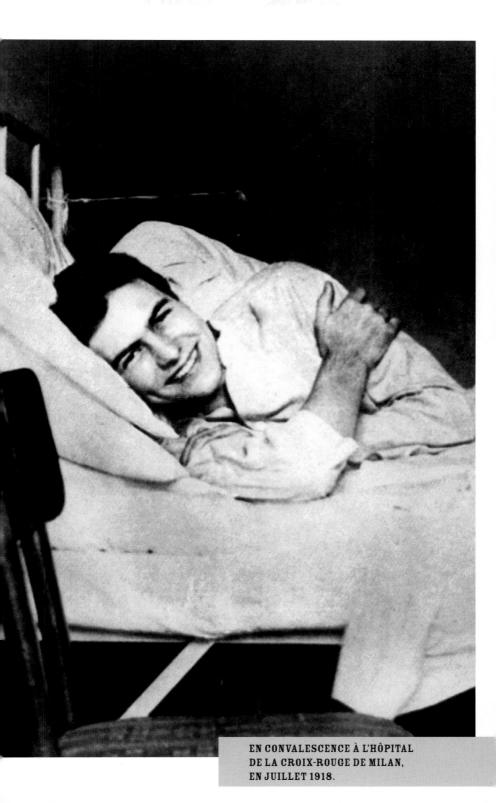

EN CONVALESCENCE À L'HÔPITAL
DE LA CROIX-ROUGE DE MILAN,
EN JUILLET 1918.

ERNEST, HADLEY ET BUMBY HEMINGWAY,
EN VACANCES EN AUTRICHE, EN 1926.

LE 11 MARS 1927, ERNEST OBTIENT
LE DIVORCE D'AVEC HADLEY. IL SE REMARIE
AVEC PAULINE LE 10 MAI, À PARIS.

DÉTAIL DU PASSEPORT D'HEMINGWAY, 1923.

ERNEST ET PAULINE DANS L'ARÈNE
À PAMPELUNE, EN 1928.

PARTIE DE PÊCHE À KEY WEST, EN 1928.

ERNEST ET PAULINE HEMINGWAY
DANS LEUR MAISON DE KEY WEST.

ERNEST ET PAULINE, SA SECONDE FEMME,
EN ROUTE POUR L'AFRIQUE, ET JACK,
QUI NE SERA PAS DU VOYAGE, À LA GARE
DE LYON DE PARIS, EN NOVEMBRE 1933.

AU TANGANYIKA, EN FÉVRIER 1934.

À MADRID EN PLEINE GUERRE CIVILE, EN 1936.

1937, TERUEL : HEMINGWAY EST AUPRÈS
DES SOLDATS. ROBERT CAPA IMMORTALISE
LA SCÈNE.

HEMINGWAY, GARY COOPER ET TAYLOR
WILLIAMS, GUIDE, À SUN VALLEY, EN 1940.

DE GAUCHE À DROITE : TAYLOR WILLIAMS,
ROBERT CAPA ET ERNEST,
LORS D'UNE CHASSE AU CANARD
À SUN VALLEY, LE 13 NOVEMBRE 1940.
CAPA AVAIT RÉALISÉ ALORS UN REPORTAGE
DE CETTE EXCURSION POUR *LIFE*.

À SUN VALLEY AVEC GREGORY, SON FILS,
EN OCTOBRE 1941.

SUN VALLEY, IDAHO, 1940
(PHOTO DE ROBERT CAPA).

1ER MAI 1944.

ROBERT CAPA (À GAUCHE), PHOTOGRAPHE
POUR *LIFE MAGAZINE*, ET HEMINGWAY,
CORRESPONDANT DE GUERRE,
EN COMPAGNIE D'UN SOLDAT (SANS DATE).

ERNEST HEMINGWAY, À SA TABLE
DE JOURNALISTE PENDANT LA SECONDE
GUERRE MONDIALE.

À BORD DU SS *JAGIELLO*, EN 1949, DE GÊNES,
EN ROUTE VERS CUBA.

1953, LORS D'UN SAFARI AU KENYA.

À LA FINCA VIGIA, AVEC L'UN DE SES FIDÈLES
CHATS, EN 1954.

1ER AVRIL 1959, AU MYTHIQUE SLOPPY JOE'S BAR. HEMINGWAY, L'ACTEUR ALEC GUINNESS ET LE SCÉNARISTE NOEL COWARD SONT EN GRANDE CONVERSATION, PENDANT LE TOURNAGE DE *NOTRE AGENT À LA HAVANE*, ADAPTÉ D'UNE NOUVELLE DE GRAHAM GREENE.

1953, HEMMY À BORD DE *PILAR*, SON BATEAU À LA HAVANE.

1ᴇʀ OCTOBRE 1954, MARY ET ERNEST,
QUI VIENT D'APPRENDRE QU'IL A REÇU
LE PRIX NOBEL DE LITTÉRATURE.

Cooper tenant les rôles principaux. Si Hemingway se félicite d'avoir choisi Gary Cooper auquel va le lier une amitié très sincère, il peste contre Borzage, qui s'est réapproprié son histoire. Il refuse même d'assister au tournage et aux premières du film, accusant le cinéaste d'avoir rendu ses personnages trop sentimentaux, surtout dans cette dernière scène de la mort en couches de Catherine, l'héroïne, que son amant prend dans ses bras comme il le ferait d'une jeune mariée pour la porter hors de la chambre et avancer ainsi sous un ciel rempli de colombes…

Le film sera le premier d'une longue série d'adaptations de livres d'Hemingway à l'écran. Aucun de ses grands romans n'échappera à la règle.

33

FORTUNES DIVERSES

(1930-1932)

> « J'ai remarqué que tout ce qui arrive
> d'important à n'importe qui
> était imprévu et imprévisible. »
>
> Alain

L'année 1930 s'annonce morose. La crise a frappé en octobre précédent. Jeudi noir de sinistre mémoire. Toute l'économie américaine vient de retomber comme un soufflé. Des fortunes sont devenues poussières, des milliardaires se retrouvent clochards, quand ils ne se sont pas simplement suicidés. Le dollar perd soudain son pouvoir magique. Ernest, Pauline et Patrick, accompagnés d'Henriette, une nurse française, font un bref séjour à New York le 10 janvier 1930 ; l'Amérique présente alors le visage de la désolation.

Les Hemingway reprennent très vite la mer pour La Havane, dont la langoureuse joie de vivre offre un contraste saisissant avec l'Amérique pétrifiée, et pour leur havre de Key West, à cinquante miles des côtes cubaines.

Bien que peu prolifique cette année-là, Ernest se lance dans des histoires ouvertes à la polémique, dont *The Sea Change*, qui traite de l'homosexualité féminine. Il n'a pas oublié ses échanges avec Gertrude Stein. Parallèlement, il travaille à *Death in the Afternoon* (*Mort dans l'après-midi*).

Il soigne surtout son image du héros, de l'homme d'action, qu'il veut donner au public. Il se met en scène, ce qui contribuera, certes, à le faire connaître autant que ses œuvres, mais aussi à grossir le trait, à déformer le personnage, et à prêter le flanc à la critique.

Ses détracteurs vont s'engouffrer dans cette brèche ouverte par un ego de bonne taille. Comment une belle âme habiterait-elle ce corps de brute ? Certains verront d'un mauvais œil les rapports qu'Ernest entretient avec les artistes et écrivains homosexuels. Dans une Amérique « coincée » à l'excès, pas question de laisser entrer le diable ! Les mots fourchus et les situations scabreuses sont chassés.

Par chance, au printemps, Hemingway va être servi par Dame Nature de manière inattendue.

Ernest a organisé une partie de pêche entre amis, à son habitude. Cap sur les Tortugas, dans le golfe du Mexique. Malheureusement, le temps se gâte. Il faut d'urgence trouver un abri où se réfugier – en l'occurrence un fortin abandonné... C'est ainsi que les quatre hommes vont totalement disparaître sans donner aucun signe de vie pendant deux semaines, et alimenter les plus folles rumeurs. Les éléments finissent par se calmer, et ils réapparaissent alors, en héros.

Après un passage à Piggott, chez Pauline, où il progresse dans la rédaction de *Mort dans l'après-midi* – à raison d'une caisse de bière par chapitre –, Ernest prend, en juillet, ses quartiers dans un ranch-hôtel du Wyoming.

Sans vraiment ressembler à son Michigan, la région relève du rêve giboyeux pour tout chasseur. Papa ne se prive pas et, le 10 septembre, il totalise déjà « deux sacrément gros vieux ours mangeurs de bétail »[1]. Il annonce en fanfare ce bon début de palmarès à son ami le peintre Henry Strater, qu'il souhaite faire venir avec Charles Thompson. Il lui décrit l'abondance du gibier qui les attend, insistant sur le fait que

« personne d'autre ne va chasser ici cet automne »[2]. Outre la présence de mouflons, dont il a repéré douze spécimens, il *garantit* élans, daims et ours, sans oublier les truites arc-en-ciel qui abondent. Même si la saison de la chasse n'ouvre officiellement que le 16 septembre, Papa ne se gêne pas pour prendre un peu d'avance...

Pauline et Bumby sont sur le point de rentrer, et Hem entend bien profiter de la chasse au maximum, avec son nouveau fusil Sprinfield et ses amis qu'il presse de le rejoindre. Il estime que cette partie de chasse-pêche-nature très virile sera un excellent entraînement pour le safari africain qu'il envisage.

Mais pour cette escapade africaine, Papa devra attendre un peu. Son bras droit le fait souffrir. Car le 1er novembre, alors qu'il roule avec Dos Passos vers Piggott, ils ont un accident « causé par des gravillons et des conducteurs du samedi soir »[3].

Dos s'en sort plutôt secoué, Papa le dur-à-cuire est emmené à l'hôpital de Billings, non sans avoir serré les dents pendant les trente-cinq kilomètres qui l'en séparent : l'humérus est brisé, son bras est replié sur lui-même, et les articulations touchent son épaule. La fracture compliquée a été évitée, mais il faut le plâtrer trois fois, et l'opérer six jours plus tard, percer un trou dans l'os, afin de relier les deux morceaux avec des tendons de kangourous « bénévoles ». Deux heures plus tard, Ernest sort du bloc avec une cicatrice d'environ vingt-cinq centimètres et avec, à son réveil, un moral d'acier. Pensez donc : un tendon de kangourou dans le bras droit devrait lui permettre « de cogner terriblement sur la mâchoire de Morley Callaghan un de ces jours »[4] ! La convalescence est néanmoins évaluée à six mois.

Ne pouvant écrire, Hemingway dicte ses textes, lettres comprises, à Pauline, qui déteste la moindre évocation des armes et laisse tomber la saisie dès que le mot *fusil* est prononcé. Elle appelle Archibald MacLeish à la rescousse, qui saute dans le premier avion pour venir au chevet de son ami. À son arrivée, il le découvre arborant une magnifique barbe noire.

De fait, un séjour de cinq semaines à l'hôpital semble bien long pour une fracture du bras. La presse s'interroge, et la *Billings Gazette* dépêche un journaliste pour enquêter sur la véritable raison de l'immobilisation d'Hemingway. Une rumeur prétend que l'écrivain serait « dans un état effroyable [...] cirrhose du foie probablement »[5]. Hemingway est sans doute lui-même à l'origine de cette rumeur. Après avoir réchappé d'une tempête dans le golfe du Mexique, le héros frôle la mort sur les routes du Montana... Quelle publicité ! Quel homme !

C'est sur son lit de souffrance qu'il apprend l'attribution du prix Nobel de littérature à Sinclair Lewis. « Ça m'a fait un sacré coup, écrit-il à MacLeish, parce que j'avais toujours pensé que le prix Nobel était quelque chose qu'on recevait quand on avait une longue barbe blanche et qu'on était dans l'obligation d'élever ses petits-enfants. Mais je sais maintenant [...] que la seule différence entre le prix Nobel et tous les autres prix, c'est juste que c'est davantage d'argent. »[6]

Il ne sait pas encore qu'un quart de siècle plus tard, ce sera son tour... Pour lui, le Nobel 1930 aurait dû couronner Ezra Pound ou James Joyce, de préférence à Lewis et à Theodore Dreiser, « deux mauvais écrivains »[7].

Ernest râle ainsi et rouspète jusqu'à la veille de Noël où, enfin libéré de son plâtre et de l'hôpital, il peut regagner Piggott, avec la ferme intention de rééduquer un bras encore très paresseux et surtout douloureux.

Il piaffe d'impatience et, en mars, il reprend la mer pour une campagne de pêche de treize jours dans les Tortugas. Il met néanmoins son bras à la peine pour sortir de l'Océan quelques tout petits trophées, tandis que ses camarades en arrachent de grosses prises. Il se démène pour se rétablir tout à fait, avec pour perspective l'Espagne, l'arène, les taureaux et la fiesta. Il veut se replonger dans l'atmosphère surchauffée d'un monde violent et sensuel pour alimenter l'ouvrage qui lui tient pour le moment à cœur : *Mort dans l'après-midi*.

Ezra Pound, féru d'ésotérisme, auquel Ernest a souvent confié ce besoin viscéral de respirer les puissants effluves des corridas[8], rapproche cette dévotion taurine de l'ancien culte de Mithra. Mithra, dieu perse, aurait dominé le taureau *primordial*, puis l'aurait sacrifié. Du sang de l'animal aurait germé du blé, et de sa semence seraient nés des animaux. Comme la tauromachie, le mithraïsme, religion uniquement masculine, exigeait de ses fidèles une initiation.

Le 2 mai 1931, Hemingway, tout feu tout flamme, lève donc l'ancre pour l'Espagne, *via* La Havane et Vigo. Pauline et Patrick ne partiront de New York que quelques semaines plus tard, mais à destination de Cherbourg, avant de traverser la France pour s'arrêter à Hendaye, où Papa viendra passer de brèves vacances avec eux. Le petit Patrick ignore encore que son destin sera celui d'un éternel voyageur, attaché aux basques de son père et de sa femme qui essaie de suivre, en conciliant difficilement son rôle d'épouse et de mère.

L'enthousiasme d'Ernest retombe néanmoins quand il aborde l'Espagne, en proie à des changements profonds. Est-ce là le pays qu'il a laissé deux ans plus tôt ? La situation politique est confuse depuis le départ en exil du roi Alphonse XIII, à la suite de la victoire des républicains aux élections municipales. Déjà les vainqueurs se querellent, et Hemingway, qui juge la situation critique, écrit à Dos Passos le 26 juin 1931 que le pire est certainement à venir… « Chances d'une révolution marxiste zéro – mais il pourrait encore y avoir un régime de terreur » ![9]

Pour l'heure, Papa met la politique de côté et se livre à sa passion. Malheureusement, sur ce front aussi il est déçu :

« La plupart des corridas [sont] dégueulasses. »[10] Il a néanmoins fait la connaissance de Sidney Franklin, le premier grand torero américain. Hemingway va faire de ce garçon doué un des héros de son roman (Paco). Il voit en lui l'un des matadors les plus accomplis de sa génération, et affirme que les six plus célèbres toreros espagnols éprouvent pour lui le plus grand respect. Emporté par un excès d'enthousiasme à l'égard d'un concitoyen aussi doué, Hemingway force sans doute le trait.

En revanche, il durcit le ton envers tous ceux qui ne répondent pas à ses critères en matière de maîtrise, de bravoure et d'élégance, et n'hésite pas à les dénigrer. Il s'en prend ainsi à Joaquín Rodríguez Ortega, qu'il traite de « pou », car il arrive au matador de rater ses estocades et de laisser rentrer le taureau vivant au toril. Il met aussi en doute le courage d'Ignacio Sánchez Mejías, qui ne torée pourtant plus depuis 1927… Il ne supporte pas ce matador athlétique, mais lourd et médiocre à l'épée. Il déteste sa façon de prendre la pose et de se rengorger face à la foule, exactement « comme s'il tenait constamment à exhiber son torse poilu ou à mettre en relief ses parties intimes ». Papa a la dent dure !

Avec Franklin comme guide, il écume les arènes. À Madrid à la fin de mai, un jeune gitan prometteur est encorné à la colonne vertébrale. Il endure une lente et terrible agonie avant d'être emporté deux mois et demi plus tard par une méningite. La mort rôde en permanence sur le sable, dans une chaleur pesante.

En septembre, la famille Hemingway reprend le paquebot pour les États-Unis. Au cours de la traversée, ils font la connaissance de Jane Kendall Mason, la jeune épouse du directeur, pour Cuba, de Pan American Airways, propriétaire d'une superbe propriété à Jaimanitas, à l'ouest de La Havane. Ernest tombe immédiatement sous le charme de cette blonde élancée. C'est assurément la plus jolie femme qu'il ait jamais rencontrée.

Jane n'a que vingt-deux ans. Originaire de New York, diplômée de Briarcliffe College, elle a tenté sa chance à Washington, où elle a aussitôt trouvé le mari idéal, suffisamment aisé pour lui éviter de travailler, mais suffisamment occupé pour lui laisser son entière liberté. Jane sait qu'elle attire les hommes. Ce qui ne lui déplaît pas. Elle se sait aussi douée dans nombre de domaines : elle parle trois langues, pratique le tir au pigeon, chasse le gros gibier en Afrique, et pêche le très gros poisson dans les eaux du Gulf Stream.

Papa en frétille de bonheur, et tout le monde sympathise. Comment en irait-il autrement, avec tant de points communs ? Pauline sent passer une ombre légère, mais elle est enceinte, et la pensée du bébé qu'elle abrite en elle la débarrasse aussitôt de ses mauvais pressentiments.

Jane s'ennuie avec son mari. Cet homme sérieux et responsable ne lui accorde que peu de temps, et guère plus d'attention. Elle a décidé de s'essayer à la maternité, mais par la voie de l'adoption. Deux garçons arrivent dans le foyer. Pourtant, la jeune mère se lasse rapidement : elle n'a pas la fibre maternelle, et elle préfère confier ses fils à une nurse anglaise. Jane, qui boit comme un homme et veut être considérée comme un homme lorsqu'elle se mêle à eux, décide alors de se lancer dans la sculpture. Puis elle ouvre une boutique d'artisanat cubain. Mais rien n'y fait : elle tourne en rond. Son inconstance en tout finit par la convaincre qu'elle souffre d'un déséquilibre mental – ce qu'elle confie à Ernest.

Il n'hésite pas : il l'invite à Key West, où il va s'occuper de la distraire, l'emmenant à la pêche, aux petits soins, et lui répétant sans cesse qu'il n'y a pas moins folle qu'elle – tout en pensant qu'il vient peut-être de croiser celle qui sera sa Zelda. « Au moins, tant qu'elle sera là, il n'arrivera rien », se rassure Pauline...

Mrs Hemingway chasse un temps la menace en emmenant Ernest à Kansas City, où elle doit accoucher de leur deuxième enfant. Hemmy ne cache pas qu'il aimerait bien qu'il soit de sexe féminin car, dit-il, « jusqu'à présent, je n'ai jamais eu de fille, ni légitime ni illégitime, ce qui fait que je ne sais pas comment m'y prendre »[11]. Mais les médecins prédisent un garçon. Ils ont raison : c'est un bambin, Gregory Hancock, dit « Gigi », qui vient au monde, par césarienne, le 12 novembre 1931.

Hemingway, qui désirait tant une fille, sera exaucé dans des conditions peu ordinaires, bien après sa mort. En effet, Gregory va lentement prendre conscience de sa dysphorie sexuelle : il se sent femme. Il aura néanmoins huit enfants – Patrick, Edward, Sean, Brendan, Vanessa, Maria, John, et Lorian – en quatre mariages (dont le dernier se termine par un divorce en 1995), avant de subir les opérations douloureuses qui le métamorphosent en Gloria et le rendent à sa vraie nature. Deux ans plus tard, il se remariera avec sa dernière épouse dans l'État de Washington, qui reconnaît ce genre d'union.

À nouveau bébé, nouvelle maison ! La famille emménage, toujours à Key West, dans une demeure blanche construite dans le plus pur style colonial. Les ouvriers s'y activent toujours lorsque les Hemingway s'y installent, à la mi-décembre.

Sur sa machine à écrire, où il tape *Mort dans l'après-midi* avec l'espoir de l'avoir achevé pour la fin de l'année, Ernest accompagne ainsi au clavier le concert des artisans, qui scient, rabotent et tapent. Autour de lui, tout prend forme : la maison, le jardin, et, le 5 janvier, il écrit même à ses beaux-parents qu'il va à l'église tous les dimanches, qu'il est un époux attentif et un bon père de famille – « ou aussi bon que possible ». On n'est jamais trop prudent.

Prudent, Papa semble le devenir. Effet des blessures accumulées ? Ne serait-ce que depuis le début de la rédaction de ce roman : une fracture de l'index, de « graves contusions lors d'une chasse à l'ours – quatorze points de suture au visage – trou dans la jambe »[12]... et puis la fracture de son bras droit lors de l'accident, trois doigts cassés, seize points de suture au poignet gauche... Il doit en outre maintenant porter des lunettes, depuis son dernier séjour en Espagne.

Ses problèmes de vue lui interdisent d'écrire plus d'une demi-journée. Mais ils ne paraissent pas contrecarrer ses plans différés d'un safari de plusieurs semaines en Afrique, dès octobre 1932, durant lequel il souhaite chasser le buffle, le lion et l'éléphant, de préférence aux habituels zèbres et antilopes. Hemmy se régale à l'avance de cette escapade entre hommes et emportera un petit arsenal auquel, en plaisantant, il pourrait ajouter « une épée et des muletas pour les buffles », et « un cerf-volant auquel on s'accrocherait pour être à la hauteur des éléphants ». Il charge son ami Henry Strater de s'occuper des détails du voyage jusqu'à Nairobi et d'éviter l'avion. « Suppose qu'on s'écrase et qu'on rate ce safari ! »[13] Il ignore alors combien il a raison...

Dans l'intervalle, il coupe, modifie, corrige les épreuves de *Mort dans l'après-midi*, faisant parfois appel aux conseils de Dos Passos. Il passe de longues journées en mer, et se fond désormais complètement parmi les habitants de Key West.

Il se met aussi à développer une passion pour les chats, et en particulier pour les chats polydactyles, dont il ne peut plus se passer depuis que le capitaine d'un navire lui en a offert un qui possédait six doigts[14]. Hemingway raffolait de ces chats au point que le nom anglais pour les désigner aujourd'hui est *Hemingway cats*, ou simplement *Hemingway*. Il hébergea, nourrit, soigna et aima ainsi une centaine de chats à Key West, dont une cinquantaine de polydactyles. De nos jours encore, les chats, environ une soixantaine, appartiennent au patrimoine de l'île, aussi indissociables de la légende de Papa que les corbeaux le sont de la Tour de Londres.

Sans doute les chats lui ressemblent-ils, à commencer par leur furieux désir d'indépendance.

34

PÊCHES EN TOUT GENRE

(1932-1933)

> « Il partait à la pêche,
> mais ramenait souvent des sirènes... »
>
> Des Cubains à propos d'Hemingway

La vie à Key West offre à Hemingway une forme d'émotion tout aussi forte que celle de Montparnasse autrefois, des arènes espagnoles ou des montagnes suisses. Mais sur un autre mode.

Certes, il reste l'alcool, et les bars sont nombreux... Mais il respire goulûment l'air humide chargé de sel et laisse les alizés chasser de ses poumons les reliquats de l'atmosphère épaisse des villes de naguère. Il se comporte rapidement comme un vieux « loup de mer » et navigue dans le détroit de Floride et jusqu'à Cuba, en compagnie de nouveaux amis, patrons de bar ou pêcheurs, dont il se nourrira pour créer les personnages de prochains romans.

Après la corrida, il se consacre tout entier à la pêche au gros. Un spécialiste, Joe « Grunt » Russel, trafiquant d'alcool (*bootlegger*), un homme comme il les estime, l'a initié. Il se mesure aux gros animaux dans cette nouvelle forme de combat, sans pitié, dont l'issue, après la lutte épuisante, se traduit toujours par une mise à mort. Il jubile, sue, accepte ce corps-à-corps contre les poids lourds marins pourtant souples et nerveux.

« À la chasse, explique-t-il, vous savez toujours ce que vous cherchez, et le maximum que vous puissiez trouver, c'est un éléphant. Mais va savoir ce qui peut se prendre à votre hameçon quand vous le laissez dériver à une profondeur de cent cinquante brasses dans le Gulf Stream ? »[1] Il n'hésite pas à comparer la mer à une prostituée : on ne l'*aime* pas, mais on l'aime bien, et on ne peut s'empêcher d'y retourner, « bien qu'elle vous ait donné la chtouille et la vérole »…

Il circule donc entre Key West et Cuba, et à mesure qu'il gagne en expérience, il fait durer les escales à La Havane. Il y déniche un petit hôtel calme, Ambos Mundos, à l'extrémité de la rue Obispo. C'est là qu'il va abriter ses liaisons extraconjugales.

Papa vit au rythme local, sans se précipiter, et ne se mêle pas de politique, pas plus ici qu'aux États-Unis ou en Espagne. Il constate les situations, et c'est tout. Il affirme ne pas suivre les *modes*, que ce soit en religion, en littérature ou en politique. « En écriture, affirme-t-il, il n'y a ni gauche ni droite. Il y a seulement de la bonne et de la mauvaise écriture. » La politique aurait plutôt tendance à l'énerver, et dans la même lettre[2], il s'emporte : « Mitraillerais plutôt à gauche, à droite et au centre tous ces politiciens de merde qui ne travaillent pas pour gagner leur vie. »

Mort dans l'après-midi paraît le 23 septembre 1932. Il connaît un succès que son thème ne laissait pas forcément présager, la plupart des Américains ne voyant dans la tauromachie que barbarie et cruauté. Le *New York Herald Tribune* estime que ce livre contient l'essence même d'Hemingway.

En revanche, Edmund Wilson du *New Yorker*, qui a pourtant contribué à propulser Hemingway sur le devant de la scène littéraire, avec Faulkner et Dos Passos, qualifie le texte de « névrosé et hystérique », tandis qu'un autre journaliste reproche à l'auteur de ne croire qu'au « courage de l'action physique immédiate », et de ne rien savoir « du courage de l'esprit, de l'acte moral »[3]. On devra la charge la plus forte à Max Eastman, pourtant l'ami d'Ernest, qui publia un article titré « Taureaux dans l'après-midi » dans le *New Republic* du 7 juin 1933 : « Hemingway n'a aucun sens de la vie et de la mort, écrit-il. Seul l'intéresse l'art du meurtre réglementé. »[4] Reprenant à son compte la rumeur répandue par Robert McAlmon, Eastman pousse la hardiesse jusqu'à sous-entendre la probable homosexualité de Papa qui, par ailleurs, battrait sa femme. Hemingway saura s'en souvenir avec ses poings quelques années plus tard, dans le bureau même de son éditeur à New York, lorsque le hasard mettra malencontreusement Eastman en sa présence[5].

Hemmy ignore et meprise les courriers d'apaisement que le critique lui adresse vainement. Il veut en découdre avec cette « merde », et se promet de lui régler son compte si leurs routes se croisent.

Mauvais caractère, oui. Colérique, oui. Rancunier, assurément. Hemingway n'hésite pas à sortir les griffes, à l'instar de ses chats, tout en excellant dans l'art de faire patte de velours.

Depuis le retour d'Espagne, Papa met une ardeur suspecte à prendre la mer pour des parties de pêche, où Pauline ne l'accompagne pas toujours. À voir alors son empressement, qu'il maquille à peine, Mrs Hemingway sent qu'il y a anguille sous roche, et que le « poisson » attend sans doute déjà dans le filet en un certain hôtel cubain… Pour faire la traversée Key West-La Havane avec la régularité d'un ferry, Ernest emprunte le cabin-cruiser du patron du Sloppy's Joe. Il y montre une assiduité toute particulière au début de 1933.

Pauline n'est pas dupe du vagabondage sexuel de son mari. Elle le lui signifie dans un courrier teinté d'ironie amère : « J'ai un grand nez large, des lèvres imparfaites et des oreilles en feuille de chou, et des verrues et des grains de beauté que je ferai tous enlever avant de venir à Cuba. Je pense que ce serait mieux, Mrs Mason et les femmes cubaines sont si jolies... »[6]

Hemmy n'entre pas dans ce genre de considérations qui l'énervent. Il réagit en mâle et dissocie l'amour pour les mères de ses enfants de ses besoins physiques. Il part du principe que l'abus d'abstinence fatigue l'homme, freine sa puissance créatrice, surtout celle d'un écrivain, frustre la femme, la rend nerveuse, et parfois instable... Il n'existe pas trente-six mots dans son vocabulaire pour résumer son activité hors du cadre conjugal : il baise !

Outre une certaine constance dans le mariage – et le divorce –, Ernest choisira des femmes qui ne sont pas sans se ressembler : fortes personnalités, capables de le suivre – au moins un temps – dans la fête et les voyages... Et, pour les premières, quelques années de plus que lui. En outre, trois de ses femmes sont de Saint Louis ! Une certaine constance dans l'inconstance, donc, et sans doute fut-il plus « sérieux » qu'il voulait bien le laisser entendre. Mais quant à la fidélité, elle est chez lui affaire de travail.

S'il est sur ce sujet discret dans sa correspondance, il glissera tout de même à Marlene Dietrich, une experte en ce domaine : « Les chasseurs ne peuvent pas se payer le luxe de la sentimentalité. Les animaux s'accouplent sans émotions trop délicates. Pas de doucereux soupirs à l'acte sexuel ! Au diable les subtilités de salon ! Les hommes mangent les femmes. Les femmes mangent les hommes. »[7]

Peut-être convient-il d'interpréter son comportement à travers le témoignage que fait son héros, le peintre-romancier Thomas Hudson, dans *Îles à la dérive* : « J'ai été très heureux avec les femmes. Formidablement heureux. Insupportablement heureux. Tellement heureux que je ne pouvais y croire. C'était comme d'être ivre ou fou. » Ce fut sans doute la preuve aussi qu'Hemingway, tout au long de ses romans, s'efforça de se réinventer une vie plus conforme à ses aspirations de l'époque parisienne où le romancier perçait sous le journaliste.

Mais il parle au fond des femmes comme il le ferait d'automobiles. « Le premier grand don pour un homme est d'être en bonne santé. Et le second, plus grand peut-être, est de tomber sur des femmes en bonne santé. On peut toujours échanger une femme en bonne santé contre une autre. Mais commencez avec une femme malade, et vous verrez où cela vous mène. »[8] Assurément, il pense aux Fitzgerald, un couple à la dérive qui oscille entre les crises de delirium de Scott et les crises de démence de Zelda. Hemingway est à leur égard sans aucune indulgence : « Scott aurait dû bazarder Zelda quand elle déraillait au maximum mais qu'elle était encore vendable, il y a cinq ou six ans, avant qu'on ait diagnostiqué qu'elle était tout à fait cinglée. »[9].

Papa, lui, se sent en état de marche. Il affiche même une santé de fer, comme l'exigent ses parties de pêche et ses navettes incessantes entre Key West-Pauline et La Havane-Jane. Cette situation, confortable pour le mari, l'est évidemment beaucoup moins pour sa femme, mais elle n'altère pourtant pas les relations de celle-ci avec sa maîtresse. Jane en revanche n'est pas à l'aise ; elle s'efforce de se rendre utile auprès de son amie, prend de temps à autre les enfants avec elle…

L'entente cordiale dure en fait jusqu'à ce que Jane, Bumby, Patrick et Antony (un des fils adoptifs de Jane) ne soient victimes d'un accident sur la route de Jaimanitas, heureusement sans gravité, en 1933. Il n'y a pas de dommages à déplorer, sinon quelques contusions, mais Jane, profondément ébranlée, fait une dépression nerveuse et, quelques jours plus tard, chute d'un balcon de sa villa. La colonne vertébrale brisée, la jeune femme est évacuée sur New York, où elle est hospitalisée cinq mois. Elle devra ensuite porter un corset très contraignant pendant plus d'un an.

Confronté à ce rebondissement dans le feuilleton déjà mouvementé de sa vie, Hemingway préfère prendre le large et préparer ce safari remis à plusieurs reprises.

Pour éprouver de nouveaux frissons.

35

CHASSEUR DE FAUVES

(1933-1934)

« Je tue des animaux pour ne pas me tuer. »

Ernest Hemingway

Papa se prépare à la chasse au gros gibier. Les vacances de l'été 1932 au Ranquist Ranch, où il s'est réfugié avec Charles Thompson et quelques viriles relations locales, pour fuir la chaleur de La Havane et de Key West, lui ont permis d'enrichir d'élans, ours et coyotes son tableau de chasse. Il manque encore à son palmarès un mouflon, mais sa traque implique « les plus infernales escalades imaginables »[1] et des efforts surhumains, même pour un homme habitué à la vie rude.

Ce très long congé, de juillet à octobre, Pauline n'en a profité qu'une petite semaine. Elle a chassé et pêché, comme tout le petit monde masculin. Elle a ensuite regagné la Floride pour y superviser des travaux.

Ernest décrit encore sa femme en mari amoureux, avec les mots qu'il employait pour Hadley et qu'il utilisera pour ses prochaines épouses, Martha et Mary. Il est vrai que toutes se ressemblent plus ou moins, la suivante étant calquée ou presque sur la précédente. « Eh bien, écrit-il, Pauline est plus belle que jamais – silhouette ravissante depuis la naissance

201

de Greg –, n'a jamais été mieux et ne s'est jamais sentie mieux. »[2]

Tout à ses activités sportives, il ne néglige cependant pas l'écriture. *Mort dans l'après-midi* doit paraître en Angleterre le 15 novembre. « J'essaie toujours, dit-il, de communiquer au lecteur un sentiment plein et complet de la chose dont je parle ; de faire que la personne qui lit ait l'impression que ça lui est arrivé. »[3] Au début de l'année suivante, Hemingway applique donc sa recette à l'ébauche d'un nouveau roman, *En avoir ou pas*.

Penché sur son clavier, il ne perd pourtant pas de vue ses projets d'Espagne pour l'été, et de safari ensuite, tout en se faisant du souci pour Scott Fitzgerald, une fois de plus mal en point, et prenant cette fois très clairement pour cible Gertrude Stein, sa protectrice de naguère, la marraine de son fils, « une femme très bien avant de se mettre professionnellement patriotiquement stupidement à manquer totalement de jugement, et à perdre tout son bon sens de lesbienne du fait de cette bonne vieille ménopause. [...] Elle m'a beaucoup appris avant de ne plus tourner rond. »[4]

C'est dit.

En ce printemps 1933, il règle ses comptes avec ses anciens maîtres et amis. Ce qui ressemble fort à un reniement. Ford Madox Ford, Sherwood Anderson, Ring Lardner, son modèle quand il était enfant, tout le monde y passe. Seul D. H. Lawrence trouve grâce à ses yeux.

Puis il oublie sa colère à la pensée de ses trente-deux espadons pêchés en 1932, ou ses marlins « qui vous dépassent, remontant le courant comme des autos sur une route nationale »[5]. Il se calme en songeant à l'Ambos Mundos, son petit hôtel de La Havane, qui donne sur le port et où « l'on peut travailler pour deux dollars par jour »[6]. Il veut se détendre avec son safari. Mais les amis renâclent un peu à l'accompagner. Archibald MacLeish et Henry Strater déclinent poliment l'invitation, prétextant des engagements.

L'organisation du safari est elle-même une véritable aventure. Gus Pfeiffer, l'oncle de Pauline, un passionné de chasse, participe aux frais à hauteur de vingt-cinq mille dollars, dont Hemmy utilise une partie pour s'acheter un beau fusil à lunette.

Finalement, Ernest, Pauline, sa sœur Jinny, Bumby – seul avec son père, car sa mère se remarie à Londres – et Patrick vont se rendre en Espagne au début d'août, tandis que Gregory reste avec sa gouvernante. En octobre, Thompson rejoindra Ernest et Pauline pour le safari.

Mais en Espagne, rien ne se déroule comme prévu. Le pays baigne en pleine confusion, et chaque parti cherche à préserver sa part de pouvoir. « Quand ils n'auront plus de gâteau, il y aura une autre révolution. »[7] L'analyse est juste. Hélas !

La halte à Paris, avant le départ pour Nairobi à la fin de novembre, s'avère aussi décevante que le passage en Espagne. Car le climat de la capitale a changé depuis l'arrivée d'Hitler au pouvoir en Allemagne : des opposants commencent à affluer en France, et une nouvelle vague d'expatriés change la physionomie de Montparnasse. Hemingway ne reconnaît pas son monde.

De plus, à la lecture des journaux américains, il s'étonne qu'aucun ne mentionne sa dernière livraison, *Le vainqueur ne gagne rien*, alors qu'ils ne tarissent pas d'éloges sur un recueil d'histoires de la poétesse Dotty Parker, une femme à l'esprit vif, connue pour son humour caustique, qui sera aussi scénariste, notamment de la *Cinquième colonne* d'Alfred Hitchcock en 1942. Par lettre, Ernest secoue son vieil ami et néanmoins éditeur Maxwell Perkins pour qu'il se donne un peu de mal…

Si nombre de ses contacts d'autrefois ne sont plus là, il trouve néanmoins réconfort auprès de la toujours active Sylvia Beach, et de James et Nora Joyce, qui le reçoivent à dîner avec Pauline.

Le voyage par la mer lui laisse l'occasion d'écrire, notamment à son fils Patrick, qui a cinq ans et qu'il surnomme *Mexican Mouse* ou la « Souris mexicaine ». Il lui décrit le désert qu'ils traversent par le canal de Suez, les oiseaux, et ce chameau qui a trotté sur une rive du canal plus vite que n'avançait le navire... Au petit garçon, très affectueusement, il recommande d'« y aller mollo avec la bière et de laisser tomber l'alcool »[8] jusqu'à son retour. Il lui conseille enfin de se moucher, et de faire trois tours sur lui-même avant d'aller se coucher.

Les premiers jours du safari se déroulent idéalement dans la ferme de Philip Percival près de Machakos, au sud de Nairobi. Les Hemingway y passent plusieurs semaines à chasser dans les plaines de Kapiti, et sympathisent durablement avec Percival. Ce vétéran britannique lui rappelle sans doute un peu Chink Dorman-Smith.

L'expédition est composée de deux véhicules, d'un mécanicien, de porteurs et de rabatteurs recrutés au sein d'une tribu kikuyu. Elle s'enfonce à plus de trois cent vingt kilomètres à l'intérieur du Tanganyika (aujourd'hui la Tanzanie), et établit son campement à Arusha, au bord de la vaste plaine du Serengeti. Juste à temps pour passer les fêtes de Noël en pleine nature sauvage et assister à la migration de millions d'animaux surveillés par les prédateurs – hyènes, vautours et lions, qu'Hemingway rêve de ramener en trophées. Et contre toute attente, le premier lion ne lui est pas crédité par les rabatteurs, qui l'attribuent à Pauline. Elle a pourtant manqué la cible...

C'est alors qu'Ernest contracte une dysenterie amibienne. Il doit être évacué par avion sur Nairobi. Alité au New Stanley Hotel, il s'y fait de nouvelles connaissances, et retrouve Bror Blixen, dit « Blix », l'ex-mari de Karen Blixen, l'auteur d'*Out of Africa*. Pour Hemmy, il est surtout l'un des chasseurs blancs les plus renommés de l'époque, et le guide attitré du prince de Galles et d'Alfred Vanderbilt, entre autres.

Guéri et à peu près vaillant, Hemingway rejoint sa petite troupe dans le nouveau camp établi sur une crête du vaste cratère de Ngorongoro. Le but est de trouver – et de tuer – des antilopes, mais aussi des rhinocéros. À cet exercice, il déchante, car Charles Thompson fait les meilleurs tirs et récolte des cornes plus longues et plus belles que ses propres trophées.

En dépit de ses résultats modestes, le safari lui laisse un excellent souvenir, et il se promet de revenir un jour. Ce qu'il déclare d'ailleurs aux journalistes qui les accueillent à New York, Pauline et lui, à la fin de mars 1934, lorsqu'ils débarquent du paquebot.

Au cours de la traversée du retour, il s'est lié d'amitié avec Marlene Dietrich, qu'il a aussitôt surnommée affectueusement « *the Kraut* », ce qui, en allemand, veut dire « le chou », mais peut tout aussi bien se traduire, en argot, par « la Boche »… il aurait pu trouver un surnom plus flatteur, mais il a toujours été trivial.

Les circonstances de leur rencontre ne sont d'ailleurs pas banales : Hemingway voyage en classe cabine. Pour qu'il puisse dîner en fraude au restaurant des premières, un ami lui prête un smoking. C'est alors qu'il découvre l'Ange bleu. Au moment de prendre place à table, l'actrice s'aperçoit – avec horreur – que les convives sont déjà au nombre de douze, ce qui fait treize avec elle. Très superstitieuse, elle se relève et s'apprête à prendre congé. Hors de question de tenter le diable sur un bateau au beau milieu de l'Océan ! Mais le galant Ernest bondit, et se propose de faire le quatorzième hôte.

C'est ainsi, par le plus grand des hasards et grâce à la vivacité d'Ernest, que commence une longue et belle amitié, *a priori* sans aucune ambiguïté : « Nous étions comme deux jeunes officiers de cavalerie qui, ayant perdu toute leur solde au jeu, auraient décidé de s'amender », dira-t-il à Hotchner[9].

À peine de retour d'Afrique, la priorité d'Hemingway, comme il l'annonce aux reporters, consiste à se remettre au travail à Key West, et à pouvoir ainsi financer son prochain safari.

En fait, il tient surtout à acheter un cabin-cruiser de trente-huit pieds, dont il passe commande à un chantier de New York. Le bateau est livré un mois plus tard et reçoit *Pilar* pour nom de baptême, en souvenir de la basilique de Nuestra Señora del Pilar, à Saragosse, mais aussi en hommage à Pauline, qui avait pris ce pseudonyme pendant les cent jours de séparation imposés par Hadley. Pilar sera encore le nom de l'héroïne de *Pour qui sonne le glas*.

À New York, Hemingway retrouve Fitzgerald, si ivre qu'il tient des propos incohérents. Lorsque Scott lui demande de critiquer franchement *Tendre est la nuit*, Ernest lui reproche d'avoir trop triché avec la réalité. « Si tu prends des gens réels et que tu écris sur eux, tu ne peux pas leur donner d'autres parents que les leurs (ils sont faits par leurs parents et par ce qui leur arrive), tu ne peux pas leur faire faire quelque chose qu'ils ne feraient pas. [...] L'invention est la plus belle des choses, mais tu ne peux rien inventer qui ne puisse arriver vraiment. »[10]

Il estime que Scott est capable de faire mieux – à condition d'écrire sincèrement à partir de ce qu'il y a en lui, et de ne pas se préoccuper de ce que l'on en pensera. Il reviendra sur son jugement, mais un peu tard, alors que leurs relations se seront distendues. Scott en sera néanmoins affecté. Finalement, le professeur Hemingway annonce à l'élève Fitzgerald qu'il l'aime bien, ce qui est vrai. Il lui exprime aussi le souhait de continuer à disserter sur ce sujet, mais à la seule condition qu'il soit sobre. Il charge une fois de plus Zelda, *cinglée*, jalouse, destructrice.

Tout Hemingway est là, brutal mais franc.

Il consacre l'essentiel de l'année 1934 à rédiger *The Green Hills of Africa* (*Vertes collines d'Afrique*), qu'il achève à Key

West en novembre. Le livre paraît en octobre 1935, après une première publication sous forme de feuilleton. C'est un hymne à l'Afrique orientale, comme *Mort dans l'après-midi* pouvait l'être pour l'Espagne. L'ouvrage souffre cependant de longueurs et aurait peut-être nécessité l'intervention d'un Dos Passos mais, cette fois, Hemmy ne lui a rien demandé. Il a eu tort.

La presse lui réservera d'ailleurs un accueil tiède lors de sa parution un an plus tard, et certains critiques seront sévères, à l'instar d'Edmond Wilson qui déclarera qu'il s'agit bien du seul livre qu'il lui a été donné de lire où l'Afrique et les animaux sont ennuyeux, et en tout cas du plus mauvais livre d'Hemingway. Wilson ne doute pourtant pas du talent de l'auteur.

Ernest n'a pas attendu ce message pour s'atteler à un nouveau texte. D'autant plus volontiers que sa liaison avec Jane tourne définitivement court quand la belle tombe dans les bras de Richard Cooper, un sportif chasseur d'éléphant propriétaire d'une plantation de café en Afrique. Papa trompe sa morosité en se lançant dans la rédaction de *The Short Happy Life of Francis Macomber* (*La Brève et Heureuse Vie de Francis Macomber*), et commence à rassembler les notes en vue de *La Fin heureuse*, qui deviendra *Les Neiges du Kilimandjaro*.

Décidément volage, Jane choisit ce moment pour entamer une liaison avec Arnold Gingrich, ce qui met Hemmy dans une colère noire contre le rédacteur en chef d'*Esquire*. Mais ils n'en viennent pas aux mains comme Ernest venait de le faire avec John Fairchild Knapp, un éditeur de magazines.

L'affaire racontée par Ernest[11] s'est déroulée un soir sur le quai de Bimini, devant une soixantaine de personnes. L'homme s'était approché de lui et avait visiblement envie d'en découdre avec ce *bluffeur* d'Hemingway. Mais celui-ci lui avait infligé une raclée. Sonné, relevé par son « équipe » qui n'était pas intervenue pendant l'échange, Knapp était immédiatement reparti pour Miami afin de faire panser ses plaies. Il fut néanmoins beau joueur : il dira avoir reçu la leçon qu'il méritait. Moins fair-play, Papa, lui, se vantera de ce que « ce fils de pute » ne l'a « pas touché une seule fois ».

La légende de l'écrivain boxeur est en marche.

36

HAINE ET BAGARRE

(1935-1936)

> « C'est curieux.
> Il s'est mis à détester Gertrude,
> mais il l'aimait bien.
> C'est tout le paradoxe d'Ernest. »
>
> Jean Prévost

Le courage et la virilité continuent d'obséder Hemingway, qui les met à l'épreuve dans *The Short Happy Life of Francis Macomber*[1] : cette nouvelle met en scène un riche chasseur, qui prend peur quand un lion blessé le charge. Sa femme en conçoit du mépris pour lui, et le trompe avec leur guide. Macomber pourrait se racheter alors qu'un buffle le charge et que, loin de fuir, il l'affronte, mais il est tué par sa femme, qui tire malencontreusement depuis une voiture, croyant atteindre l'animal...

Au guide revient le beau rôle viril. Cet être indépendant ne s'en laisse pas compter par une femme, et perçoit sa cliente comme une perverse cherchant le mâle dominateur. Pas une épouse fragile, mais une prédatrice qui convoite la fortune de son mari et prend plaisir à assurer son pouvoir sur lui. Le trio est en place : une victime, la perfide épouse et le héros mâle, conscient des tensions dans le couple.

Avec Hemingway, rien n'est cependant bien tranché, comme dans la vie réelle, et les relations entre les personnages sont plus complexes, bassement humaines.

Avec une approche psychologique quasi similaire, *Les Neiges du Kilimandjaro* introduit le lecteur dans le monde d'un écrivain, Harry Walden, en qui l'on identifie une fois de plus sans mal Ernest Hemingway. L'homme est sur le point de mourir, rongé par une gangrène au pied de la plus haute montagne d'Afrique. Tandis que sa femme guette l'arrivée de l'avion qui doit l'évacuer, Walden, en proie à la fièvre, revit les épisodes de leur mariage houleux...

Si la critique avouait s'endormir à la lecture de *The Green Hills of Africa*, elle se réveille pour applaudir ce nouveau roman vraiment *hemingwayen*, où l'auteur brosse le portrait incisif d'un couple qui se déchire. Ce safari offrait à Walden l'occasion de renouer avec l'homme jeune et ambitieux qu'il était à Paris avant que le mariage, le luxe, la fréquentation des gens riches et le confort ne viennent tarir son inspiration pour faire de lui un être mou et paresseux. Le mariage est ici une illusion qui ne trompe personne, Walden, agonisant, traitant sa femme de « putain riche ».

Ceux qui connaissent Hemmy et son histoire mouvementée comprennent qu'il lave son linge sale en public. Son couple bat de l'aile, et Pauline suit de plus en plus difficilement son mari. S'il aime ses enfants, il ne s'en occupe guère, laissant ce soin à leur mère ou à leur gouvernante.

Il ne s'embarrasse pas davantage pour salir et renier de nouveau ceux-là mêmes qui l'ont toujours soutenu. À Maxwell Perkins qui, avec tact, lui fait remarquer que ses injures à l'encontre de Gertrude Stein ne passent pas dans le texte de *The Green Hills of Africa*, il rétorque qu'il ne mentionne pas son nom, et ajoute, non sans virulence : « Qu'est-ce qui prouve qu'il s'agit de Gertrude ? Que voudriez-vous que je mette à la place de chipie ? Grosse chipie ? Infecte chipie ? Vieille chipie ? Chipie lesbienne ? Quelle est l'épithète qui l'améliorerait ? Je ne sais pas par quel mot remplacer *salope*. Certainement pas putain. Si jamais quelqu'un a été une salope, cette femme en était une. [...] Préféreriez-vous *grosse femelle* ? »[2] Perkins, toujours diplomate, souligne que la rage d'Hemingway pourrait indisposer ses lecteurs. Mais la réponse fuse comme un direct au menton : « Je me fous d'être populaire ou pas. Vous savez que je n'ai jamais cherché à l'être quand je l'ai été. »

Et pourtant, Hemmy ne déteste pas poser pour les photographes ; il scrute la presse en quête d'appréciations sur ses productions – donc sur lui. Officiellement, il se moque de la postérité. Il confie à son traducteur russe que l'immortalité en laquelle il croit est celle « de ce que l'on écrit »[3].

On sait qu'Hemingway cogne fort, mais celui qui se prétend gentleman sur un ring l'est un peu moins quand, sur le terrain littéraire, il frappe ses amis sous la ceinture.

Ainsi, dans *Les Neiges du Kilimandjaro*, le héros évoque abondamment ses souvenirs de Paris, et notamment ses amis qui se sont laissés abuser par le chant des sirènes, en succombant à la facilité, se laissant acheter par les riches, mettant en danger leur élan créatif et tuant dans l'œuf les promesses que l'on pouvait en espérer. Sans le moindre scrupule et avec sa condescendance habituelle, Ernest prend Scott Fitzgerald comme exemple de ces carrières finalement bradées. Lorsque Scott découvre cette trahison, après la parution de l'histoire dans *Esquire*, il se trouve en Caroline du Nord où Zelda suit un nouveau traitement. Il adresse une lettre de protestation dont le ton demeure posé, malgré l'affront, et dans laquelle il demande simplement la suppression de la mention de son nom. Dans un post-scriptum, il précise : « Les richesses ne m'ont jamais fasciné, à moins qu'elles ne s'associent à un très grand charme ou à beaucoup de distinction. »[4]

Pendant cet hiver 1935-1936, Papa déprime. Les maigres ventes de *The Green Hills of Africa*, son mariage à la dérive, le naufrage de Scott Fitzgerald dans l'alcoolisme, tout est fait pour entretenir les idées noires. Avec la mort en embuscade. La mort qui le fascine.

Il la scrute dans l'océan, au cours des parties de pêche au thon au large de Bimini. Elle prend la forme des requins qui infestent les eaux et qui se précipitent à la curée. Kate Dos Passos assiste à l'un de ces terrifiants combats tandis qu'Ernest vient de mener un rude bras de fer avec un requin, lors duquel il se blesse avec son pistolet. Une autre fois, il sort de l'eau un thon quand les requins jaillissent, lui volent sa proie et la déchiquètent sous son regard impuissant.

De tels duels « à qui perd gagne » ne sont pas rares, et Ernie apprend de la bouche d'un pêcheur cubain dont il a fait le skipper de *Pilar* l'aventure incroyable vécue par un vieux pêcheur dans le Gulf Stream. L'homme avait harponné un marlin géant, et pendant deux jours et deux nuits, celui-ci avait tiré son embarcation à travers l'Océan. Le combat avait été acharné, et le vieil homme, tenace, aguerri, l'avait emporté. Mais au moment où il parvenait à hisser son énorme prise sur le pont du bateau, des requins avaient bondi pour dévorer le marlin. Trop épuisé pour chasser les prédateurs, l'homme n'avait dû sa survie qu'à la présence d'autres pêcheurs non loin. Hemingway racontera cette histoire et, à la fin de sa vie, il en fera un roman qui deviendra son plus grand succès, *Le Vieil Homme et la mer*.

La bagarre, Ernest l'aime. Il la recherche.

Ainsi, en février 1936, sa sœur Ursula (Ura) rentre en pleurs d'un cocktail organisé par un certain Wallace Stevens. Elle raconte que celui-ci a traité Ernest d'andouille et a affirmé qu'il n'était pas un homme. Une insulte à ne pas proférer devant l'auteur d'*En avoir ou pas* ! Il s'élance dans le crépuscule pluvieux et croise justement ledit Stevens, qui prétend regretter ne pas avoir eu Hemingway sous la main pour lui donner une bonne correction. S'ensuit un match improvisé, où Papa prend le dessus. Mais voilà qu'un juge présent estime le combat déloyal, car Hemmy porte des lunettes. Or sans ses lunettes, Hemingway voit mal. Il reçoit en plein menton le coup qui aurait dû être fatal. Mais celui-ci ne lui cause pas le moindre mal à la mâchoire, tandis que son adversaire se brise la main en deux endroits. Hemmy prétend que sa femme, qui déteste les bagarres, était cette fois ravie[5].

Entre son couple qui s'effiloche et ses amitiés qu'il met à mal, Hemingway réduirait son champ de bonheur, s'il ne rencontrait alors sa future femme. La troisième.

37

L'ESPAGNE DÉCHIRÉE

(décembre 1936-février 1937)

> « Incorrigible Hemingway.
> Il confond son livret de famille
> avec un tableau de chasse... »
>
> Léon-Paul Fargue

À vingt-huit ans, Martha Ellis Gellhorn, tout juste divorcée de Bertrand de Jouvenel, rassemble l'ensemble des qualités requises pour pénétrer dans l'univers d'Hemingway. Si la séduisante blonde attire l'œil du maître, c'est que cette journaliste talentueuse – qui se partage entre le *New Republic*, le *St. Louis Post-Dispatch* et l'édition française de *Vogue* – pique sa curiosité.

Elle a presque dix ans de moins qu'Ernest. Et elle a aussi publié son premier roman en 1934, l'année de son divorce. On la considérera comme l'une des plus grandes correspondantes de guerre du XXᵉ siècle, avec une carrière couvrant près de soixante ans d'histoire (elle sera notamment l'un des premiers journalistes à entrer dans Dachau) [1]. C'est la fille d'un éminent gynécologue et d'une suffragette. Elle réunit donc tout ce qu'Ernest aime : le journalisme, le voyage, l'écriture.

C'est en décembre 1936 qu'ils font connaissance, au Sloppy Joe's, le bar où Papa a ses habitudes, et où ils amorcent

215

une conversation qui se prolonge si tard dans la soirée qu'Hemingway manque un grand dîner organisé par Pauline… Martha est en vacances à Key West en famille. Sans relever du coup de foudre, ce premier contact est le socle d'une entente immédiate. Et lorsque sa mère et son frère reprennent le chemin de Saint Louis, Martha choisit de rester, et s'installe bientôt à demeure chez les Hemingway.

Elle tente de ménager Pauline, qui ressent durement la situation. Ce dont Hemingway semble se moquer. Les attributions officielles de Martha englobent rapidement la relecture et la critique du livre en cours : *En avoir ou pas*. Mais officieusement…

L'Espagne est en proie à la guerre civile depuis juillet 1936. À l'époque de cette nouvelle rencontre amoureuse, cinq mois plus tard, Ernest estime qu'il doit s'y rendre. Les Espagnols « vont se battre pendant longtemps, écrit-il à Perkins. […] J'ai déjà payé les frais de deux gars qui vont se battre là-bas (transport et argent liquide jusqu'à la frontière espagnole). Si j'avais pu en envoyer sept de plus, [je] pourrais probablement être nommé caporal. Mais je ne vais pas aller là-bas comme chef de la Légion Hemingstein. Franco est un bon général mais une ordure de première grandeur. »[2]

Il s'en ouvre à Martha, qui répond maintenant au surnom de « Marty ». Leur attirance mutuelle pour l'Espagne cimente leur relation. La guerre qu'Hemingway prédisait depuis longtemps ne le surprend pas. « La guerre d'Espagne est une mauvaise guerre. »[3]

Dès les premiers jours, la « mauvaise guerre » libère les pires violences dans l'ensemble de la zone républicaine. On assiste à des scènes de massacres insoutenables, perpétrées ici et là par des groupes venus de l'extérieur, notamment dans la Vieille-Castille, à Tolède ou à Ciudad Real, et encore en Andalousie, surtout à Ronda, où les victimes sont précipitées du haut d'une falaise par une bande vraisemblablement venue de Málaga. Cet acte d'une rare sauvagerie impressionne Hemingway, qui va s'en inspirer dans *Pour qui sonne le glas*. Les exactions se multiplient, les exécutions sommaires aussi, souvent pour des motifs futiles. Dans les villes républicaines sévissent des groupements différents – dépendant d'un parti, d'un ministère ou simplement d'un homme – qui s'arrogent le droit de vie et de mort.

S'organisent ainsi des comités d'enquête, conçus sur le modèle russe et baptisés *tchekas*, qui font régner la terreur. Il leur arrive de se consulter, pas toujours, et les décisions de l'une peuvent contredire les décisions de l'autre, d'une rue à l'autre, d'une maison à l'immeuble mitoyen. Au mieux, la victime, même innocente, mais qui a toujours quelque chose à se reprocher, s'en sort avec un interrogatoire et des insultes. Au pire, elle part « faire une promenade » (*dar un paseo*), dans le plus pur style de la mafia américaine.

La North American Newspaper Alliance (NANA) sollicite Martha pour couvrir le conflit. Le jour où elle quitte Key West pour Saint Louis, Hemingway annonce qu'il doit impérativement gagner New York dès le lendemain. Il retrouve en fait Martha à Miami, et voyage avec elle jusqu'à Jacksonville, où chacun poursuit sa route[4]. À New York, Hemmy offre ses services à la NANA, qui ne se fait pas prier pour envoyer un écrivain illustre comme correspondant sur le théâtre des opérations. Le contrat stipule que l'argent – cinq cents dollars par câble, et mille par article – devra être envoyé à Pauline[5].

Le 9 février 1937, il prévient la famille de sa femme de son prochain départ pour l'Espagne, mais avec l'espoir de rentrer en mai, car pour écrire des textes non-censurés, il faut sortir du pays. « Il se peut, leur dit-il encore, que les Rouges soient aussi mauvais qu'on le dit, mais ils sont le peuple espagnol contre les propriétaires terriens absentéistes, les Maures, les Italiens et les Allemands. Je sais que les Blancs sont dégueulasses, car je les connais très bien, et j'aimerais jeter un coup d'œil sur les autres pour voir comment ça s'équilibre d'un point de vue humanitaire. C'est là la répétition générale de l'inévitable guerre européenne, et j'aimerais écrire de la correspondance de guerre antiguerre qui contribuerait à nous tenir en dehors d'elle quand elle éclatera... »

Hemingway met le doigt sur une réalité qui échappe à nombre de dirigeants politiques, surtout français et britanniques. Ceux-ci vont se révéler incapables d'interpréter les signes annonciateurs de la crise, et en tout cas de réagir. Les avertissements abondaient, pourtant, dans une Espagne profondément divisée socialement, politiquement, culturellement, et très comparable à une Cocotte-Minute sur le point d'exploser.

Il faut savoir dans quelle situation complexe nombre d'écrivains vont se jeter, venus du monde entier participer en Espagne à une guerre civile.

Le déséquilibre n'avait cessé de s'accentuer, malgré la proclamation de la République le 14 avril 1931. Deux blocs s'opposaient désormais, sans concession, rivalisant de férocité. D'un côté, une gauche de plus en plus virulente et offensive, mais hétéroclite, composée d'une classe ouvrière organisée, parfois violente, d'une partie de la population anticléricale, ainsi que des nationalistes catalans et basques. De l'autre, une droite réactionnaire et centraliste, prête à semer la mort, une bourgeoisie accrochée à ses privilèges et bien décidée à les défendre, sans oublier l'Église. Rares à s'élever, les appels à la modération et à la concertation ne sont pas entendus. Deux Espagne, donc, avec en arrière-plan, les fantômes de la révolution soviétique et de l'avènement au pouvoir d'Hitler, et l'idée que l'Espagne puisse basculer dans l'une de ces tentations.

Des officiers commencent à fomenter des complots. La tourmente se précise quand, quelques jours après la victoire du Front populaire, en février, des généraux se liguent contre le suffrage universel. La gauche ne voit pas immédiatement le danger. Ses leaders négligent la fragilité de l'entente au sein du *Frente popular*.

La coalition, du centre à l'extrême gauche, apparaît par trop disparate et pas suffisamment préparée à en découdre, malgré les appels à la mobilisation du syndicaliste socialiste Francisco Largo Caballero, naguère très modéré. Non content d'avoir refusé de reconnaître la victoire électorale de la droite en 1933, il a participé au soulèvement des nationalistes catalans l'année suivante. L'affaire a tourné à la tragédie dans les Asturies, avec le massacre de plusieurs centaines d'ouvriers insurgés par les troupes commandées par Francisco Franco. Ce revers dramatique n'a pas calmé Largo, qui réclame maintenant une société d'où la bourgeoisie serait « éliminée »…

La pression monte. Provocations, assassinats et bagarres se multiplient. Les partis de droite et de gauche veulent lancer leurs milices armées dans un affrontement général. L'intellectuel socialiste Julián Besteiro tente d'empêcher ses camarades de basculer dans la folie meurtrière car, les avertit-il, l'armée ne les laissera pas agir… Mais on ne l'entend pas. On ne l'écoute plus.

Les 17, 18 et 19 juillet 1936, les généraux Francisco Franco, Juan Yague, Gonzalo Queipo de Llano, Emilio Mola, déclenchent les hostilités. Au Maroc, à Séville, à Cadix, à La Corogne, à Pampelune, à Saragosse et à Oviedo, l'armée et la droite prennent le pouvoir et exercent une répression féroce, mais échouent à Madrid, à Barcelone, à Bilbao, à Valence, à Málaga, à Grenade…

À la fin de septembre, neuf généraux membres de la conjuration demandent à Mola, qui accepte, de céder son poste de commandant de l'armée nationaliste au général Franco. Proclamé *Generalissimo* en octobre, il reçoit l'onction d'Hitler et de Mussolini.

Les États-Unis de Roosevelt se gardent bien d'intervenir, fidèles à une longue tradition non-interventionniste.

De son côté, le Front populaire français se montre aussi frileux que les gouvernements suivants le seront face aux provocations d'Hitler, justement encouragé par l'immobilisme français et anglais pendant la guerre-test d'Espagne.

Léon Blum se déclare convaincu qu'une aide militaire de la France ne ferait qu'aggraver la situation et accentuer la menace d'un conflit européen. Certains journalistes français – dont François Mauriac dans *Le Figaro* – préconisent d'ailleurs la non-intervention au moins dans un premier temps.

Mauriac s'oppose en fait à toute violence, et rejoindra Jacques Maritain dans la condamnation des atrocités de Franco, comme de celles de l'extrémisme républicain. Mais bientôt, le 18 août, à la suite du massacre de républicains, il condamnera la non-intervention qui, « au degré de guerre où le drame a atteint, ressemble à une complicité »[6]. L'agression de Mussolini contre l'Éthiopie, puis le bombardement de Guernica contribueront à en faire définitivement un antifasciste.

Comme il est difficile d'être clairvoyant sans le recul historique !

À gauche, des intellectuels lancent un appel à l'opinion française et tentent de secouer la « conscience universelle ». Cette « Déclaration des intellectuels républicains au sujet des événements en Espagne » est signée par de nombreux universitaires et écrivains avec, en tête, Romain Rolland, André Gide, Tristan Tzara ou Aragon[7]…

À l'époque, les écrivains se rendent pratiquement à leur guise sur le front, dans les deux camps, chacun selon ses affinités. D'ailleurs, dans *Bagatelles pour un massacre*, Céline ironise sur cette guerre où les écrivains entrent « comme dans un moulin ». Il s'en prend plus particulièrement aux « visiteurs » français de gauche, venus appuyer les républicains, et les qualifie de « petits jouisseurs, petits sadiques d'événements », persuadé qu'ils ne tiendront pas une seconde devant les armées de Franco ou d'Hitler.

La droite française adresse un Manifeste aux intellectuels espagnols, un texte qui porte entre autres la signature de Paul Claudel, Ramon Fernandez, Pierre Drieu la Rochelle, Abel Bonnard, Henry Béraud, Léon Daudet[8].

Mais pendant que la France s'interroge, en Espagne, le camp républicain essaie vaille que vaille d'adopter une cohésion. L'organisation de l'effort de guerre et du ravitaillement passe progressivement aux mains des communistes, surtout de « conseillers » spécialement missionnés par l'Union soviétique. Et du monde entier affluent ceux qui veulent prendre part à cette singulière guerre civile. Car jamais guerre « intérieure » à une nation n'aura été aussi internationale.

Il y a Ehrenbourg, officiellement correspondant des *Izvestia*, qui déplace sa base de Montparnasse à Madrid et s'intègre dans une communauté internationale très diversifiée – antifascistes italiens, à l'image de Palmiro Togliatti, secrétaire général du Parti communiste italien en exil et du Komintern ; Laszlo Rajk, membre du Parti communiste hongrois ; Alexeï Tolstoï, cousin de l'écrivain, antibolchévique avant de devenir apologiste de Staline ; Egon Erwin, écrivain et journaliste tchèque ; Anna Seghers, l'une des fondatrices de l'Union de défense des écrivains allemands à Paris ; Jean-Richard Bloch, écrivain antifasciste ; mais aussi Antoine de Saint-Exupéry, John Dos Passos, George Orwell, etc. Et bientôt Ernest Hemingway.

Le 27 février 1937, après avoir persuadé Pauline qu'il ne lui servirait à rien de l'accompagner, Ernest s'est en effet embarqué pour l'Europe avec Sidney Franklin – le matador américain.

Il entre bientôt dans la danse macabre. Il découvre, sans émotion particulière, comme à son habitude, qu'à la terreur blanche répond la terreur rouge.

Qui osera s'écrier : « *No mas muertes !* » (« Assez de morts ! ») ?

38

RETOUR VERS L'ENFER

(mars 1937)

« La tragédie de la mort
est en ceci qu'elle transforme la vie en destin. »

André Malraux

Lorsque Hemingway arrive sur le front de Guadalajara, le 16 mars 1937, les combats font rage depuis plus d'une semaine. Le 8 mars, le corps expéditionnaire italien appuyé par des unités nationalistes a lancé une offensive. D'emblée, les Flammes noires enregistrent un succès. Les éléments viennent fort opportunément au secours des républicains : vers le milieu de la matinée, la température baisse, une pluie froide se déverse sur le champ de bataille, le verglas glace le sol et le brouillard recouvre le champ de bataille de larges nappes. Les Italiens, en tenue coloniale, sont gelés. Les avions ne peuvent décoller et, pour l'instant, l'avantage demeure à l'aviation républicaine.

Pourtant, le 10 mars, sans rencontrer beaucoup de résistance, les Flammes noires du colonel Francisci s'emparent de Brihuega. Les Italiens pilonnent les positions occupées par les Brigades internationales, mais ne progressent plus. On assiste même à une guerre civile italienne au sein de la guerre civile espagnole, quand le bataillon Garibaldi se heurte aux chars italiens du général Coppi.

Le 13, sur la foi de documents saisis et de déclarations de prisonniers, le gouvernement de la République dénonce à la Société des Nations « la présence d'unités régulières de l'armée italienne en Espagne », ce qui contrevient gravement à l'article 10 du règlement de la Société des Nations.

Les 15, 16 et 17 mars, les républicains soufflent. C'est alors qu'Hemingway arrive, juste à temps pour voir démarrer l'offensive menée par le général Pavlov, qui profite d'un flottement chez les Italiens.

Après une première attaque de bombardement effectuée sur Brihuega par une centaine d'avions, puis un pilonnage nourri de leur artillerie, les républicains, plus les soixante-dix chars de Pavlov, manœuvrent pour prendre la ville en tenaille, par l'est et par l'ouest, avant de l'encercler. Au même moment, les Italiens reçoivent l'ordre de se retirer et ne se le font pas répéter : leur retrait a tout de la fuite.

L'ensemble des opérations réunies sous le nom de « bataille de Guadalajara », mais aussi les batailles du Jarama et de la route de La Corogne, auront permis de tenir en échec la tentative nationaliste d'encerclement de Madrid. Mais Guadalajara va aussi être exploitée par la propagande gouvernementale, en ce qu'elle démontre sans ambiguïté que des troupes italiennes régulières interviennent auprès des nationalistes.

À la suite de cette campagne, Hemingway s'investit dans la guerre du côté des républicains, et ne s'embarrasse pas de l'éthique qui commande au reporter de demeurer neutre. Il va apprendre le maniement d'un fusil aux jeunes recrues espagnoles. Il rend aussi visite aux bataillons de volontaires américains[1], dont le premier groupe, d'une centaine de membres, s'est embarqué à New York à la fin de 1936. Il n'oublie pas d'aller saluer les blessés regroupés dans un hôpital subventionné par des sympathisants américains. Au cours d'une de ses visites, il s'entretient de littérature avec un blessé, comme en écho de l'épisode italien de sa propre histoire. Le blessé, qui rêve de devenir écrivain, demande à Hemingway s'il est vrai que Dos Passos et Sinclair Lewis doivent également venir. « Oui, répondit Hemingway, et quand ils seront là, je les amènerai vous voir.

– C'est chic, Ernest, dit l'autre. Cela ne vous ennuie pas que je vous appelle Ernest ?

– Fichtre non ! »[2]

Une bouffée de nostalgie l'a ramené à Agnès...

39

MALRAUX

(avril-juillet 1937)

> « Les idées ne sont pas faites
> pour être pensées, mais vécues. »
>
> André Malraux

C'est à New York en avril 1937, à l'occasion d'une vaste tournée effectuée aux États-Unis pour rassembler des fonds en faveur de l'Espagne républicaine, qu'Hemingway rencontre Malraux pour la première fois, chez son éditeur, Random House. Voilà longtemps qu'il voulait faire sa connaissance, car il considère *La Condition humaine* comme le meilleur livre qu'il ait lu en dix ans. Le 19 août 1935, il avait écrit en ce sens à son traducteur, lui demandant de transmettre son appréciation à l'écrivain français auquel il n'osait pas écrire à cause de fautes d'orthographe qui lui faisaient honte.

Pour qui ne connaît pas Malraux, sa gestuelle, ses tics et son élocution peuvent être déconcertants. Et malgré son français appris à Paris pendant ses années folles, Ernest peine à le suivre, partagé entre une certaine fascination et une pointe d'agacement. Cet homme-là raconte sans doute la vérité, mais il l'étire toujours en sa faveur dans ses conversations-discours interminables.

Hemingway, qui n'a jamais eu de tentations communistes, contrairement à Malraux, s'agace de sa propension à philosopher sur tout, à théoriser en toutes circonstances. Quant au Français, à qui Hemmy parla ce jour-là de Shakespeare, aussi limpidement que « de la vie dans ce qu'il y a de meilleur », il émet un étrange jugement – admiratif en apparence, mais réducteur en vérité – sur le deuxième roman d'Hemingway : « Je tiens *L'Adieu aux armes* pour le meilleur roman d'amour qu'on ait écrit depuis Stendhal. »[1] À vrai dire, pour Malraux, l'Américain est un faux dur.

André Malraux a débarqué en Amérique un mois plus tôt. Il est invité par plusieurs universités (Berkeley, Princeton, Harvard), par les organisations d'acteurs et de cinéastes de gauche d'Hollywood, et par la revue *The Nation*, dirigée à New York par son ami Louis Fischer. Il arrive avec la réputation d'écrivain à la mitraillette, qu'il partage avec Hemingway, mais les jeunes intellectuels américains jugent son engagement politique plus sérieux que celui d'Ernest. De retour en France, Malraux va d'ailleurs s'atteler à l'écriture de *L'Espoir*, dont il achèvera le manuscrit en six mois.

En Espagne, il joue un rôle important, mais souvent mal compris, comme l'est son personnage. L'homme ne manque ni de courage ni d'énergie. Il fait jouer ses relations en France. Il obtient ainsi de l'un de ses beaux-frères une vingtaine de Potez 540, avec lesquels, dès le 8 août 1936, il se rend à Barajas, sur le terrain d'aviation de Madrid. Il a reçu l'autorisation d'y former et de prendre le commandement d'une escadrille de combattants étrangers, une unité appelée « España » dans un premier temps. Malraux se voit promu par le gouvernement républicain au grade de *coronel* (« colonel ») pour services rendus. Ses démarches permettront à l'aviation républicaine de récupérer encore une dizaine de Bloch 200 et quelques Breguet.

Malraux ne va pas pour autant combattre au sens habituel du terme. Il ne possède aucune expérience du pilotage ou des méthodes de bombardement et de navigation. Il n'a pas non plus l'aisance des baroudeurs, et sa façon désinvolte de porter la vareuse, le serre-tête et la casquette galonnée pourrait prêter à sourire – s'il ne faisait pas preuve d'un courage physique étonnant, qui en impose à ses hommes, souvent des durs à cuire. Il jouit d'une autorité incontestable, renforcée par l'affection que lui vouent ses équipages, en raison de sa volubilité amusante et de sa gentillesse. Pourquoi ne se laisseraient-ils pas impressionner par un chef bénéficiant d'un tel réseau de relations puissantes ?

Le voilà donc à la tête d'un groupe d'hommes hétéroclites, issus des horizons les plus divers – communistes, démocrates de gauche –, souvent de braves gens, simples et volontaires, des combattants décidés qui vont cohabiter avec des mercenaires. Formée à Barajas, l'escadrille sera transférée à Alcantarilla, non loin d'Albacete et, près de Valence, à La Señara. Pendant les deux premiers mois, Malraux et ses équipages s'installent à l'hôtel Florida, sur la Gran Via, à Madrid.

L'hôtel Florida ressemble alors à une sorte de tour de Babel. « Il abrite les aviateurs de Malraux, les journalistes, les hôtes d'honneur de la République, et la bande d'aventuriers qui ne manque jamais au rendez-vous de la guerre ou de la révolution. Malraux a organisé une aviation de fortune, qui rend des services inestimables. Malraux se dépense de tout son cœur, en vrai combattant », se souvient l'Italien Pietro Nenni[2]. Ainsi occupé, l'établissement se transforme en un étrange quartier général, avec des règles rigoureuses qui imposent le secret militaire et des fouilles régulières. Au restaurant, le tableau noir habituellement réservé à la présentation des menus sert à dessiner le plan des opérations. Dans ces moments-là, les yeux de Malraux brûlent d'une fièvre intense. La perspective du vol le dynamise. Il ne pilote pas, certes, mais il est là, au cœur de l'action et du danger, et, meneur d'hommes à la tête des siens en première ligne, il affirme autant son courage que sa virilité, ce qui ne déplaît pas à Hemingway...

Pourtant, ils n'ont pas la même définition de l'héroïsme, ni de l'espérance. On le verra plus tard quand paraîtront leurs récits respectifs de la guerre d'Espagne : *L'Espoir*, précisément, pour Malraux, et *Pour qui sonne le glas* d'Hemingway. Les critiques établiront des parallèles, et Ernest s'en agacera. Petite jalousie, ou sincère divergence ?

En fin de journée, tout le monde se retrouve pour faire le point, et chacun, combattant ou journaliste, fait son rapport. En raison de la présence de Dos Passos, d'Ehrenbourg, de Pablo Neruda, entre autres, le Florida devient alors le « salon littéraire le plus brillant de l'époque »[3], où l'on dialogue en plusieurs langues, avec Malraux, toujours volubile au cœur des débats qu'il alimente sans arrêt. Ainsi, rapporte Nenni, « Malraux parle mal l'anglais et l'allemand, et ni l'espagnol, ni l'italien, ni le russe, ni le chinois... Comment parvenait-il à être toujours au centre de l'attention et à agglutiner autour de lui les personnalités les plus prestigieuses ? Il s'exprimait en français dans une langue d'une grande complication syntaxique et dont le vocabulaire n'était jamais appauvri par le désir de se mettre à la portée de ses interlocuteurs. Pour les Français, c'est un régal. Pour les autres... »[4]

Et parmi « les autres », voilà Hemingway, qui retrouve donc Malraux à Madrid. Avec lui, Papa n'a pas forcément le dessus dans la conversation.

Ils s'estiment, sans plus. Le Français fait de trop longs discours pour Ernest, qui le surnomme le « camarade Malreux » – une façon d'ironiser sur cet intellectualisme aux accents dramaturgiques.

Et il va se moquer de ses tics, en suggérant que l'altitude peut être néfaste à un aviateur : « Je me demande où il a attrapé ça. Cela a dû se passer à bien plus de dix mille pieds d'altitude. »[5] Il ne sera pas le seul à être irrité par le personnage. Louis Aragon lui aussi manifeste une certaine allergie pour Malraux.

Un autre Français, tout aussi singulier, attire l'attention d'Hemmy : cette fois-ci il s'agit d'un vrai aviateur, écrivain lui aussi, Antoine de Saint-Exupéry, envoyé spécial de *Paris-Soir* qui, pour quatre-vingt mille francs, lui a commandé dix articles sur cette guerre. Saint-Ex, qu'Hemingway pourrait bien avoir croisé dans la librairie d'Adrienne Monnier à l'époque du *Navire d'argent*, a déjà effectué un premier voyage à Barcelone en août 1936. Et près de dix ans plus tôt, il y acheminait le courrier au départ de Toulouse, pour le compte des Lignes aériennes Latécoère.

Lors de son premier reportage, qui l'a conduit sur le front de Lérida pour *L'Intransigeant*, il a été surpris d'arriver dans une ville trop calme, avant de déchanter cruellement. Pendant un mois, il assiste à des scènes épouvantables – qu'il s'abstiendra de décrire, bouleversé de voir des frères s'entre-tuer. La haine est partout. C'est ce qu'il s'efforce de faire passer dans ses textes, qualifiant le conflit de « guerre d'idéologie ». « Ils se fusillaient chaque jour entre eux au nom d'une liberté qui n'était pour chacun que la liberté de soi-même. La liberté du voisin niant la sienne, chacun était en droit d'assassiner son voisin, religieusement, au nom même de la liberté. »[6] Saint-Exupéry est écœuré. « La guerre civile, dira-t-il, ce n'est point une guerre, mais une maladie. »

Il s'y replonge quand même en 1937, cette fois à Madrid. Son attitude trouble ses confrères – Herbert Matthews, Malraux, Hemingway et Martha, Dos Passos, Robert Brasillach ou Georges Bernanos – et les combattants eux-mêmes. La nuit, sur le front, il lui arrive d'allumer une cigarette, une distraction qui pourrait lui être fatale si un tireur se tenait en embuscade.

Il quitte finalement la capitale espagnole, bouleversé, et regagne la France après le bombardement de Guernica par les Allemands. Il ne livre que trois articles, qui paraîtront à la fin de juin et au début de juillet 1937. « Ici on fusille comme on déboise », témoigne-t-il, sans savoir que, deux ans plus tard, c'est l'Europe tout entière qui s'embrasera.

40

EN AVOIR OU PAS

(juillet 1937-novembre 1938)

> « À l'évidence, il s'est toujours posé
> la question du courage,
> certes pour les autres, mais lui,
> il se met sans cesse à l'épreuve
> au point d'être inconscient face au danger. »
>
> Robert Capa

Hemmy n'a guère le temps de partager les états d'âme de Saint-Ex, car depuis plusieurs semaines, il vit dans le chaos : ses reportages sur le front, sa relation sentimentale complexe entre Pauline et Martha (qui l'a rejoint à l'hôtel Florida en qualité d'envoyée spéciale du *Collier's Magazine*), la relecture de *To Have or Have Not* (*En avoir ou pas*) et, depuis son retour à Madrid, l'écriture d'une pièce de théâtre, *The Fifth Column* (*La Cinquième Colonne*), dont l'héroïne s'inspire de Martha Gellhorn, tandis que l'autre personnage central, un agent secret agissant pour les républicains, ressemble à s'y méprendre à son auteur. La pièce tire son nom de la situation militaire au moment où Ernest l'écrit, au Florida, souvent bombardé : Franco a déclaré que quatre colonnes convergent vers Madrid, et qu'une cinquième colonne de loyalistes, déjà en place dans la ville, attend pour attaquer de l'arrière.

Mais Hemingway est par-dessus tout absorbé par le tournage de *The Spanish Earth*, un film de propagande du réalisateur hollandais Joris Ivens, qu'il a co-écrit et auquel ont participé Dos Passos, Lillian Hellman et Archibald MacLeish. Ce film a bénéficié du financement de vedettes d'Hollywood. Retenu initialement pour le commentaire, Orson Welles est jugé trop théâtral. Il est remplacé par Hemingway lui-même, et en conservera quelque rancœur jugeant sa voix trop flûtée.

Suite de *Spain in Flames*, un long métrage dans lequel il est aussi intervenu, *The Spanish Earth* connaît un beau succès lors de sa projection devant Franklin et Eleanor Roosevelt, à la Maison Blanche, où Hemingway et Martha Gellhorn dînent le 8 juillet 1937.

Ernest trouve Mrs Roosevelt « gigantesque, très aimable et à peu près sourde comme un pot ». Jamais avare de compliments, il précise qu'« elle n'entend à peu près rien de ce qu'on lui dit, mais est si aimable que la plupart des gens ne s'en aperçoivent pas ». Quant au Président, il le juge aussi très aimable, « style Harvard, asexué et féminin, [il] fait penser à une grande femme ministre du Travail ». Par ailleurs, « la nourriture était la plus mauvaise que j'aie jamais mangée. [...] Nous avons eu une soupe genre lavasse suivie d'un pigeonneau en caoutchouc, d'une jolie salade très fatiguée et d'un gâteau, envoi d'un quelconque admirateur. Un admirateur enthousiaste, mais inexpérimenté. »[1] Il semble, cependant, que le but de la visite soit atteint, car le film émeut le couple présidentiel, qui décide de développer la propagande.

Cette nécessité n'échappe pas à Hemingway, pas plus qu'à Martha et encore moins à Joris Ivens. Ils ne sont pas seuls à se démener pour une cause de plus en plus dure à défendre à cause des dissensions internes chez les adversaires de Franco. Comme Ernest, animés d'un même état d'esprit, d'autres correspondants étrangers et non des moindres agissent efficacement.

À l'été 1937 se tient à Valence le deuxième Congrès international des écrivains. Initialement prévu à Madrid, il a dû renoncer à la capitale en état de siège pour se replier sur Valence, où siège désormais le gouvernement républicain. Plus de deux cents écrivains de vingt-huit pays y participent, dont André Chamson, Ilya Ehrenbourg, Antonio Machado, André Malraux, Pablo Neruda, Octavio Paz, Anna Seghers, Alexeï Tolstoï, Tristan Tzara... et Ernest Hemingway.

À l'occasion d'une des nombreuses interventions, souvent passionnées et idéologiquement contrôlées par les communistes (le nom de Gide y fut conspué parce qu'il venait de publier *Retour d'URSS*), le romancier américain Malcolm Cowley, ami d'Ernest, de Dos Passos et de Fitzgerald depuis les folles années de Montparnasse, annonce que l'opinion américaine devient favorable à l'Espagne républicaine, grâce aux reportages des envoyés spéciaux tels Hemingway.

Le 15 décembre 1937, les républicains lancent une vaste offensive sur Teruel, une ville de vingt mille habitants aux mains des nationalistes. Ils veulent faire tomber ce que ces derniers considèrent comme le symbole de leur supériorité sur le front aragonais. La bataille, succession d'opérations menées âprement avec l'intervention des chars russes, va se dérouler jusqu'au 22 février 1938, dans des conditions climatiques effroyables. On n'a jamais vu pareil hiver. Dès les premiers jours, les augures paraissent favorables aux républicains qui investissent la ville, rue après rue, et sentent la victoire à leur portée. Le 22 décembre, ils parviennent au centre de Teruel après des affrontements particulièrement sanglants, qui n'épargnent pas les civils terrés dans les caves, dans les bâtiments de la Banque d'Espagne, au couvent de Santa Clara et à l'hôtel Aragon. Les chars atteignent enfin la place du Torico. Cet épisode exaltant, Hemingway le suit heure après heure.

Les autorités de la ville se rendent officiellement le 8 janvier 1938, mais la tendance ne tarde pas à s'inverser, en raison des bombardements aériens menés notamment par la légion Condor. Encerclés à leur tour, les républicains tentent de percer le front ennemi avec leurs chars T-26, vite dominés par une artillerie précise. La position des républicains assiégés devient indéfendable, et près de quatorze mille de leurs soldats sont faits prisonniers, tandis que les dernières unités se retirent de la ville le 22 février.

Ces combats ont mis en lumière les dissensions entre généraux et chefs politiques. De plus, les avions ne seront pas remplacés. Il s'agit d'une rude défaite pour les républicains, qui éloigne immédiatement tout espoir de victoire finale.

Hemingway promet un règlement de compte. De passage à Marseille, le 5 mai 1938, il annonce à Maxwell Perkins son intention, quand tout sera fini, de rédiger un ouvrage sur cette guerre. Ainsi, prévient-il, « les couillons et les truqueurs comme Malraux qui s'est tiré en février 37 pour écrire de gigantesques chefs-d'œuvre avant que ça ait vraiment commencé recevront une bonne leçon quand [j'] écrirai un livre de taille normale ne contenant rien de truqué. Rien que la vérité ! »

Rentré aux États-Unis après avoir achevé à l'hôtel Florida la rédaction de *La Cinquième Colonne*, Hemingway plaide en faveur des républicains, afin d'obtenir pour eux l'aide qui leur fait de plus en plus défaut. Il ne dit alors rien de ses intentions de replonger bientôt dans l'enfer.

Ainsi, en « escale » à Key West, Hemmy juge que son rôle journalistique pendant cette bataille n'a pas été mis en valeur. Il raconte à Hadley comment il s'est débrouillé pour emmener sur le front des journalistes qui ne pouvaient se procurer de laissez-passer, comment il a « embobiné la fille de la censure » pour que ses confrères et lui puissent expédier leurs articles alors qu'ils n'étaient autorisés qu'à envoyer un communiqué officiel, comment il a fait parvenir à New York avant les autres son premier article sur la bataille, comment il est retourné dans la bagarre, participant à toute l'attaque avec l'infanterie, entrant dans la ville à la suite d'une compagnie de dynamiteurs et de trois d'infanterie[2]...

Tout cela pour quoi ? Pour que le très catholique secrétariat de rédaction du *Times* mette de côté la formidable matière de ses articles et aille jusqu'à omettre de mentionner son nom dans les dépêches des journalistes qu'il avait justement introduits sur le terrain !

Les républicains décident d'ouvrir un autre front sur l'Èbre et, le 25 juillet 1938, les Brigades internationales passent à l'action pour tenter de sauver Valence. Mais les attaques successives n'aboutissent pas, et Franco lance une dizaine de divisions dans la bataille, avec l'appui de l'aviation et des blindés. Bientôt, les deux armées se retrouvent face à face sur un plateau aride qui domine l'Èbre. Les conditions sont intenables – parfois plus de 50 °C à l'ombre. Les tranchées républicaines subissent des bombardements incessants.

À l'évidence, c'est le début de la fin pour les républicains.

Ce même mois, la radio diffuse une nouvelle accueillie avec bonheur par les républicains, qui adorent Papa : « L'écrivain Ernest Hemingway a brusquement quitté son domicile de Key West. Il a été aperçu pour la dernière fois à New York, montant à bord d'un bateau, sans chapeau ni bagage, pour rejoindre les troupes républicaines sur le front. »[3] Cette annonce sent la manipulation. Il repart, certes, mais plus lucide, enfin conscient d'avoir été manipulé, plus au fait aussi de la complexité de la situation.

En octobre, la situation a changé de façon dramatique en Espagne, quand un nouveau venu y fait son entrée. Jusque-là, Joseph Kessel avait suivi la guerre à travers les articles et les récits qu'en ont faits certains de ses amis, à commencer par Saint-Exupéry. Mais il reçoit une proposition qui ne se refuse pas : couvrir la guerre d'Espagne pour *Paris-Soir*. Le 18 novembre 1938, il y est.

Il va y passer exactement dix jours, qu'il n'oubliera pas de sitôt. Il est déçu. Il s'attendait à découvrir des foules en proie à la fièvre révolutionnaire. Il n'y a plus ici qu'un monde lunaire, des ruines, des visages marqués par la fatigue, sur lesquels la peur et le deuil ont laissé leurs ombres. L'élan des premiers mois, cassé par les massacres, les défaites, les illusions envolées, a cédé la place à une résignation générale. Acclamées lors de leur arrivée sur le sol espagnol, les Brigades internationales, qui ont pourtant payé un lourd tribut dans cette guerre, ont fini par lasser les Espagnols, qui souhaitent maintenant retrouver la paix entre eux.

La belle aventure, du moins au regard des grands rêveurs comme Malraux, a perdu de son éclat. Quand Kessel rejoint l'auteur de *L'Espoir* à l'hôtel Colon, ce dernier ne cache pas qu'il est dorénavant préoccupé avant tout par la fin du tournage de *Sierra de Teruel*. Kessel se tourne alors vers Hemingway, son double américain mais dépourvu de la sensibilité de l'âme slave. Il a lu – et aimé – *L'Adieu aux armes* publié en France en 1932 par Gaston Gallimard, qui n'est autre que son propre éditeur.

Hemingway et Kessel scellent leur amitié toute neuve avec une bouteille de whisky. Pour commencer, Kessel écoute attentivement ce confrère sûr de lui, persuadé de cerner parfaitement la situation. Hemingway apparaît désabusé quand il évoque les traîtrises et les excès des deux côtés. En habitué des hippodromes, Papa a étudié les cartes des batailles comme la physionomie des champs de courses sur lesquels vont s'élancer favoris et outsiders. Il estime que les combattants pourront retarder la chute de la République, non pas l'empêcher. Kessel acquiesce à ces propos pessimistes, et l'on vide la bouteille[4].

Les deux hommes se revoient, et Jeff fait la connaissance de Robert Capa[5], le photographe de *Life*, l'ami d'Hemingway, qui sait si bien immortaliser au cœur des combats des instantanés propres à bouleverser le monde entier. Lorsqu'ils se séparent, ils se promettent de se revoir. Un souhait finalement exaucé à Paris, en 1956. Les deux hommes se rappelleront alors avec nostalgie leurs souvenirs espagnols.

En dépit d'une défense acharnée, les positions républicaines tombent effectivement, les unes après les autres, et le repli des unités survivantes s'accélère. Le 15 novembre 1938, il n'y en a plus sur la rive droite de l'Èbre.

Ce même 15 novembre, les républicains font une parade d'adieu aux volontaires des Brigades internationales. En la circonstance, Dolores Ibárruri, la fameuse *pasionaria* communiste, les harangue avec fougue : « Vous pouvez repartir fièrement. Vous êtes l'Histoire. Vous êtes la légende. » Et puis, il faut des témoins pour raconter… Hemingway et quelques reporters figurent parmi les derniers à repasser le fleuve.

Ernest est une fois de plus dans son élément, au cœur de l'action.

41

DOS PASSOS : LA RUPTURE

(1939)

> « Ils étaient si proches, hier encore,
> mais le fossé a été soudain profond,
> car entre eux, il y avait un mort. »
>
> Robert Capa

La guerre civile s'achève le 1ᵉʳ avril 1939 par la victoire totale des franquistes soutenus par la légion Condor allemande et le corps italien des troupes volontaires. La défaite laisse l'armée républicaine exsangue, et les survivants désespérés. Elle va également ruiner l'amitié qui liait Dos Passos à Hemingway.

La mort d'un ami de Dos Passos, abattu dans le dos ou fusillé par un peloton d'exécution, pour avoir prétendument trahi en faveur des fascistes, ou tout simplement – et plus sûrement – parce qu'il ne suivait plus la « ligne » de Moscou, crée soudain un fossé entre les deux Américains. En ces temps troublés, les circonstances mêmes de cette mort restent difficiles à cerner. Dieu sait pourtant combien d'hommes et de femmes ont ainsi disparu, sacrifiés dans d'étonnants règlements de compte qui ne devaient rien au combat contre Franco. C'est aussi ça, la guerre d'Espagne :

une guerre de dupes, une guerre de rumeurs, une saleté de guerre où les combattants d'un même camp en viennent à s'éliminer mutuellement. Les membres du POUM – Parti ouvrier d'unification marxiste – en font d'ailleurs les frais, leaders ou simples sympathisants. Les Russes s'y emploient, excellant dans l'art d'amener leur victime à s'avouer coupable et à dénoncer ses amis. Plusieurs personnalités ont ainsi péri, dont Andrés Nin, seul dirigeant du POUM à être exécuté ; Erwin Wolf, l'ancien secrétaire de Trotski, enlevé à Barcelone et que l'on ne reverra jamais ; ou bien encore José Roblès, ancien maître de conférences à la Johns Hopkins University de Baltimore. C'est lui, l'ami de Dos Passos.

Un homme, cependant, doute de la version donnée par les communistes – Roblès aurait été exécuté parce qu'il était un espion fasciste. Cet homme, c'est justement John Dos Passos. Leur rencontre remontait à 1916 et au premier voyage en Espagne de l'Américain. Son amitié pour Roblès est donc antérieure de deux ans à celle qui va le lier, lui, le calme, à Hemingway l'impétueux. Roblès a vécu en exil aux États-Unis pendant quelques années avant de partir pour l'Espagne déchirée. Communiste, il était parti l'idéologie en bandoulière, absolument ignorant des intentions réelles de Staline et des exécutions massives qu'il avait perpétrées, et dont lui, Roblès, allait être la victime, tué par les siens.

Guerre d'Espagne, guerre complexe. Mais s'il est un point à retenir de son étude, c'est bien le rôle et la stratégie de Staline. En quelques mots : il s'est précipité le plus lentement possible pour venir en aide aux républicains. Staline ne voulait absolument pas le triomphe en Espagne d'une révolution qu'il ne maîtrisait pas. De plus, le Petit Père des peuples, tout en se livrant à la sinistre comédie du paternalisme compréhensif à l'égard de la République, négociait déjà secrètement le pacte germano-soviétique. Or pour cela, il fallait gagner du temps… Les intellectuels, Malraux en tête, mais également Hemingway, gagnés à la cause de cette gauche active, ignoraient que le maître du Kremlin les manipulait sans vergogne.

Dos Passos refuse donc la thèse de la trahison. Il pense en fait que José a été liquidé parce qu'il en savait trop. Il se met donc en quête de la vérité. Il veut savoir où et comment il a été tué. L'écrivain ignore sans doute les périls auxquels il s'expose. Il puise son courage dans le devoir sacré que créait son amitié pour Roblès. Les avertissements ne manquent pourtant pas, à mesure qu'il interroge les uns ou les autres, peut-être même les plus dangereux. Au mieux, on le menace de ruiner sa carrière littéraire s'il écrit le moindre mot sur cette affaire…

De son côté, Hemingway, aveuglé par une propagande habile, croit Roblès coupable, sans disposer pourtant du moindre élément qui appuierait cette accusation. À l'égard de Dos Passos, il fait alors preuve d'un cynisme et d'une mauvaise foi stupéfiants. Arrivé le premier en Espagne, il a appris l'assassinat de Roblès avant son ami, et avalisé la thèse des agents de Staline concernant de prétendus liens entre le traître et les fascistes.

Mensonge ou pas, Ernest tient là l'occasion de ternir la réputation de Dos Passos, de le déconsidérer, voire de l'humilier, en tout cas de se débarrasser d'un confrère dont la notoriété lui fait de l'ombre. Déjà ébranlé par l'annonce de la mort brutale de son ami, Dos Passos reçoit de plein fouet le nouveau coup asséné par Hemingway, lequel prend un malin plaisir à rendre publics les liens d'amitié qui unissaient Dos Passos à un espion fasciste.

Jamais Dos Passos ne se relèvera de cette double épreuve : la mort de son ami auquel, à sa façon, en bafouant son honneur, Hemingway vient de donner le coup de grâce. Mis à l'index par une intelligentsia de gauche américaine d'ailleurs noyautée par le Komintern, qui le traite en paria, il laisse la vedette à Hemingway, rayonnant, enfin promu plus grand écrivain américain et, surtout, plus grand écrivain de gauche. Ce qui a de quoi surprendre s'agissant d'un homme qui s'est toujours déclaré apolitique !

Hemingway, extraverti, grande gueule, sûr de lui à l'excès, et plus carriériste qu'il ne veut l'avouer, parle haut et fort, avec aisance, faisant toujours preuve d'une grande souplesse dans les situations les plus inattendues. Rien ne semble l'étonner. Alors qu'il peine à trouver l'inspiration, la guerre d'Espagne lui offre son salut littéraire grâce à un livre, *Pour qui sonne le glas*, où la notion de courage et d'esprit de sacrifice, qui singularise tant de combattants républicains, espagnols ou brigadistes, s'oppose à celle plus sombre de trahison, comme les deux facettes d'une même pièce.

À l'inverse, Dos Passos souffre de son effacement volontaire – ce qui n'exclut pas le courage – et de sa relative naïveté. Comme tous les vrais écrivains, il succombe à la puissance du verbe ; il est certainement l'un des auteurs les plus soucieux de perfection dans le style. Il estime que son succès ne peut découler que de cette quête. L'affaire espagnole, l'assassinat sordide de Roblès et la trahison de son ami Hemingway le plongent dans une désillusion qui durera jusqu'à sa mort, en 1970.

Même si la relation de Dos Passos et Hemingway ne sera plus jamais la même à la suite de cette histoire, il serait néanmoins faux de croire que les rapports entre les deux hommes s'en trouvent alors rompus à tout jamais. On retrouve par exemple dans la correspondance des années 1940 des témoignages d'une affection encore bien réelle.

Entre eux, il restera toujours Katy, « la Kate » du jeune Ernest avant de devenir celle de John, sa femme jusqu'à ce terrible accident de voiture qui lui coûtera la vie en 1947. Quatre ans plus tard, Dos Passos voudra lui rendre hommage dans un beau livre, *Terre élue*, mais Hemingway n'aimera pas le portrait qu'il y fait incidemment de lui. Il se vengera à sa manière en filigrane dans *Paris est une fête*.

Dans son monde, on est avec lui ou contre lui. Et si l'on n'est plus avec lui, on est bon à jeter.

Hemingway ne se montre pas ici sous son meilleur jour. Toutefois, à bien considérer cette guerre et les bouleversements humains qu'elle suscite, il n'est pas le seul à blâmer, même si l'ami sincère qu'il paraît être passe surtout pour un ami de circonstance. Gertrude Stein et Sherwood Anderson, auxquels il doit tant, en savent quelque chose.

42

DEUXIÈME DIVORCE, UN MARIAGE
ET UN LIVRE

(octobre 1938-décembre 1940)

> « Un homme ne comprend pas
> un livre profond
> avant d'avoir vu et vécu
> au moins une partie de ce qu'il contient. »
>
> Ezra Pound

Paris n'est plus une fête depuis longtemps.

En octobre 1938, avant même la fin du conflit espagnol, Hemingway n'a pas retrouvé dans la capitale française ses chers fantômes d'autrefois, sinon des ombres. Il ne cache pas sa lassitude à rédiger des articles, et son plaisir à reprendre enfin l'écriture, la vraie à ses yeux, celle des nouvelles et des romans. Pourtant, la parution d'*En avoir ou pas*, tout juste un an plus tôt, le 15 octobre 1937, n'a pas déclenché un fol enthousiasme. Le roman manque en effet du mordant et de la précision des deux nouvelles écrites précédemment et dont il est l'aboutissement : *One Trip Across*, paru en 1934 dans *Cosmopolitan*, et *The Tradesman's Return*, paru dans *Esquire* en 1936.

Hemmy se remet au travail avec plaisir, écrit une nouvelle qui lui semble être la meilleure qu'il ait jamais écrite, *En contrebas*, que va publier *Cosmopolitan* en octobre 1939. Il achève les deux premiers chapitres de ce qui sera *For Whom the Bells Tolls* (*Pour qui sonne le glas*). Il veut écrire « sur les déserteurs et sur les héros, sur les lâches et sur les braves, sur les traîtres et sur les hommes qui sont incapables de trahir »[1].

Finalement, lorsque le rideau de l'Histoire retombe lourdement sur la scène espagnole, Hemingway reprend la route de Key West, d'où il gagne La Havane. Là, il poursuit la rédaction de son roman.

Lorsqu'une nouvelle guerre menace en Europe, dont l'Espagne ne fut que le laboratoire pour les Allemands et les Italiens, Ernest décrète qu'il ne bougera pas de son havre, quoi qu'il arrive. Car il a été plus que déçu par « la manière dont les Français ont traité la République espagnole »[2]. Il ne se sent donc aucune obligation envers eux.

En juillet 1939, dans une longue lettre, Ernest annonce à Hadley, alors à Paris, son intention de passer les vacances d'été dans le Wyoming, avec Bumby, Patrick et Gregory. Il en profite pour lui dire qu'il n'a jamais travaillé aussi dur qu'au cours des six derniers mois. Son manuscrit comporte pour l'instant cinquante-huit mille mots rassemblés sur trois cent quarante pages, et il compte bien l'avoir achevé avant qu'Hitler n'entraîne l'Europe dans une tourmente pire que la précédente[3].

À son ami Thomas Shevlin, il écrit : « Si je perdais le fil, et j'ai l'impression d'être si sacrément près maintenant de le perdre, je mériterais vraiment d'être fusillé car c'est la chose la plus importante que j'aie jamais écrite et c'est le moment de ma carrière d'écrivain où je dois écrire une chose réellement importante. »[4]

La rédaction n'a guère été aisée, en raison de la résurgence de cauchemars récurrents. Le sujet lui a pesé, à cause des images terrifiantes qui le hantent, et il l'a parfois mis de côté afin de rédiger des nouvelles, pour mieux y revenir, cependant. Puis les peurs espagnoles ont fini par s'estomper, sans doute exorcisées par l'écriture.

Pendant cette période, au-delà du grand écart entre Key West et sa chambre d'hôtel, Papa s'en tient à un emploi du temps très strict. Le matin, il écrit ; l'après-midi, il appareille avec *Pilar* pour une balade en mer.

Cette organisation exclut pratiquement Pauline de sa vie, et le rapproche de Martha qui, à La Havane, compose ses propres histoires et une nouvelle, *The Stricken Field*, inspirée de sa relation avec Ernest. Il en résulte des tensions, qui attachent davantage Hemingway à Cuba où Martha, qui n'apprécie pas vraiment la chambre d'hôtel, se met en quête d'une maison.

Elle déniche finalement une demeure de belle apparence, mais qui a besoin d'être retapée, la Finca Vigia. Elle est à douze kilomètres du centre de La Havane, plantée de plain-pied au milieu d'une colline, à San Francisco de Paula. « Elle compren[d] treize acres de fleurs et de légumes, un pâturage pour une demi-douzaine de vaches, des arbres fruitiers, un ancien terrain de tennis, une grande piscine »[5]. Hemingway grince un peu des dents devant les cent dollars mensuels de location, mais Martha passe outre, et prend même en charge les travaux de rénovation. Lorsqu'ils s'installent dans la grande bâtisse, l'écrivain conserve l'hôtel comme boîte postale pour sauver quelque peu les apparences. D'autant que Pauline décide de passer l'été en Europe avec des amis.

La famille de Pauline s'interroge sur cette étonnante façon de passer des vacances chacun de son côté. Ernest tente de détourner l'attention des Pfeiffer en leur annonçant brutalement que Pauline, consultant un spécialiste à Boston, a appris qu'elle était peut-être atteinte d'un cancer. D'analyse en examen, le médecin révise son diagnostic et conclut finalement qu'il n'y a trace de tumeur ni maligne ni bénigne. Pas d'opération immédiate à envisager. Bref, beaucoup de bruit pour rien, et surtout une folle angoisse. Ce qui, selon Ernest, explique l'embarquement de Pauline à bord du *Normandie* en compagnie de gens très bien. Il rassure sa belle-famille : l'argent ne pose aucun problème, car il vient de percevoir le montant de la vente d'*En avoir ou pas* à Hollywood[6].

La comédie avec sa belle-mère inquiète – mais pas si dupe – se poursuit au cours de l'été et de l'automne. En décembre, Ernest lui annonce que Pauline est rentrée à l'improviste d'Europe, qu'elle a attrapé « une terrible grippe » à l'aéroport de Billings en septembre, et qu'elle a été tout le temps malade au Nordquist Ranch. Assumant le rôle du mari prévenant, il lui a préparé ses repas, il a essayé de la soigner... Mais son état s'est aggravé. Il se veut rassurant : « Je vous en prie, n'ayez jamais peur que je ne veille pas sur les intérêts matériels de Pauline comme s'ils étaient les miens. Vais aussi m'occuper comme il faut des enfants et prendre très bien soin d'eux. »[7] Mais en dépit de ses grandes déclarations, la réponse qui lui parvient après Noël est toute teintée de tristesse. « Un ménage désuni est une chose tragique, surtout quand il y a des enfants. » Les enfants, d'ailleurs, voient bien que rien ne va plus. Ernest et Pauline s'efforcent maintenant de négocier leur divorce sans faire trop d'éclaboussures.

Le divorce sera finalement prononcé le 5 novembre 1940, sans que le mot adultère y figure. Ce qui soulage Hemingway, car l'époque ne badine pas avec la morale. L'écrivain et Martha Gellhorn se marient sans tarder, le 21 novembre suivant à Cheyenne, dans le Wyoming. Robert Capa en assure la couverture photo pour *Life*. La seconde partie du reportage propose des extraits de *Pour qui sonne le glas*, illustrés avec des photos prises par Capa sur le front espagnol.

Commentaire de Gertrude Stein : un homme qui se marie trois fois à une femme de Saint Louis n'a certainement pas appris beaucoup ! Scott Fitzgerald, lui, trouve étrange qu'Ernest se soit marié à une femme aussi séduisante. « Je pense, écrit-il à Max Perkins, que les choses ne se présenteront pas tout à fait comme avec ses créations à la Pygmalion. » Bref, les amis, ceux qui connaissent bien Ernest, doutent.

Il ne se trompe pas, car, contrairement à Hadley et à Pauline, Martha a clairement annoncé à Ernest son intention de poursuivre sa carrière de reporter. Cette fille « en a », pour reprendre l'expression d'Hemmy. Elle sait tenir sa place en n'importe quel point chaud du globe. Elle se débrouille et se comporte comme un homme sous le feu ennemi, et elle peut participer à une nuit de beuverie sans tourner de l'œil.

Mais ces qualités indispensables à tout journaliste de terrain vont finir par déclencher chez Hemingway une jalousie irrépressible – à laquelle aucune union ne pourrait survivre.

Si son mariage va brillamment s'inscrire dans le carnet des mondanités de ce mois de novembre 1940, la publication de son livre quelques semaines plus tôt représente aux yeux d'Hemmy un événement autrement plus prodigieux.

Ernest l'a vraiment peaufiné avec son éditeur, et il a dû régler un problème juridique : pouvait-il citer un personnage réel sous son nom véritable ? En l'occurrence, il s'agit ici d'André Marty, un homme massif et coléreux, maniaque du soupçon, avec ses gros yeux de faïence bleue à fleur de tête et le béret catalan qui retombe sur sa lourde nuque.

Cet homme dangereux et caractériel fut le patron redouté d'Albacete, où étaient basées les Brigades internationales, et sur laquelle il régnait sans partage. Il procéda à des exécutions pour l'exemple au sein de ses troupes exténuées. Les brigadistes se trouvaient souvent engagés en première ligne pendant des semaines, d'où des désertions, des suicides, et parfois le peloton d'exécution. Hemmy expliqua à Scribner que Marty, membre du Comité central du Parti communiste français, avait été condamné à mort, et qu'il avait trouvé refuge en Russie. « Il ne pourrait en aucun cas venir aux États-Unis », et « il ne peut revenir en France que si les communistes prennent le pouvoir »[8]. Mais peut-il intenter un procès ?

Le roman passionne déjà depuis de longs mois la maison d'édition, à commencer par Maxwell Perkins, qui a lu avec enthousiasme les premiers chapitres. « Je pense, lui dit-il, après avoir achevé cette fois la lecture de cinq cents pages, que ce livre possède une intensité émotionnelle jamais atteinte dans vos œuvres précédentes, qui n'en manquaient pourtant pas. » Quel auteur ne se sentirait pas des ailes après pareil compliment ? Hemingway redouble donc d'effort. Mais il le paie bientôt. En avril, il doit garder le lit pendant cinq jours.

Les nouvelles très positives qui suivent la publication le réconfortent. Les propositions d'adaptation du livre affluent, et il accepte finalement cent trente-six mille dollars de la Paramount. Autre raison de jubiler : le rôle principal est attribué à Gary Cooper, l'acteur préféré et l'ami d'Hemmy. Il se réjouit d'ailleurs de recevoir la star et sa femme à Sun Valley, en octobre 1940.

Quant au livre lui-même, il faut croire que l'enthousiasme de Perkins est contagieux avant même sa parution : le Club du livre du mois en fait son best-seller (135 000 exemplaires), tandis que Scribner's annonce une première impression de 160 000 exemplaires. En avril 1941, le total des ventes aux États-Unis s'élève déjà à 491 000 exemplaires. Le succès déborde largement les frontières américaines et touche même la Grande-Bretagne, pourtant en pleine guerre et confrontée aux pénuries, donc à des rationnements de papier. Il y est même qualifié de « phénoménal ».

Les premiers versements de son éditeur ont permis à Ernest d'acquérir la Finca Vigia, le 28 décembre 1940, moyennant une dépense de 12 500 dollars. Les critiques continuent d'encenser l'ouvrage et son auteur. Ainsi peut-on lire : « Je ne m'inquiète pas de savoir si c'est un grand livre. Je sens que c'est exactement ce qu'Hemingway voulait : un vrai livre » (Clifton Fadiman, du *New Yorker*). Ailleurs, on considère l'ouvrage comme « le meilleur jamais écrit par Hemingway, et qui restera certainement l'un des meilleurs romans de la littérature américaine » (J. Donald Adams, du *New York Times*). Et puis arrive le verdict tant attendu en provenance de l'Olympe de la critique littéraire, le *New Republic*, et de son dieu, Edmund Wilson, qui déclare presque solennellement : « Hemingway l'artiste est à nouveau parmi nous ; c'est comme le retour d'un vieil ami. »

Un ami qui revient de loin. Car il donne le sentiment puissant d'avoir été le témoin direct du drame qu'il narre, et qui est en réalité le reflet des mille tragédies qu'il a traversées, pour les concentrer dans une seule histoire, pendant une poignée de journées décisives. À le lire, on peut penser que tout est vrai – les personnages, l'action... À en juger par l'expérience du correspondant de guerre, l'écrivain n'a pas de difficulté à emprunter aux situations réelles et aux vrais acteurs du conflit tout ce qu'il faut pour en restituer l'intensité. L'histoire a existé. Sans doute.

Engagé dans les Brigades internationales, Robert Jordan, un jeune Américain (auquel Gary Cooper va donc prêter ses traits), doit faire sauter un pont. Il s'agit d'une action essentielle, qui doit être menée dès le lancement d'une offensive républicaine, à un moment très précis, de manière à empêcher le passage de renforts franquistes. Jordan se mêle à un groupe de partisans. À l'évidence, ce coup de main ressemble par son audace autant à un coup de maître qu'à un suicide programmé.

L'Américain se prépare sous l'œil hostile de Pablo, le chef des partisans, qui, par peur ou lâcheté, redoute les conséquences de cet acte, mais aussi sous le regard très tendre de Maria, une jeune fille de dix-neuf ans recueillie par le groupe de républicains. Jordan n'ignore pas l'issue fatale qui l'attend ; il vit ses derniers jours et profite de ce répit pour y brûler avec Maria la passion de toute une vie, leur vie...

Pablo trahit, sabote, puis regrette. Dans le feu de l'action, Jordan se retrouve blessé et décide de rester en arrière pour couvrir ses compagnons – non sans leur avoir fait des adieux déchirants, ce qui, dans le film, donnera lieu à une scène magnifique entre Gary Cooper et Ingrid Bergman.

En proie à ses fantasmes de toujours et à ses anciens démons sur l'homosexualité, Hemingway suggère que les deux héroïnes du roman, Maria et Pilar, la compagne de Pablo, pourraient s'être laissé aller à des relations ambiguës. Autre obsession : quand le héros craint d'être pris vivant par les franquistes et de parler sous la torture, il envisage le suicide sans toutefois approuver cette éventualité, parce que son père a choisi cette mort et qu'il le juge lâche...

Synthèse de toutes les obsessions de son auteur, *Pour qui sonne le glas* est un magnifique cadeau de mariage, Hemmy ayant dédié son roman à sa jeune femme. Il ne doute pas du succès des ventes et s'en est d'ailleurs ouvert à Hadley en plaisantant[9] : « J'ai dit à Patrick que chaque fois que nous vendrions cent mille exemplaires, je pardonnerais à un salaud, et que quand nous en vendrions un million, je pardonnerais à Max Eastman[10]. »

C'est dire...

43

L'AFFRONT

(1941)

> « Je n'aime que les gens que j'aime.
> Pas les salauds qui m'aiment. »
>
> Ernest Hemingway

Max Eastman. La seule évocation de ce nom donne encore à Hemingway des démangeaisons dans les poings. Il ne décolère pas depuis août 1937, depuis ce jour où, pénétrant dans le bureau de Maxwell Perkins, le patron de Scribner's, il a reconnu, assis en face de l'éditeur, son ennemi intime venu discuter de son prochain livre.

Les deux hommes se connaissent en fait depuis la conférence de Gênes de 1922. De douze ans l'aîné d'Ernest, Eastman jouit alors d'une belle réputation d'écrivain et de critique, perspicace, mais également sulfureux. C'est un ami de Trotski. Son magazine de tendance socialiste, *The Masses*, a été suspendu en 1918 à cause de son opposition à l'entrée en guerre des États-Unis, tandis qu'Eastman est jugé à deux reprises pour sédition.

Lorsque les deux hommes ont fait connaissance, chacun a pris la mesure de l'autre. Hemingway a vu en Eastman un professeur sympathique du Middle West, auquel il s'est empressé de soumettre plusieurs de ses textes. Quant à Eastman, il a apprécié le garçon modeste aux bonnes manières, s'efforçant ensuite de l'aider à publier son travail.

Mais le temps passe, et les hommes changent. Ernest accède à la célébrité avec *Le soleil se lève aussi*, bientôt suivi de *Mort dans l'après-midi*, dont Eastman rédige, on s'en souvient, une critique virulente dans le *New Republic*. Hemingway, alors à La Havane, ne la lit pas, mais en est averti par l'un de ses amis. Bien sûr, il voit rouge.

Et il voit toujours rouge, malgré les années, en identifiant Eastman dans le bureau de Perkins. Les critiques et les insinuations du chroniqueur lui trottent toujours dans la tête. Hemingway bouillonne et se maîtrise encore. Pour lui, Eastman est un traître en politique et un « branleur ». Rien de plus. Il s'était promis, à La Havane, quatre ans plus tôt, que s'il attrapait un de ces types occupés à répandre des rumeurs, il lui « travaillerait la gueule ».

Quatre années ont passé et là, à New York, dans le bureau d'un éditeur reconnu, tout devrait s'apaiser. Max Perkins n'ignore pas que la situation peut dégénérer. Il tente de désamorcer la tension par une civilité et annonce à Eastman, d'une voix qu'il veut chaleureuse et confiante : « Max, voici un de vos amis… »

Tout d'abord, rien ne se passe. Les deux hommes se saluent et se mettent même à bavarder, pendant que Perkins pousse un soupir de soulagement. Puis les hostilités commencent quand Hemingway aperçoit sur le bureau pourtant encombré de l'éditeur le livre où se trouve l'article que lui a consacré Eastman, et qu'il a, pour rire, intitulé « Taureaux dans l'après-midi ». Soudain, Ernest déboutonne sa chemise, montre sa poitrine et surtout sa pilosité à Eastman. Que pense-t-il de la qualité de son poil ? Pourquoi l'avoir soupçonné d'impuissance ?… Eastman se contente d'abord de rire, mais d'un geste, Hemingway lui ouvre sa chemise, exposant sa poitrine glabre. Tout le monde rit. Jaune ! Dans la pièce, la température devient glaciale.

Ernest ne va pas se contenter de cette modeste victoire. Eastman voudrait s'expliquer, se reporter à son article. Il n'en a pas le temps : le livre vole, et les deux hommes en viennent aux mains. Lorsque Perkins intervient, il trouve, au sol, Hemingway sous Eastman. Ernest est sur le dos et sourit. Il semble, dira l'éditeur, que toute colère ait déserté Ernest après qu'il a donné ce coup[1].

L'affaire en reste là. Hemingway n'apprécie pas, cependant, qu'Eastman se vante dans la presse de l'avoir défait. Différentes versions circulent bientôt. Mais, s'entête un journaliste du *New York Times*, comment Eastman a-t-il pu jeter Hemingway par-dessus le bureau ?

Ernest affirme l'avoir ménagé, en raison de son âge. Il s'attribue le beau rôle, celui du vainqueur, même modeste, tout en cherchant encore à rabaisser son adversaire : il attaque comme une femme, il ne sait pas se battre…

Ce feuilleton digne d'une cour de récréation paraît dans le *New York Times* en août 1937, si bien que, pour en terminer, l'éditorialiste du quotidien propose de faire rejouer le match au Carnegie Hall, et que la recette en soit versée au fonds Nobel de la paix ou « à quelque chose dans le genre »…

Ernest ne pourra pas relever le gant, car il navigue déjà vers l'Espagne en guerre.

L'affaire pourrait une nouvelle fois en rester là, mais une lettre adressée à son éditeur trois ans plus tard prouve qu'Hemingway ne l'a pas complètement oubliée. Il écrit qu'il souhaite clouer ce « fils de pute » de Max Eastman en haut d'un poteau, lui enfoncer la pointe dans la base de « son vous savez quoi ». Puis il dit préférer finalement le clouer sur le bureau de Max Perkins et le laisser ainsi. « Peut-être toutes les heures je viendrais juste le bercer un peu »[2], ajoute-t-il.

Il précise tout de même qu'il ne s'agit pas d'une obsession – seulement d'une ambition !

Marié donc pour la troisième fois, il s'envole pour une troisième guerre. Bien sûr, un mariage tout neuf implique un voyage de noces. Mais pour les deux journalistes, celui-ci s'apparente à un grand reportage. Les Hemingway partent en Asie sur fond de guerre sino-japonaise, chacun avec une étiquette : Martha représente *Collier's*, et Ernest travaillera pour *P.M.*, un nouveau quotidien libéral. Étrange lune de miel dans un pays en guerre ! Une guerre sale – comme toujours.

Martha, plus incisive, décrit l'horreur, le manque d'hygiène, la saleté, les privations endurées par les populations, les fumeries d'opium, les jeunes filles livrées à la prostitution : elle montre la déshumanisation terrifiante qui accompagne les conflits, elle met en relief les détresses. Ernest traite de sujets plutôt exotiques. À Hong Kong, où ils passent leur premier mois, il s'intéresse aux effets d'étranges boissons – en l'occurrence des coucous marinés dans l'alcool – ou de serpents marinés dans de l'alcool de riz… Il dénonce néanmoins l'évacuation forcée des femmes britanniques qui représentaient l'élément stabilisateur de la colonie… Ils visitent ensuite le front à Canton et volent vers le nord, en direction de Pékin en guerre, où ils rencontrent Tchang Kaï-chek, alors chef du gouvernement et de l'armée, et son épouse Song Meiling, qui intervient comme interprète. Puis ils sont reçus par Zhou Enlai. Il est en principe chargé des relations entre le leader communiste Mao Zedong et Tchang, mais vit en fait dans la crainte de ce dernier et ne cesse de changer de domicile.

Ces divers entretiens permettent à Martha et à Ernest de se faire une idée relativement nette d'une situation inquiétante – pas seulement pour les Chinois. Ils soulignent la menace que représente le pacte de neutralité signé par les Japonais avec les Soviétiques le 13 avril 1941. Le Japon manœuvre pour déclencher une guerre de plus grande envergure et y entraîner les États-Unis. Le comportement des Japonais dans le Pacifique, depuis le début des années 1920, démontre clairement cette intention.

Hemingway apprend alors la mort de Sherwood Anderson, qu'il décriait tant après l'avoir porté au pinacle. Scott Fitzgerald l'a précédé dans la tombe le 21 décembre 1940. Papa va maintenant le défendre, après l'avoir tant rabaissé, notamment à travers Zelda, en demandant à Maxwell Perkins qu'Edmond Wilson « ne démolisse pas Scott dans [la] préface qu'il va écrire », une préface destinée au roman inachevé de Fitzgerald, *Le Dernier Nabab*. Ce qui ne l'empêche pas d'en trouver « la plus grande partie d'une fadeur incroyable ». Et il en confie la raison à son éditeur : « Scott est mort intérieurement vers l'âge de trente à trente-cinq ans, et ses capacités créatrices sont mortes un peu plus tard. Ce dernier livre a été écrit longtemps après la mort de ses capacités créatrices, et quand il était juste en train de découvrir de quoi il retournait. »[3]
Les cinq dernières années de la vie du romancier n'ont été qu'autant de degrés dans sa descente aux enfers. Miné par une dépendance chronique à l'alcool et la perte de tout repère dans la jungle d'Hollywood, Scott Fitzgerald, scénariste-esclave, écrivain dans l'âme et auteur génial, hélas sous-estimé et trahi par ses excès, vit très mal sa déchéance littéraire. Sa fille, Frances Scott Fitzgerald, dite Scottie, racontera plus tard la peine infinie de son père à ne plus « trouver le moindre de ses livres à acheter dans une librairie »[4]. Il était oublié à tel point qu'« il n'aurait probablement même pas pu en demander un sans souffrir le regard d'incompréhension de la vendeuse ».

De retour à la Finca Vigía, au début de juin 1941, au terme de trois mois de pérégrinations orientales, Hemingway continue d'engranger les dividendes de son travail d'écrivain. Il doit cependant décliner une invitation à se rendre à New

York en novembre : le Limited Editions Club veut lui remettre sa médaille d'or des mains de Sinclair Lewis, son président littéraire, à l'occasion d'une cérémonie solennelle. Ayant prévu un voyage avec Martha, Ernest adresse un courrier de remerciements à l'écrivain. S'il a apprécié cet honneur et la lettre « sacrément aimable »[5] de Lewis, la lecture de son discours l'agacera : Sinclair Lewis cite Hemingway comme l'un des plus grands écrivains vivants... avec Theodore Dreiser, H. G. Wells ou Jules Romains. Or Ernest s'estime différent ou meilleur. Lewis va donc devoir réécrire son texte pour en faire la préface de *Pour qui sonne le glas* dans l'édition du Limited Editions Club ![6]

La brutale réalité vient déchirer la soie de ces chicaneries littéraires. Le 7 décembre 1941, les Japonais lancent leur attaque surprise sur Pearl Harbor, nouvelle étape d'un processus enclenché depuis longtemps.

L'Amérique est sous le choc, mais Ernest et Martha ne sont pas le moins du monde étonnés. Leur stupéfaction viendrait plutôt de l'aveuglement coupable du gouvernement américain. Si les intentions japonaises ne faisaient aucun doute, les Américains exposaient leurs forces sans craindre d'en faire des cibles. Lors de leur voyage asiatique, les Hemingway avaient été troublés, à Hawaï, par la concentration voyante de navires de guerre américains mêlés à des bateaux de pêche, ainsi que par les alignements serrés de chasseurs et de bombardiers sur la base d'Hickham, près d'Honolulu. Impossible pour les uns et pour les autres de manœuvrer, de prendre le large ou l'air, en cas d'agression.

Apprenant le désastre, Hemingway tient des propos incendiaires. Il réclame la tête des commandants de la Navy et de l'armée à Hawaï, qui mériteraient d'être fusillés, et exige le départ immédiat de Frank Knox, le secrétaire à la Marine[7]. Il éructe littéralement dans une lettre à Charles Scribner : « Par suite de notre paresse, de notre criminelle négligence et de notre aveugle arrogance (américaines), nous voilà embringués dans cette guerre dès le premier jour et nous allons avoir de sacrés sales moments à passer pour la gagner, si nous devons la gagner. »[8]

Jusque-là, Hemmy avait appartenu à la majorité isolationniste, prédisant toutefois, dès 1935, un conflit en Europe trois ans plus tard. Maintenant, il décide d'intervenir dans une guerre devenue mondiale. Mais à sa façon. Il agira à Cuba, véritable nid d'espions et de « taupes » aussi diverses que bizarres, où se croisent des agents allemands (*Sicherheitsdienst* ou SD, et *Abwehr*), américains (FBI, OSS) et anglais (*British intelligence*), des fascistes espagnols, et tout un monde interlope susceptible de mettre en danger la sécurité de l'Amérique !

44

CUBA, NID D'ESPIONS

(août 1942-juin 1944)

> « L'espionnage serait peut-être tolérable
> s'il pouvait être exercé par d'honnêtes gens ;
> mais l'infamie nécessaire de la personne
> peut faire juger de l'infamie de la chose. »
>
> Montesquieu

Hemingway entretient des liens assez romanesques avec le monde du renseignement depuis la guerre d'Espagne. Il est entré dans ce jeu curieux, excitant à certains égards, mais dangereux aussi, par le biais de l'Office of Naval Intelligence (ONI), le service de renseignements de la marine américaine, auquel il livrait des informations, à l'occasion.

Après la victoire de Franco, Hemmy, qui a pris au sérieux son rôle d'espion amateur, ne dit pas non à son ami John Thomason, colonel des marines et responsable du service de renseignements pour l'Amérique centrale, quand celui-ci lui suggère de profiter de ses déplacements pour glaner quelques informations.

Au cours de son fameux voyage de noces en Asie et à travers le Pacifique, le journaliste a mis le doigt sur la phase suivante de l'expansionnisme japonais, après l'invasion de la

Chine. Aussi, au début de 1941, peut-il annoncer à Thomason, qui relaie ces révélations, que Tokyo se prépare à lancer une attaque d'envergure contre les États-Unis, et plus spécialement contre la flotte américaine alors au mouillage à Pearl Harbor...

Ernest croit au bien-fondé de son intervention. Il sait qu'un nid d'espions près de la Floride met en danger la sécurité des États-Unis. Sa contribution à la mise en place du contre-espionnage américain ne doit donc pas être négligée, surtout dans un pays où les services de renseignements extérieurs restent alors embryonnaires.

Hemingway transforme le pavillon réservé aux hôtes, qui jouxte la Finca Vigia, en siège de son unité de contre-espionnage, créée en août 1942. Il la baptise *The Crook Factory* (la « boîte » ou l'« usine à escrocs »), et elle rassemblera les renseignements fournis par les nombreuses relations qu'il entretient sur l'île depuis des années : garçons de café, pêcheurs, etc.

L'initiative d'un amateur, même célèbre, pourrait faire sourire. D'autant que Papa aura, face à lui, des professionnels déterminés, parfois prêts à tuer. Ce n'est pas un jeu. Hemingway peut bien se coiffer de sa casquette de chasseur ou de son béret basque de la guerre d'Espagne, il n'affronte pas là des animaux sauvages, mais des hommes sans romantisme.

Spruille Braden, l'ambassadeur des États-Unis à Cuba, lui donne pourtant le feu vert, et délègue auprès d'Ernest l'un de ses assistants, Robert Joyce, qui assurera la liaison. Il peut ainsi avoir un œil sur Hemingway et ses équipiers, à savoir six permanents et vingt « agents », recrutés parmi les réfugiés loyalistes qui ont fui l'Espagne après la victoire de Franco. Ernest charge aussitôt certains d'entre eux de surveiller les profranquistes qui, à Cuba, fricotent avec les représentants de l'Axe. Pour preuve de son intérêt dans la mise en place de ce réseau, Braden donne à Hemingway mille dollars par mois pour payer les hommes, et il met à sa disposition de l'essence, un bien précieux.

L'ambassadeur peut rapidement se féliciter d'avoir encouragé l'initiative d'Hemingway. Il estimera d'ailleurs plus tard, en dressant le bilan de la Crook Factory, que l'écrivain « a monté une excellente organisation et a accompli un boulot de tout premier ordre » [1].

Les historiens ne partagent pas tous cet avis qui vient d'un ami d'Hemingway. Mais si l'organisation n'obtient pas de résultats spectaculaires, on peut considérer qu'elle handicape sérieusement les Phalangistes espagnols, qui se savent observés et ne peuvent donc agir à leur guise. Washington semble accorder un peu de sérieux à cette entreprise, puisque, pour assister Hemingway, les Américains envoient à Cuba Gustavo Duran, un héros de la guerre d'Espagne, ancien commandant des loyalistes à Valence.

Mais tout le monde n'apprécie pas Hemingway, au FBI. À commencer par son tout-puissant patron, J. Edgar Hoover, qui reçoit des rapports de Raymond Leddy, son agent de liaison avec l'ambassade américaine à La Havane. Le Bureau s'efforce de discréditer les renseignements transmis par Hemingway à Braden, puis il répand la rumeur qu'Ernest est communiste, comme Duran.

La Crook Factory, pratiquement torpillée dès le départ par les manœuvres en coulisse chères aux agences de renseignements, cesse ses opérations en avril 1943, remplacée sur le terrain par des agents américains professionnels.

Interdit d'espionnage, Ernie n'interrompt pas pour autant ses activités de volontaire au service de son pays. Il décide d'intensifier la traque aux sous-marins ennemis qu'il mène parallèlement à ses actions de renseignements. Il a armé son propre cabin-cruiser, *Pilar*, l'a doté de mitrailleuses, grenades et bazookas. Ses expéditions paraissent déboucher sur de maigres résultats, mais, en deux circonstances, il affirme à l'attaché naval en poste à l'ambassade à La Havane avoir repéré un sous-marin allemand. Le FBI se hâte de vérifier l'information et conclut pourtant à des « résultats négatifs ».

Hoover saute sur l'occasion du pseudo-submersible pour avertir Leddy : « Toutes les informations que vous recueillerez sur le manque de fiabilité d'Ernest Hemingway peuvent être discrètement communiquées à l'ambassadeur Braden. »[2] Dans un autre courrier, le directeur du FBI exprime ses doutes concernant Hemingway et précise que « si sa sobriété est la même qu'il y a quelques années, on peut à juste raison s'interroger ».

On ne saurait dire que l'entente règne entre Ernest et les seize agents spéciaux du FBI en poste à La Havane ! En fait, Ernie n'aime pas ces hommes. Il les surnomme la « cavalerie de fer » de Franco. Et les agents le lui rendent bien, ne se gênant pas pour afficher ouvertement leur mépris à l'égard du travail bâclé de cet écrivain que l'on suspecte, d'ailleurs sans preuve, de sympathies communistes.

C'est en tout cas à cette époque qu'Hemingway reçoit des appels du pied des services secrets soviétiques. Il se dit que lui-même leur aurait offert ses services. Manipulation ou simples rumeurs ?

Hemmy ne baisse pas facilement les bras et, pendant deux ans, parfois en compagnie de son fils Patrick, poursuit ses « expéditions guerrières » dans le golfe du Mexique à la recherche de sous-marins fantômes. Le père et le fils y vivent une belle complicité. Un soir où le jeune homme s'extasiait d'un coucher de soleil, « Qu'y a-t-il de plus beau ? », Papa lui répondit : « Le bar de la Closerie des Lilas ! »

Il apparaît que les sorties en mer, accomplies essentiellement entre 1942 et 1944, servent aussi de prétexte à des beuveries mémorables, et à des parties de pêche auxquelles se mêlent plusieurs embarcations amies réquisitionnées par Papa. Si bien que la « puissante armada » d'Hemingway est rebaptisée ironiquement *Papa's Crook Factory*, « l'arnaque de

Papa Hemingway ». Des volontaires embarquent cependant, parmi lesquels le milliardaire Winston Guest.

La chasse au sous-marin aurait pourtant pu se révéler terriblement dangereuse, davantage que celle des espadons, des marlins, des requins ; surtout quand on connaît la méthode que Papa avait mise au point : attirer l'attention des submersibles avec son *Pilar* – car il estimait représenter une cible ou une proie de choix –, les amener ainsi à faire surface, et dès que l'U-Boot aurait émergé, son cabin-cruiser se serait métamorphosé en navire de guerre de poche, l'équipage arrosant tourelle et écoutilles de l'ennemi à la grenade et au bazooka...

On imagine que l'idée ne reçoit pas l'adhésion du colonel Thomason – ce qui lui vaut le surnom de « Thomason l'incrédule » –, ni celle de Martha qui, comme la plupart des sceptiques, ne voit là pour Hemmy que des prétextes pour prendre du bon temps avec ses copains, et profiter de son ravitaillement en carburant pour aller pêcher.

Martha constate en outre que son époux néglige son hygiène. Il demeure des semaines sans changer de vêtements ni prendre de bain. C'est aussi à cette époque qu'il décide de se laisser pousser la barbe, officiellement pour se prémunir d'un cancer de la peau. La jeune femme sent finalement sa patience s'émousser quand une faune bizarre et disparate prend ses quartiers à la Finca Vigia. Sans parler des chats, qui y prolifèrent, parce qu'Hemingway les entretient maintenant par dizaines.

Ernest balaie ses protestations : la maison est assez grande pour que l'on ne s'aperçoive pas du nombre de matous qu'elle abrite, sauf à l'heure des repas, bien sûr, quand une véritable colonie se précipite vers les gamelles. Chacun a son propre nom. Il y a Tester, « une merveille de chat », une persane gris fumée de la Silver Dawn Cattery, en Floride ; Dillinger, un chat noir et blanc originaire de Cojimar, un village de pêcheurs ; et Bates, Pony, Friendless, qui saura vite partager le lait et les boissons à base de whisky de son maître ; Boissy d'Anglas, le frère de Friendless, qui apparaîtra sous le nom d'Aka Boise dans *Islands in the Stream* (*Îles à la dérive*) ; sans oublier Goodwill, ainsi nommé en hommage à Nelson Rockfeller.

Cette sympathique population féline coexiste pacifiquement avec cinq chiens. Mais « ça ne remplace pas une épouse et une famille »[3]. Même une épouse qui ne dissimule plus son exaspération...

De tendu, le climat devient explosif à la Finca Vigia quand Ernest, de retour d'une expédition, découvre avec horreur que Martha a fait stériliser ses chats, afin de mettre un terme aux relations incestueuses et à la naissance de chatons malformés ou aveugles.

Pour éviter une cohabitation délicate, Mrs Hemingway repart en août et septembre 1942 en reportage pour *Collier's*, justement pour évaluer les effets des activités des sous-marins allemands dans les Caraïbes, et en particulier à Puerto Rico, Haïti et Antigua. L'exercice n'est pas sans risque, car Martha va circuler à bord d'un sloop d'une dizaine de mètres avec trois hommes d'équipage. « Je crois avoir compris, déclare Hemingway à Maxwell Perkins sur un ton désobligeant, que si elle se perd en mer, *Collier's* paiera le double son dernier article. Je compte aussi qu'ils me demanderont d'écrire un hommage à leur intrépide correspondante. »[4] Hemmy multiplie d'ailleurs les remarques désagréables de ce type chaque fois que Martha, bien décidée à poursuivre son métier, quittera leur demeure cubaine. Et son irritation culmine quand, à la fin de 1943 et au début de 1944, sa femme s'embarque pour un voyage périlleux qui, d'Angleterre, la mène en Afrique du Nord et en Italie.

Plus tard, quand ils feront le point sur un mariage mal en point, Hemingway admettra qu'il voulait trouver sa femme au lit le soir, et non aux antipodes à courir l'aventure. Martha lui rappellera qu'elle l'avait prévenu : elle ne renoncerait jamais à son métier de reporter. Elle aurait d'ailleurs eu tort d'y mettre un frein, car sa carrière prend belle tournure.

Comme Martha n'aime pas se faire dicter sa conduite, elle sait également remettre Ernest à sa place, ce qui donne lieu à des scènes de ménage dont le malheureux Gregory conservera longtemps l'écho. Ainsi, un jour qu'elle rentre de reportage, cette femme au caractère trempé – il en faut avec Hemmy – l'affronte avec une rare témérité, lui demandant de sortir de son univers onirique, de modérer ses excès de boisson et de travailler à ses textes. Hemingway réagit avec violence et hurle : « Tu vas voir, espère de garce prétentieuse. On lira ce que j'ai écrit longtemps après que les vers t'auront bouffée ! »[5]

Hemingway ronge en fait son frein. Il ne vit plus son rêve de chasseur d'espions sous les tropiques depuis que les agents du FBI l'ont évincé, et le capitaine courage qu'il voudrait être sur les mers chaudes doit se rendre à l'évidence : il se ridiculise sans rien ajouter à sa légende.

Martha lui fournit alors elle-même une chance de rebondir. De passage à Washington alors qu'elle revenait d'Europe, elle a appris de Roald Dahl, adjoint à l'attaché de l'Air à l'ambassade de Grande-Bretagne, que la Royal Air Force aimerait beaucoup que ses activités soient présentées aux lecteurs américains par quelqu'un de l'envergure d'Hemingway. Il obtiendrait toutes les facilités pour traverser l'Atlantique, ainsi que pour travailler à Londres. Lorsque sa femme lui transmet cette proposition, malgré les insultes dont il l'a abreuvée, Ernest se range à son conseil : il tient là matière à écriture, et surtout le moyen de s'extraire de l'impasse où il piétine depuis trop longtemps.

Il offre donc ses services à *Collier's*, alors que le ministère américain de la Guerre n'autorise qu'un seul reporter par journal. Or, Martha *est* ce reporter pour son journal ! Mais la direction du magazine ne fait aucune difficulté à Hemmy, qui bénéficie sans tarder d'une place prioritaire sur les transports au-dessus de l'Atlantique. De nouveau en lice, son assurance retrouvée, il se montre parfaitement goujat avec Martha, et n'hésite pas à entraver encore un peu plus son travail : apprenant qu'il embarque sur un vol de la RAF pour l'Europe, elle souhaite qu'il intercède en sa faveur auprès des Britanniques pour qu'elle puisse embarquer avec lui, puisqu'elle n'a plus d'accréditation... Il réplique alors froidement qu'il s'agit d'un voyage exclusivement masculin. Et Martha devra patienter deux longues semaines, déployer des trésors d'ingéniosité, pour contourner les barrages administratifs avant de monter à bord d'un cargo. Elle découvrira alors que son mari lui a menti : deux femmes, Gertrude Lawrence et Beatrice Lillie, ont été acceptées dans son avion...[6]

Lorsqu'elle arrive enfin à Liverpool, le 28 mai 1944, elle apprend qu'Ernest, qui a atterri en Angleterre dix jours plus tôt, a été blessé dans un accident de la route, et qu'il se trouve entre la vie et la mort à l'hôpital. Ce n'est pas ce qui lui saute aux yeux quand elle pénètre dans sa chambre : il est entouré de nombreux visiteurs, comme autrefois à Milan, certes allongé, mais parmi les bouteilles de champagne et de whisky. Vides. Or les médecins lui ont imposé un repos total et interdit la moindre goutte d'alcool.

En fait, il mène la grande vie depuis son arrivée à Londres. Il a pris ses quartiers au Dorchester Hotel, un établissement de très belle tenue. Il renoue avec ses vieux copains, à commencer par Robert Capa, toujours chez *Life*, et Lewis Galantière, qui a quitté la France en 1939. Il a même retrouvé son frère Leicester, qui travaille au sein d'une équipe de tournage de documentaires. Il a certes commencé à travailler pour la RAF, interrogeant les équipages sur leurs raids nocturnes au-dessus de l'Allemagne, avec l'intention d'en extraire la substance d'un bon papier, mais il a aussi débarqué en terre anglaise avec ses vieux démons. Il ne perd pas de temps pour mener ses propres raids nocturnes sur les lieux de plaisirs londoniens, où il ne se prive pas de muscler son bras droit en levant souvent son verre, en bonne compagnie...

Ce soir-là, il a donc rejoint Capa dans son penthouse de Belgravia. Et au retour, dans les rues de Londres plongées dans l'obscurité, sa voiture percute un camion-citerne des pompiers. Le conducteur, un médecin, et son épouse sont blessés ; Papa s'en sort avec des contusions et une plaie profonde dans le cuir chevelu, qui nécessite cinquante-sept agrafes.

Comme à Martha, on annonce le pire à John Hemingway, alors en Afrique du Nord. Son père serait mort. Un démenti arrivera fort heureusement, le lendemain. Et si Hemmy espérait de la compassion de la part de sa femme, il en sera pour ses frais ! Martha explose. Elle lui crache au visage qu'elle en a assez de lui, de son gigantesque ego et de son incapacité à se conduire en adulte. Elle décide de faire chambre à part et, dès cet instant, se considère séparée de son mari. Lui ne semble guère affecté par cette nouvelle rupture. Il faut dire qu'il a fait, dès sa première semaine à Londres, la connaissance de Mary Welsh Monks, une femme mariée qui dînait avec son amant au White Tower Restaurant.

Un regard a suffi. Sans paraître le moins du monde embarrassé de s'immiscer de la sorte, Hemmy s'est installé à la table du couple, ce qui n'a pas non plus semblé perturber la jeune femme. Ils se sont lancés dans une conversation animée, devant l'amant, pour une fois dindon de la farce. Il s'agissait d'Irwin Shaw, un scénariste américain.[7]

Mary est journaliste au *Time*. Elle a d'abord épousé un étudiant en art dramatique, dont elle s'est vite séparée, avant de partir pour Chicago où elle rejoint la rédaction du *Chicago Daily News*, dont elle tient la rubrique féminine. Mais cette position ne lui convient pas, ou en tout cas ne correspond pas à son ambition, ni à sa conception du vrai journalisme – aller là où ça bouge. Lors de vacances en Europe, elle fait le siège de lord Beaverbrook, le magnat britannique de la presse, sensible au charme des jeunes et jolies femmes. Elle sait sans doute trouver les mots qu'il faut et décroche un poste au *Daily Express* à Londres, qui l'envoie à Paris pendant la drôle de guerre. Et si elle doit précipitamment quitter la capitale quand les troupes allemandes y font leur entrée, au moins possède-t-elle de solides notions de français, qui ne tarderont pas à lui être utiles. Rentrée à Londres, Mary couvre les conférences de presse de Churchill et rencontre alors un confrère australien, Noel Monks, qu'elle épouse en secondes noces – et qu'elle ne voit guère, à cause de leurs occupations réciproques. Ces absences expliquent sa liaison avec Shaw, un homme qui commence à se faire une place au soleil à Hollywood. Il vient en effet de connaître deux succès avec ses scénarios, dont *The Talk of the Town* (*La Justice des hommes*), en 1942, un film de George Stevens, plusieurs fois cité aux oscars, avec Cary Grant et Jean Arthur. Et c'est alors que survient Hemingway ! Mary accepte immédiatement son invitation à dîner : après tout, n'est-il pas l'un des écrivains les plus célèbres au monde ? Une aubaine pour une journaliste !

Mary donnera aussi sa propre version – quelque peu différente – des débuts de leur liaison. Il y aurait eu plusieurs rendez-vous avant qu'Ernest Hemingway ne lui déclare sa flamme. Mais quand il le fit, ce fut d'une manière grandiose : « Je ne te connais pas, Mary, lui aurait-il dit, mais je veux t'épouser ! » Il sait pourtant pertinemment qu'ils sont tous deux déjà engagés. Il sait surtout que son mariage à lui est désormais compromis. Quant à Mary, elle n'a connu avec Noel Monks qu'une vie conjugale en pointillés, et encore.

Et puis, c'est la guerre. Les risques, il en a pris. Il ne compte plus les accidents, les os brisés, les plaies et les bosses. Il joue à cache-cache avec la mort, et semble s'en amuser...

Toutefois, à l'approche du jour J, les autorités jugent Hemingway trop précieux pour le laisser débarquer, tandis que Mary réussit à s'embarquer sur un navire-hôpital et à rallier ainsi la France.

Quand l'ordre tant attendu d'embarquer arrive enfin, des dizaines de milliers d'hommes ont répété ce moment depuis des semaines, des mois. Dans le ciel obscur, des centaines d'avions volent vers la France. Le doute n'est plus permis, et un frémissement d'impatience parcourt le flot des combattants entassés à bord des milliers de navires.

C'est le jour J. Enfin !

À la sixième heure, le sixième jour du sixième mois de l'année 1944, un mardi, commence l'une des opérations militaires les plus importantes de tous les temps. Elle marque le début de la libération de l'Europe. La première journée restera dans les mémoires sous le nom de « Jour le plus long ».

Ernest Hemingway en est l'un des témoins.

45

UN JOUR BIEN LONG

(6 juin 1944)

« Le degré de fidélité à la réalité doit être
si élevé que ce que l'écrivain
invente à partir de ce qu'il connaît
doit former un récit plus vrai
que ne le seraient les faits exacts. »

Ernest Hemingway

La mer est rouge.

À quelques centaines de mètres de la barge où se tient
Hemmy, contraint de rester en retrait, Omaha Beach disparaît
sous les cadavres dans un bourdonnement. Une sorte de pesan-
teur renforcée par le brouillard presse l'air, dans les poumons et
contre les tympans. Comment y croire ? Tout cela n'appartient
pas à la réalité. Des bras, des jambes, des viscères, des têtes
jonchent la plage. À quoi pensent les pauvres héros qui, en
quelques secondes, changent de monde ? Un être sensé ne peut
pas croire qu'il débarque en Normandie. Ici, c'est l'enfer.

Si les navires et les bombardiers ont réussi à démanteler une
partie de la défense allemande sur les différents points du débarquement, l'efficacité a été très relative à Omaha, où très peu des
treize mille bombes larguées par les trois cent vingt-neuf bombardiers ont trouvé leur cible. Les Allemands n'ont donc pas
trop souffert.

À bord de boîtes de ferraille, les jeunes soldats au lourd paquetage sont entassés, silencieux, unis par la même sourde angoisse, chacun étant convaincu qu'il s'en sortira. Certains, surtout ceux de la première vague de 6 h 15, à peine descendus de la péniche, trébuchent sur les camarades. Ils échangeaient il y a quelques heures encore des regards ; les premiers ont été cisaillés par les rafales. « Ils vont nous massacrer ici, allons mourir ailleurs ! » C'est un colonel qui a parlé[1]. Si l'on meurt sur place, on gêne les camarades qui poussent derrière. Il faut avancer, parmi les obus qui explosent, au milieu du feu nourri des mitrailleuses, et l'hécatombe se poursuit à mesure que les barges déversent les vagues humaines sur Omaha. Les tireurs allemands n'ont même pas besoin d'ajuster leur tir : ils visent dans le tas. Le 352e bataillon d'infanterie allemand, transféré de Stalingrad, inflige au 5e corps américain des pertes terribles. La 29e division d'infanterie notamment, dont les trois premières vagues sont littéralement clouées sur place, est à ce point laminées que le général Bradley – le commandant de la première armée américaine, alors en mer à bord de l'*USS Augusta* – envisage un temps d'ordonner la retraite.

Hemingway a embarqué sur l'*Empire Anvil*, et il a pris la mesure de l'extraordinaire événement auquel il participe, ne serait-ce qu'à la vue des centaines de navires qui, avec le sien, forment l'armada libératrice qui cingle vers la France. Du débarquement lui-même, il n'a qu'une vision limitée. Il connaît les noms de code qui ont été donnés aux plages normandes désignées comme premier objectif : Sword, Juno, Gold, Omaha et Utah. Il sait aussi que le secteur étroit qu'il essaie d'entrevoir a été baptisé Fox Green, et qu'il se situe sur le flanc gauche d'Omaha. S'il distingue mal ce qui s'y passe, il entend parfaitement le vacarme des salves qui pilonnent les énormes bunkers du fameux mur de l'Atlantique.

Malgré ses genoux enflés et son crâne douloureux – un petit souvenir de l'accident de voiture –, il descend une échelle de corde jusqu'à la barge qui danse le long de la coque du navire.

On l'amène à une péniche de débarquement. Il ne discerne presque plus rien, sinon des centaines de barges qui tracent péniblement leur route vers la plage sur une houle mauvaise. Secoués, mouillés par des paquets de mer verdâtres et une effroyable écume blanche, leurs armes et leurs munitions trempées, les hommes se réfugient dans la prière ou dans les souvenirs.

Et bientôt, la bagarre fait rage, inégale au départ : les Allemands embusqués abattent les arrivants avant même qu'ils ne touchent le rivage. Au large, Hemingway assiste, les dents serrées, à ce jeu de massacre. Puis des hommes se relèvent comme par miracle et tentent de progresser. Certes, les actes de bravoure ne manquent pas, mais les survivants diront qu'ils n'avaient alors qu'une seule préoccupation : sauver leur peau et se *tirer* de là le plus vite possible ! Grâce à ses jumelles de campagne, Ernest localise et identifie l'église de Colleville. Mais le barreur, un lieutenant, craint que le secteur où ils sont en train de naviguer soit truffé de mines, et que la plage vers laquelle ils se dirigent ne soit en fait pas Fox Green ! Lorsqu'ils arrivent finalement près du rivage, les cinq vagues d'assaut précédentes ont été pratiquement anéanties. Les mitrailleuses allemandes les prennent pour cible. Le lieutenant fait demi-tour et ramène la péniche au large. Ce matin-là, dix péniches au moins ont été détruites avant même de toucher la plage.

Puis les destroyers de la Navy font parler les canons et réduisent partiellement la menace allemande. La barge peut déposer ses hommes, et repartir vers le navire, qu'Hemmy regagne par l'inévitable échelle de corde. Sans avoir vécu de plein fouet les premières minutes épouvantables du débarquement, il en a suffisamment vu et entendu. Une fois encore, il s'est mis en danger. Personne ne pourra douter de son courage. Mais comme souvent, il aime cultiver l'ambiguïté. Et longtemps, il laissera planer le doute sur sa présence à terre au milieu des martyrs, à l'aube du 6 juin 1944.

En raison du danger et de l'incertitude de l'opération, très peu de correspondants de guerre ont reçu l'autorisation de débarquer. Robert Capa est de ceux-là. Il plonge parmi les premiers dans la boucherie, armé de ses seuls appareils photos. Vers trois heures du matin, il est arrivé non loin des côtes normandes à bord du navire transportant la compagnie qui doit s'emparer de Colleville-sur-Mer.

Le photographe protège comme il le peut ses deux Contax avec du plastique. Vers cinq heures, il descend de la rampe de la péniche de débarquement qui l'a emmené vers la plage. Il se retrouve dans l'eau jusqu'à la taille et nage vaille que vaille jusqu'à la rive avec son matériel. Les balles trouent la mer autour de lui.

Allongé à l'abri aléatoire d'un obstacle antichar, dans des conditions extrêmes, sous un feu nourri, Capa réalise soixante-douze prises de vue. Il veut absolument les faire parvenir au plus vite à *Life*, et réussit à regagner une barge. Il voudrait recharger son appareil, mais soudain, l'épuisement le submerge, et ce n'est pas le moment ni le lieu où s'éterniser. L'Histoire se prend sur l'instant, pas la seconde suivante. Tous les photographes le savent.

Il arrive le soir même à Portsmouth et expédie d'urgence ses rouleaux à Londres. Ils sont attendus avec impatience, car les seules images parvenues au journal sont sans grand intérêt. Les précieux films de Capa n'arrivent dans la capitale britannique qu'à vingt et une heures le lendemain – trop tard pour le bouclage. Là, un jeune assistant commet une erreur dans le séchage... qui entraîne la destruction de soixante et une photos, et n'en laisse que onze exploitables ! Dans le texte qui accompagne les clichés lors de leur parution, les responsables de *Life* se croient obligés de préciser, comme pour ajouter à l'intensité dramatique des événements : « En raison de l'extrême tension du moment, Capa a bougé, d'où le flou des photos. »

C'est vraiment mal connaître Capa. Il n'est pas pour rien l'ami de Papa...

46

BRAVOURE OU INCONSCIENCE

(juin-août 1944)

> « Ce gars-là m'a sidéré au combat.
> À peine sorti de la bagarre,
> il voulait y retourner
> "pour voir", comme il disait.
> Nous, on souhaitait surtout rentrer. »
>
> Un pilote de la RAF

Comme la majorité des correspondants de guerre, Hemingway regagne les côtes anglaises, puis Londres, tard dans la soirée du 6 juin. Il n'oublie pas l'ordre de mission pour l'Angleterre : une bonne histoire sur les affrontements dans le ciel entre la RAF et la Luftwaffe. Il rencontre des pilotes britanniques et arrive à leur soutirer quelques informations sur le Tempest, un appareil capable d'intercepter les V-1, l'arme secrète que les nazis lancent sur Londres. Et le 15 juin 1944, il est au mess des officiers du 98ᵉ escadron, sur la base de Dunsford, dans le Devon, quand une de ces bombes volantes s'abat à la périphérie du terrain. Hemmy collecte quelques morceaux de l'engin, ce qui provoque un incident avec les autorités : ces pièces relèvent de la sécurité nationale.

Quelques jours plus tard, il participe avec le 98e escadron à une mission de bombardement du site de lancement de V-1 installé à Drancourt, en France. Huit groupes de six bombardiers Mitchell B-25 volent au-dessus de la cible, suffisamment bas pour qu'Ernie puisse voir l'épave d'un appareil touché lors d'un précédent raid. Les tirs de la DCA commencent alors à encadrer les bimoteurs, notamment celui où Hemingway a pris place. Les avions larguent leurs charges mortelles de cinq cents livres, qu'Ernest voit tomber à partir du B-25 voisin et filer vers le sol comme « huit chatons de métal pressés d'atteindre leur gamelle »[1]. Au pilote, qui s'efforce maintenant de mettre de la distance entre leur groupe et l'objectif, il demande d'y retourner, pour constater les dégâts causés ! C'est hors de question. L'un des B-25 de la formation ne rentrera d'ailleurs pas ce jour-là…

Le 29 juin, Ernest reprend l'air, cette fois à bord d'un chasseur-bombardier biplace De Havilland DH.98 Mosquito Type-VI, l'un des appareils les plus redoutables et les plus efficaces de la guerre, mais un avion sans blindage susceptible de garantir la survie de son équipage. Il effectue d'abord un vol d'entraînement, avec le Group Captain Peter Barnes aux commandes. Ce dernier n'est pas peu fier de présenter sa monture au célèbre Papa, et il égrène ses exploits. Le vol d'essai se déroule sans problème, et Hem prend la mesure de la nervosité du bimoteur.

Dans la soirée, les deux hommes partent réaliser une patrouille côtière. C'est alors que plusieurs V-1 piquent sur Portsmouth. Le chasseur se réveille aussitôt en Hemingway. Il presse son pilote d'attaquer. Barnes ne l'a pas attendu, il ouvre les gaz, et fond littéralement sur les bombes volantes qui filent en contrebas. Hélas, il ne dispose pas du temps nécessaire pour se positionner derrière l'une d'elles, tout va très vite, et il se retrouve au beau milieu de la défense anti-aérienne de Portsmouth, qui ouvre un feu intense sur les missiles et risque de toucher l'appareil. Le Group Captain lâche une courte rafale de ses canons, et se dégage en catastrophe pour éviter la DCA. Barnes est censé tenir son passager hors d'un pareil danger, mais Ernest en redemande : il veut retourner dans la pétaudière.

Malgré les consignes, Barnes ne se le fait pas dire deux fois et se place derrière un autre avion ennemi. Là, ils sont au cœur de l'action : ça secoue, ça explose de partout, et des fleurs rouges et sombres s'épanouissent sans cesse autour d'eux. Après avoir tiré deux courtes rafales sur le V-1, ils débouchent en plein centre du dispositif de la DCA, dans un ciel en folie que balaient les faisceaux des projecteurs. Par miracle, ils se sortent une nouvelle fois du guêpier.

De retour à la base, Ernest et son pilote se lancent dans une conversation animée sur les nuances qui distinguent l'état de stress accumulé de la tension liée à l'action immédiate, ou le courage de la bravoure. Après quatre ans de guerre, Barnes, fort de son expérience en première ligne, peut en parler savamment. Aussi, quand Ernest assimile à de la lâcheté l'épuisement consécutif au combat, Barnes lui dit qu'il a encore beaucoup à apprendre… Hemingway se tait, ce qui est rare. Barnes s'est exprimé calmement, comme s'il énonçait une vérité.

Et si Ernest faisait fausse route avec ses jugements péremptoires sur le comportement des autres ?

Si l'on excepte les écrivains-pilotes de guerre qui ont participé activement à la grande bagarre, comme Romain Gary et Saint-Exupéry, peu de correspondants ont été ainsi propulsés dans les ciels de feu. Ce baptême de l'air très singulier semble avoir transformé Papa. Il adopte alors une attitude d'humilité à l'égard des aviateurs, et note consciencieusement les réponses qu'ils apportent à ses questions. Tous ceux qui le côtoient à ce moment se demandent bien pourquoi un homme si connu court autant de risques avec eux, là-haut.

La réponse est complexe. Sans doute Hemingway se sent-il l'âme d'un guerrier, depuis toujours. Par ailleurs, s'il doit mourir, au moins que cette mort soit honorable. Mais flotte aussi en lui cette dépression latente, qui le rend indifférent à la mort.

La première semaine de juillet 1944, Ernest rase sa barbe et ne conserve que sa moustache. Cet acte banal en soi souligne tout de même une volonté de changement. Sur son crâne partiellement rasé à cause de la blessure, les cheveux repoussent.

C'est un Hemingway différent qui monte à bord de l'avion de liaison qui l'amène à Cherbourg, où il retrouve ses amis Robert Capa, Bill Walton de *Time-Life* et Charles Collingwood de CBS. Pendant une semaine, sous la pluie, le petit groupe de correspondants visite les villages libérés et le château de Tocqueville, où a été rédigé *De la démocratie en Amérique*. Avant de le quitter, Ernest et Collingwood gravent discrètement leurs initiales dans la pierre d'un montant, près de l'entrée principale.

De nouveau à Londres, toujours pour la RAF, Ernest reçoit bientôt son affectation à la IIIe armée du général Patton, en cours de regroupement à Néhou, en Basse-Normandie. Les troupes alliées mènent alors de furieux combats contre les Allemands, et il faut donc percer sans attendre cette résistance nazie qui bloque leur progression. Patton et ses chars sont tenus en réserve quand Ernest arrive, le 18 juillet, et il revient à Omar Bradley de mener la vie dure aux Allemands à Saint-Lô. Hemingway y est transféré le 24, en pleine offensive. L'après-midi même et le lendemain, il assiste à une bavure monumentale commise par les bombardiers lourds anglais, dont le tapis de bombes se déploie par erreur sur les positions américaines. Cent trente-six soldats sont tués, et plus de cinq cents blessés !

Quatre jours plus tard, Hemmy intègre le 22e régiment d'infanterie dont le commandant, le colonel Charles « Buck » Lanham, va devenir l'un de ses meilleurs amis. Trop occupé à faire la guerre, Lanham laisse la bride sur le cou à Hemmy, qui peut ainsi jouer au journaliste – ce qui est son rôle –, au soldat – ce qui l'est moins –, et à l'agent de renseignements – ce qu'il adore. Comme il dispose d'une Jeep bourrée d'armes et de munitions conduite par un certain Archie « Red » Pelkey, jumelles de campagne autour du cou, il décide de se lancer dans sa libération très personnelle de la France !

Au cours de ses pérégrinations, il récupère un side-car allemand et une Mercedes d'état-major, qu'il fait repeindre aussitôt en vert olive. Puis il libère un château, et soulage sa cave à vins, dont il partage les grands crus – notamment des château-lafite 1915 et des châteauneuf-du-pape 1929 – avec les autres correspondants, le soir, au retour de ses missions qu'il prend très au sérieux.

Ici, en Normandie, il retrouve l'excitation de la guerre d'Espagne ou celle du curieux épisode de la Crook Factory. Il peut surtout mener sa guerre à lui, et ne se prive pas, pour l'occasion, d'oublier sa casquette de correspondant. Ainsi, avec Pelkey, il réussit à capturer six soldats ennemis (ce que confirme l'agence Reuters le 3 août). Le même jour, alors que la 4ᵉ division se heurte à une rude résistance allemande à Villedieu-les-Poêles, près de la baie du Mont-Saint-Michel, Lanham, qui a un peu oublié Hemmy, le découvre au coin d'une rue, l'air souple comme un chat, nonchalamment appuyé contre un mur comme dans un western, parfaitement dans son élément. Or ça mitraille de partout, et la mort ricane à plus d'une oreille. Ce dont Papa semble se moquer royalement.

La mort vient encore le narguer deux jours plus tard dans les environs de Saint-Pois, quand un canon allemand ouvre le feu sur son side-car. Un obus percute la route à une dizaine de mètres devant lui, alors qu'il roule devant un véhicule où se trouvent Capa, Pelkey et deux soldats. La déflagration envoie Hemmy dans un fossé, et s'il n'est pas blessé, malgré la chute brutale, son crâne déjà mis à mal à Londres le fait souffrir le martyre. Les autres ont été protégés par le virage. Capa voit le side-car vide au milieu de la chaussée, et son ami momentanément à l'abri. Un blindé allemand tire de nouveau en direction du fossé où il est tapi. Dans ces conditions, les minutes semblent des heures. Quand l'engin allemand se retire enfin, Hemingway court rejoindre sa troupe. Capa n'a pas cessé de prendre des photos, même sous les obus...

Hemmy est pourtant furieux : il lui en veut d'être resté là pendant toute la durée de cette séquence interminable, « prêt à prendre la première photographie du célèbre écrivain mort »[2].

Le 6 août, au lendemain de l'attaque du side-car, Hemingway et Bill Walton décident d'une virée au Mont-Saint-Michel, libéré il y a juste cinq jours. Ils se présentent chez la Mère Poulard. La maison leur plaît, Hemmy s'installe, et les reporters John Carlisle et Charles Collingwood le rejoignent. En l'espace de quelques heures, Papa se substitue aux patrons, fait les menus et choisit les vins. L'équipe de John Ford le filme en pleine action : à table ! Pourquoi s'en priver, puisque le célèbre établissement sert de quartier général aux Alliés ? Autant joindre l'utile à l'agréable ! C'est chez lui une habitude...

Comme les généraux Patton et Bradley, comme le maréchal Montgomery, Ernest apprécie la table, qu'il ne quitte d'ailleurs pas pour y raconter les événements auxquels il assiste en direct depuis qu'il a foulé la plage d'Omaha. « Bonne croûte », avait écrit Maurice Chevalier quelques années plus tôt. Hemingway confirme avec son solide appétit. Comme le chanteur, il trouve l'endroit « splendide », le service « bon », et les patrons « charmants ». Sans doute Hemingway remarque-t-il, sur le livre d'or, le chat dessiné par son ami Foujita...

Quand Paris était une fête...

Eh bien justement : à nous deux Paris !

47

L'ÉCRIVAIN À LA MITRAILLETTE

(août 1944)

> « Le crayon ou le fusil,
> mais pas le crayon et le fusil !
> Il faut choisir : journaliste ou combattant. »
>
> Les correspondants de guerre
> à Ernest Hemingway

Claude Monet, Theodore Roosevelt, Georges Clemenceau, Trotski, de Gaulle, Churchill, Lindbergh, des têtes couronnées, des hommes politiques de gauche, de droite et d'ailleurs, des opportunistes, une pléiade de généraux célèbres, sans oublier un éventail complet de milliardaires, Rothschild et Rockefeller en tête, Jean Cocteau et… Ernest Hemingway. Des hommes célèbres issus des horizons les plus divers laissent ainsi leur empreinte chez la Mère Poulard au Mont-Saint-Michel. Pour Hemmy, il s'agit plutôt d'une griffe. On l'aime, ou on le déteste. Avec lui, pas de demi-mesure.

« Il est l'un des hommes les plus heureux que j'aie jamais rencontrés, dira son camarade Carlisle ; un type qui possède le sens de la vie et qui en savoure pleinement chaque minute. » Walton ne s'exprimera pas autrement ; il adore Ernest, « un compagnon merveilleux », sans nier toutefois ses défauts. Mais loin de ces témoignages, d'autres journalistes critiquent sévèrement l'écrivain qui se présente comme étant des leurs. De l'avis de William Randolph Hearst Jr, deuxième des cinq fils du magnat américain de la presse et héritier désigné de l'empire, Ernest Hemingway n'a rien d'un gentleman et n'est qu'un « furoncle mal placé »... Il trouve qu'Ernie recherche trop le devant de la scène et dépasse le cadre journalistique. Il est vrai que l'écrivain s'intègre aisément, attire facilement l'attention et s'adresse familièrement aux officiers dont il parle le langage. Cet homme-là séduit ou énerve. Mais ses confrères lui reprochent surtout de jouer à la guerre.

En réalité, il ne joue pas : il place son expérience au service des officiers qui, comme Lanham, ne la refusent pas. Ses détracteurs ont parfois insisté sur son côté fonceur, taureau. C'est oublier qu'il a couvert plusieurs guerres après avoir été blessé au cours de la Première, que ses longues courses dans les forêts du Michigan ou dans les savanes africaines l'ont familiarisé avec l'orientation. Hemmy sait lire une carte et déterminer sa position par rapport au soleil. Il n'a pas fréquenté pour rien les Indiens. De plus, les armes à feu n'ont pour lui aucun mystère, pas plus que les hommes qui les emploient. Enfin, il ne se contente pas de son instinct inné de chasseur ou de sa désormais longue expérience, il lui arrive, à la Finca Vigia, de se plonger dans la lecture de Sun Tzu, César ou Clausewitz, les théoriciens.

Le bagarreur réfléchit. Et s'adapte. Au Mont-Saint-Michel, il a fait la connaissance d'un officier de l'OSS et compris que, dans son cas, pour avancer plus vite dans sa guerre, il valait mieux mettre de côté les règles habituelles et suivre celles que dictent les circonstances. Par conséquent, le 15 août 1944, avec la bénédiction de l'OSS, il arbore le brassard des FFI (Forces françaises de l'intérieur), qui lui a été remis par un admirateur, lequel a écrit dessus : « À mon ami et libérateur, un Français reconnaissant. »

Les reporters peuvent légitimement s'interroger à son sujet, car il adopte une position ambiguë ; il n'est plus vraiment un journaliste, pas tout à fait un combattant. Il faudrait trancher. Mais sa nouvelle fonction règle en principe la question ; en sa qualité d'agent de liaison non officiel de l'OSS auprès de la Résistance, il ne peut rien écrire sur ses activités.

Cinq jours plus tard, à Chartres, Hemingway retrouve le colonel de l'OSS David Bruce, un vieil ami de l'ambassade américaine à La Havane. Dans l'intervalle, il a combattu, ce qu'affirmeront plusieurs témoins. Entre le 18 et le 20 août, on le voit circuler dans les environs de la ville en cours de libération et gagner Rambouillet, point névralgique qui contrôle une des voies d'accès à Paris, et que tient une poignée de résistants. Lorsque Bruce l'accueille au poste de commandement de la 5ᵉ division, Ernest produit une note manuscrite signée par un major du Renseignement, en vertu de laquelle on doit lui fournir toute arme qu'il jugera utile…

Bruce le rejoint à Rambouillet, pour ainsi dire aux avant-postes, où il peut être susceptible de glaner des informations de première main, car la libération de Paris se prépare maintenant. À l'hôtel du Grand Veneur, Bruce découvre qu'Ernest a transformé deux chambres en arsenal et en centrale de renseignements ! Les informations affluent, parfois contradictoires. Mais les recoupements montrent que les Allemands minent la route à une quinzaine de kilomètres. Bruce prend l'affaire en mains avec une équipe d'une trentaine de volontaires, composée de dix résistants, de quatorze gendarmes et de parachutistes. Le lendemain, Bruce et Hemmy assurent la défense de la ville : avec quelques membres de l'OSS et des résistants, ils prennent position aux croisements stratégiques.

Des nouvelles leur parviennent de Paris, dont la libération semble imminente. La population s'est soulevée, et de violents combats de rue ont lieu, tandis qu'à Rambouillet, Hemmy et Bruce s'impatientent. Rien n'est joué : le 22 août, dix tanks allemands se manifestent, et l'un des résistants est tué. Les Allemands font aussi quinze otages.

Les correspondants de presse se précipitent à Rambouillet, sur les traces du général Leclerc qui, l'après-midi même, s'installe au château. On est à la veille d'un événement : le général commande la colonne blindée, la fameuse 2ᵉ DB, qui va officiellement libérer Paris. Il convoque Bruce et l'interroge sur la situation. Leclerc déçoit Hemingway par sa façon dédaigneuse de prendre comme avec des pincettes les précieuses informations qu'il lui remet. L'officier général le considère même comme un entomologiste observe un insecte avant de passer au suivant. Cette rectitude hautaine de celui qui s'appelle encore Philippe François Marie, comte de Hauteclocque, et qui adoptera définitivement le nom de Leclerc de Hauteclocque l'année suivante, exaspère Ernest, qui ne le traitera plus que de nul ou de zéro... Mais l'heure n'est pas encore aux rancœurs.

Le 24 août au matin, David Bruce et son équipe de l'OSS se joignent à la colonne Leclerc en route pour Paris. À l'approche de Versailles, ils tombent littéralement sur Hemingway et sa petite armée privée qui, avec des chars français, vient d'en découdre avec deux canons allemands. L'aventure continue, et l'Histoire s'en empare. Au soir, trois premiers chars atteignent l'Hôtel de Ville. Le 25 août, la 2ᵉ DB et Leclerc entrent dans Paris sous les acclamations.

Pour Hemingway et sa petite troupe, qui arrivent royalement par l'Étoile et la Concorde, l'affaire n'est pourtant pas achevée, car Bruce veut garder ces hommes sous la main pour des tâches à venir.

Ce vendredi pas comme les autres, Hemmy jaillit d'une Jeep qui vient de piler devant le Ritz et, sous le regard stupéfait du personnel, il s'engouffre dans l'établissement, prêt à faire feu avec sa mitraillette. Il fait beaucoup de bruit. Or les Allemands ont déjà déserté les lieux.

Papa exulte néanmoins et, pour arroser « sa » victoire, il commande un Martini. Avec ses hommes, il prend possession de la chambre 31 et commence une consommation très suivie des bouteilles de champagne dont les caves de l'établissement semblent regorger. Le 26 août, c'est là que le retrouve Mary Welsh, avant même qu'il n'ait eu le temps d'achever la lettre qu'il lui destinait, et dans laquelle il lui demandait de se faire envoyer à Paris par *Time-Life*.

Dans son souvenir, Hemmy associe le Ritz à Fitzgerald. C'est Scott qui l'y a le premier emmené, à l'occasion d'un rendez-vous avec le baron von Blixen. Mais à l'époque, Hemingway n'est guère fortuné, et s'il apprécie le lieu, il ne peut encore l'adopter. Scott, plus aisé, y réunit chaque jour au bar ses anciens condisciples de l'université de Princetown. C'est en tout cas ici, à ce fameux bar où Scott descend allègrement les Martini dry, qu'Hemingway enchaîne les bloody mary, un cocktail, selon la légende Hemingway, spécialement inventé à son intention.

Bertin, le barman du Ritz, avait imaginé une boisson dont le jus de tomate camouflait habilement et utilement la vodka, afin de ne pas éveiller les soupçons de Mary, la quatrième épouse d'Hemingway, à l'affût des écarts alcoolisés de son mari qui la qualifiait de... « *bloody* » Mary. En fait, Ernest confiera en 1947 à un ami qu'il a introduit cette boisson six ans plus tôt à Hong Kong. Il rappelle aussi comment confectionner ce cocktail : « Prendre un carafon de bonne taille, et y mettre un glaçon aussi gros que possible. Mélanger une pinte de bonne vodka russe et une quantité égale de jus de tomate glacé. Ajouter une cuillerée de Worcester Sauce. Agiter. Remuer. Puis ajouter une petite mesure de jus de citron fraîchement pressé. Remuer. Puis ajouter de petites quantités de sel de céleri, de poivre de Cayenne, de poivre noir. Continuer de remuer et goûter. Si le résultat est trop fort, adoucir en ajoutant du jus de tomate. S'il manque d'autorité, ajouter davantage de vodka. Pour combattre une gueule de bois vraiment terrible, augmenter la quantité de

Worcester Sauce. Une fois que l'on a attrapé le coup, on peut préparer cette boisson de telle manière qu'au goût l'on ait l'impression qu'elle ne contient pas une goutte d'alcool. Toute l'astuce consiste à la maintenir très froide... »

Dans un Paris encore étourdi, fier mais traumatisé, l'atmosphère mêle joie et incrédulité. Les vainqueurs sont là et bien là, les Allemands se rendent par fournées, même si certains irréductibles résistent encore par endroits. Les métros ne circulent pas encore, et la plupart des restaurants sont fermés.

À peine le Ritz et sa cave « libérés », Ernest reprend sa reconquête parisienne, qui le mène droit chez Lipp. Le journaliste Jean Diwo rapporte l'anecdote : « M. Cazes vit descendre d'une Jeep un soldat américain taillé en Hercule : "Hello, monsieur Cazes, vous ne me reconnaissez pas ? Je suis Ernest Hemingway. Je meurs de soif !" M. Cazes prend le bidon que lui tendait le célèbre écrivain américain : "Voulez-vous du vin rouge, monsieur Hemingway ?

– Oh ! No... Pas de vin rouge. Cognac." »[1]

Non loin de là, rue de l'Odéon, Ernest espère retrouver Sylvia Beach et Adrienne Monnier. Comme le raconte celle-ci, là encore, il se comporte en libérateur. Nous sommes le 26 août 1944 quand Adrienne, qui habite au quatrième étage, voit des voitures stationnées devant Shakespeare & Company. Dans l'agitation, elle n'y prête pas plus attention que cela. Mais elle entend soudain quelqu'un appeler : « Sylvia ! Sylvia ! » Elle se penche alors par la fenêtre...

« Sylvia descendit les étages quatre à quatre, et ma sœur et moi nous vîmes en bas, comme on voit un saut de carpe, la petite Sylvia soulevée par deux bras michelangesques, ses jambes battant l'air. Je dévalai l'escalier à mon tour. Eh oui, c'était Hemingway, plus géant que jamais, tête nue, en bras de chemise, homme des cavernes au regard fin et studieux derrière de placides lunettes ! [...] Les quatre voitures étaient les siennes, la division Hem, seize hommes en tout, mi-Américains mi-Français, vêtus du même uniforme. »[2] Elle invite la division Hem à fêter la libération de Paris ; mais ils sont fort saouls. Hemingway voudrait surtout savoir si Adrienne a collaboré pendant la guerre, et le cas échéant tirer ses amies du mauvais pas dans lequel elles seraient – et trouver de quoi laver sa chemise...

Un autre *héros* réapparaît, plus tourmenté que jamais : André Malraux. Il est entré tardivement dans la Résistance, en 1943, ce qui rendra suspecte sa motivation aux yeux d'Hemmy. Tombé dans une embuscade à Toulouse, le 22 juillet 1944, il avait été blessé et emprisonné. Libéré depuis peu, grâce au départ précipité des Allemands, il délaisse momentanément son rôle de colonel « Berger », mais pas l'uniforme, pour remonter vers la capitale, où il va passer les derniers jours de ce mois d'août historique.

Il se rend chez Gallimard, heureux d'y retrouver Gaston et Gide, et plus contrarié d'apprendre qu'Hemingway est entré dans Paris avec la 4ᵉ division d'infanterie américaine et qu'il a « libéré » le Ritz. Ce fait d'armes lui arrache un rictus : l'Américain se taille une réputation susceptible de le faire passer au second plan. Il file aussitôt le rejoindre.

Hemingway se trouve dans sa chambre, occupé à nettoyer soigneusement sa mitraillette qu'il a démontée. Il a également ôté ses bottes. Plusieurs hommes l'entourent, des FFI. C'est alors que surgit, théâtral, un homme « en uniforme de colonel, chaussé d'étincelantes bottes de cheval »...

Une joute oratoire s'engage immédiatement. Malraux voudrait bien savoir combien d'hommes son *rival* a commandés. La réponse d'Hemingway est alors d'une modestie surprenante : dix ou douze, dit-il avec une insouciance étudiée. Au plus, deux cents. Le visage de Malraux tressaille, parcouru par un de ses tics. « Moi, dit-il, deux mille ! » Hemingway fixe sur lui un regard glacé et réplique d'un ton impassible :

« Quel dommage que nous n'ayons pas eu votre aide quand nous avons pris cette petite ville de Paris ! »[3]

À la suite de cet échange à fleuret moucheté, un FFI du groupe d'Hemingway fait signe à l'Américain de le suivre dans la salle de bains et l'interroge sur Malraux : « Papa, on peut fusiller ce con ? » Il ne sait pas que ce colonel desservi par son attitude singulière a joué un rôle de premier plan dans l'Histoire immédiate, en Espagne, et plus récemment dans le Périgord où, avec quelques centaines d'hommes, il a aidé à freiner la progression vers le nord de l'épouvantable division *Das Reich*, contribuant ainsi à sauver plusieurs milliers de vies humaines chez les Alliés. C'est encore oublier que le « con » a commandé la Brigade indépendante d'Alsace-Lorraine, effectivement composée d'environ mille huit cents maquisards alsaciens et lorrains.

Cette fois, il n'en a pas rajouté.

48

AGIR ET IMAGINER

(septembre 1944-mars 1945)

> « Ernie oscille dangereusement
> entre l'action et l'écriture.
> Il revendique l'une, sans renoncer à l'autre.
> Et parfois, ça passe mal... »
>
> Bill Horne

Au moins les deux hommes ne manquent-ils pas de courage, chacun à sa manière, car ils retournent sur le front, l'un – Malraux – bien décidé à se battre, l'autre – Hemingway – pour écrire. L'Américain a rejoint Lanham au Pommereuil, dans le Nord, mais revient à Paris et au Ritz pour Mary, le temps d'une escapade amoureuse dans les quartiers des temps dorés d'autrefois – Montparnasse, Saint-Germain, le jardin du Luxembourg. L'espace aussi d'un tendre moment dans la chambre 31 ou dans la chambre 86, un exercice où, selon Hemmy, Mary se montre très créative. Le temps encore de reprendre des forces au cours d'un petit repas mitonné sur un réchaud à gaz... Il a aussi revu avec plaisir ses « vieux amis », dont Picasso, tout en regrettant que le Sélect, la Closerie et le Dôme lui annoncent chaque fois : pas de cognac, pas de whisky, pas de gin. Puis il rejoint Lanham en Belgique, plutôt embarrassé.

Sa participation au combat a en effet fini par agacer ses confrères, qui s'interrogent : dans son cas, la ligne de démarcation est devenue extrêmement ténue, d'autant qu'il s'appelle Hemingway, et qu'il avait déjà échangé sa machine à écrire contre le fusil pendant la guerre d'Espagne.

Certains se demandent s'il ne viole pas la convention de Genève dans son article sur les attributions des correspondants de guerre. Cette question taraude aussi Hemmy, et il ne s'en cache pas à Mary. Le 8 septembre, il lui écrit qu'il espère ne pas avoir « de trop gros ennuis »... Le voilà maintenant accusé par plusieurs reporters d'avoir retourné sa carte de presse pour commander des troupes irrégulières et combattre, notamment entre Rambouillet et Paris.

Il s'en défend : il n'a pas donné d'ordre à des troupes irrégulières, il ne voulait que prodiguer des conseils, il a été pressé de prendre un commandement[1]... Il se garde bien, néanmoins, de dire qu'il a alors refusé de porter le badge des correspondants de guerre, ce qui, en plus de son action de Rambouillet, lui vaut d'être convoqué au SHAEF (État-Major suprême des forces expéditionnaires alliées) à Nancy. Les charges sont lourdes. Elles risquent de lui faire perdre son accréditation. Car non content de s'être battu avec la Résistance, il a mené sa guerre avec son propre poste de commandement illégal, et aurait même contrarié la progression des Alliés vers Paris... Sur ce dernier point, l'accusation doit admettre que les renseignements transmis par Hemmy à Leclerc ont plutôt aidé le futur maréchal de France. Il reste, cependant, que son rôle n'aurait jamais dû dépasser celui de ses attributions de journaliste.

S'il plaide coupable et reconnaît les faits, c'en est fini de son travail de correspondant de guerre, et plus aucun journal ne lui ouvrira ses colonnes. La disgrâce et l'infamie : ce n'est pas pour Hemingway ! Mais mentir, renier ses initiatives et ses actes de courage, cela ne lui correspond pas non plus... Sûr de n'avoir trahi aucun idéal et au contraire d'avoir servi la liberté, certes de manière peu orthodoxe au regard des règlements de la presse, Ernest ment sous serment, et est acquitté. Il peut reprendre sa double casquette, d'autant que le colonel Lanham ne s'en plaint pas, et approuve.

Le 12 septembre, le voici à Hemmeres, en Allemagne, en « territoire indien », précise-t-il à Mary le lendemain, prenant bien soin de faire suivre sa signature de la mention « correspondant de guerre »[2]. Il assiste en première ligne à la percée de la ligne Siegfried, avant d'entrer dans la forêt de Hürtgen avec la 4ᵉ division. Puis il va encore rendre compte de la contre-offensive audacieuse lancée par les Allemands dans les Ardennes.

C'est alors qu'il tue plusieurs hommes. Peut-être l'a-t-il déjà fait en Normandie l'été précédent, alors qu'il avait lancé des grenades dans une cave où des soldats allemands s'étaient réfugiés, mais il s'était alors bien gardé d'aller vérifier le carnage pour le revendiquer.

Cette fois, il reconnaît au moins une exécution sommaire pendant la bataille des Ardennes. « Une fois, j'ai tué un SS très gonflé qui, quand je lui ai dit que j'allais le tuer s'il ne révélait pas quels étaient ses signaux de retraite, m'a dit : "Vous ne me tuerez pas. Parce que vous avez peur de le faire et parce que vous êtes une race de bâtards dégénérés. De plus, c'est contre la convention de Genève." Quelle erreur tu as commise, frangin, lui ai-je dit, et je lui ai tiré trois balles dans le ventre rapidement. Et puis quand il est tombé à genoux, je lui ai tiré une balle dans le crâne, ce qui fait que sa cervelle lui est sortie par la bouche ou je crois par le nez. Le SS suivant que j'ai interrogé a magnifiquement parlé. Clairement et faisant un intelligible exposé de leur situation. »[3]

Il dit aussi avoir toujours aimé lancer un « À présent, partagez-vous ça, bande de pédés ! » au moment de flanquer « une grenade antitank sur de charmants SS qui avaient décidé de ne pas sortir après avoir été dûment sommés de le faire »… Et le 22 novembre, il abat à la mitraillette plusieurs des Allemands qui attaquaient le poste de commandement de Lanham, dans la forêt de Hürtgen.

Cette période périlleuse qui court de juin 1944 à janvier 1945, durant laquelle il est souvent exposé au danger, lui apporte cette sensation d'ivresse extrême qu'il n'a jamais éprouvée même face à un grizzly ou à un buffle, face à un taureau dans l'arène, ou encore confronté à une bande de requins dans le Gulf Stream. Il est sur un territoire sans lois où l'homme chasse l'homme. Il aime la guerre pour ça, et il renie ainsi cette affirmation glissée en 1936 dans *Wings Over Africa* : « Les profiteurs, les généraux, les officiers d'état-major et les prostituées sont les seules personnes à chérir la guerre. »

Lanham ne cachera pas son admiration pour Ernie, ce personnage peu ordinaire qui possède un « cœur de lion » et qui ne connaît pas la peur. Il racontera aussi qu'Hemingway ne se séparait jamais d'une gourde pleine de gin, et d'une autre remplie de vermouth. Ainsi, pendant les accalmies du combat, il sortait des gobelets de métal et proposait un Martini à qui le voulait… la légende Hemingway !

Si, d'après d'autres sources, Hemmy n'emportait pas de vermouth sur les théâtres d'opérations, il passait néanmoins toujours pour brave, et même pour inconscient. Pour preuve, ce jour de septembre 1944, où l'artillerie ennemie pilonne une ferme allemande occupée par Lanham et son état-major.

Chacun plonge à l'abri où il le peut et exhorte Ernest à faire de même, afin d'éviter les éclats. Mais lui, impassible, poursuit tranquillement son repas, apparemment étranger au déluge d'acier qui s'abat autour de lui. À la fin du bombardement, sans se départir de son calme, il développe cette théorie : on n'est pas moins en sécurité ici qu'ailleurs quand on est pris sous le feu de l'artillerie[4] ! Il explique aux soldats stupéfaits qu'il n'y a strictement rien à craindre si l'on entend un obus : celui-ci ne peut vous blesser. Témoin de la scène, l'artiste John Groth dira qu'il ne savait s'il devait ranger Hemingway dans la catégorie des types qui *en ont*, ou dans celle des idiots.

En novembre, Martha annonce à Ernest son intention de divorcer. Elle ne supporte plus la situation, ce secret de Polichinelle qui accompagne l'écrivain depuis Londres et qui alimente les conversations du Ritz. Lui se remet d'une fièvre, elle arrive au quartier général de Lanham, à Rodenburg, à temps pour les fêtes de fin d'année, tandis que la contre-offensive allemande est engagée depuis le 16 décembre dans les Ardennes. Elle vient dans le cadre d'un reportage, et il n'échappe bientôt plus à tous que des étincelles jaillissent chaque fois qu'ils s'adressent la parole.

Un soir, l'alcool aidant, Ernest, armé d'un balai en guise de lance, et une corbeille sur la tête en guise de casque, fait le siège de la chambre de Martha, laquelle l'envoie au diable et le traite d'ivrogne pathétique. Le pauvre Buck Lanham doit gérer deux fronts : d'un côté les Allemands, de l'autre les Hemingway.

Le pire survient quand le colonel les emmène dans une tournée des postes de commandement. Martha est assise à l'arrière ; elle entreprend d'asticoter Hemmy en français. Le colonel jette de temps à autre un œil sur son passager et remarque que son cou s'empourpre de colère. Soudain, une bombe volante V-2 fend le ciel, et Martha s'empresse de prendre des notes. Tout aussi subitement que la fusée nazie a jailli, elle lance avec véhémence : « Souviens-toi, Ernest, l'histoire de ce V-2 est la mienne ! »

Martha et Ernest se reverront une dernière fois, et brièvement, à Londres. Nous sommes en mars 1945, avant le retour d'Hemingway aux États-Unis. Martha est grippée et garde le lit au Dorchester Hotel. Elle se sent pourtant d'humeur plus légère depuis qu'il a accepté le principe du divorce. Quant à Mary, elle reste à Paris où la retiennent ses obligations pour *Time*. Mais elle a promis à son amant de le retrouver à Cuba une fois sa mission achevée.

L'action d'abord.

Ernest la préfère à l'écriture. À l'en croire, action et besoin de se frotter au danger – voire à la mort – sont comme une maîtresse ardente et jamais assouvie. L'écriture, elle, s'apparente à une épouse qui donne parfois des enfants – en l'occurrence des livres.

Hemingway est aspiré dans la spirale de la grande bagarre. Il a pour une fois mis entre parenthèses sa carrière d'écrivain. Mais d'autres vont s'occuper de sculpter sa statue, à commencer par Malcolm Cowley, qu'Ernest respecte comme critique – c'est suffisamment rare pour être évoqué ! –, non sans se priver toutefois de l'égratigner quand ses critiques ne vont pas dans son sens...

Hemingway n'aime pas beaucoup parler en « public » de ses œuvres et de son travail, mais il va accepter de répondre à Cowley, et même, plus tard, en février 1948, de lui accorder toute une série d'entretiens, dans la perspective de la publication d'un grand portrait par *Life*. Mais dès 1944, Cowley a publié un essai *Hemingway*, installant ainsi l'écrivain parmi les classiques. Il le décortique, se glisse derrière son verbe, et va ainsi le rendre accessible aux nouveaux lecteurs, qui émergent dans une Amérique toujours en guerre, mais qui a bien changé depuis l'agression japonaise.

Il révèle également un Hemingway plus profond que les apparences le laissent croire, parce qu'il n'appartient pas seulement à la catégorie des écrivains dits « populaires » : il accède désormais au cénacle des auteurs étudiés à l'université. Cowley a mis le doigt sur un Hemingway plus vrai, plus grand que l'image publicitaire et mondaine qu'il veut donner de lui lorsqu'il se laisse prendre en photo lors de parties de chasse ou en compagnie des vedettes du cinéma. Cowley voit en lui un candidat à la postérité.

À sa façon, Hemingway ne le contredit pas. Il affirme avoir travaillé son style, encore et toujours, depuis qu'il écrit. Il s'en explique lui-même à Charles Scribner, son éditeur. « Pour votre information, lui écrit-il, j'ai débuté en essayant de battre des écrivains morts dont je savais combien ils étaient bons. [...] J'ai commencé par M. Tourgueniev, et ça n'a pas été trop dur. Suis passé à M. Maupassant (refuse de lui concéder la particule), et ça a pris quatre de mes meilleures histoires pour le battre. Il est battu, et s'il était là, il le reconnaîtrait. [...] Quant à Mr Henry James, je me contenterais d'une seule pichenette la première fois qu'il me toucherait, et puis de le frapper là où il n'avait pas de couilles et de demander à l'arbitre d'arrêter le combat. »[5] Il ne peut s'empêcher d'introduire les poings dans le pugilat littéraire qu'il engage contre ses aînés ou ses contemporains. Mais il sait pourtant où se trouvent ses limites : Shakespeare (le « champion ») est indépassable ; il veut bien se mesurer à Cervantès, mais il n'est pas sûr de gagner à tous les coups. Quant à Tolstoï...

Sa conviction reste cependant la même, et son principe s'est affermi : un écrivain invente des histoires, mais seulement à partir de ce qu'il sait. Dix ans auparavant, il affirmait déjà que « plus le romancier apprend par expérience, plus il peut imaginer avec vérité ».

Pour l'heure, l'action et l'expérience se sont complètement substituées à l'écriture. Cette vie lui est plus légère. Écrire, au contraire, fatigue et tourmente. Dans son cas, la cohabitation du bambocheur et de l'écrivain astreint à une sorte d'ascèse demeure une énigme. Il dispose d'une santé de fer, d'une énergie incroyable et d'une chance incontestable, pour à la fois courir le monde dans ses recoins les plus dangereux, et concentrer ensuite sur le papier cette passion vécue. Comment fait-il, en effet, cet homme sans cesse exposé aux feux des projecteurs, à moins de posséder plusieurs vies ou un don d'ubiquité ? Un jour chasseur en Afrique, le lendemain dans une arène à Pampelune, une autre fois pêcheur au gros dans le Gulf Stream, ou tout simplement occupé à battre des records de descente de cocktails dans les bars de La Havane.

Est-ce le même homme qui par ailleurs écrit des nouvelles finement ciselées, des romans au succès planétaire, des articles qui sont autant de leçons d'écriture pour les reporters en titre ?

À l'évidence, l'homme d'action sert l'écrivain.

49

Une seconde jeunesse

(mars 1946-septembre 1947)

> « À chaque instant une vie neuve nous est offerte.
> Aujourd'hui, maintenant, tout de suite,
> c'est notre seule prise. »
>
> Alain

Le retour à Cuba n'a pas été simple. Un ouragan a dévasté la région, et les traces de son passage restent visibles à la Finca Vigia, où les chats accueillent Hemmy comme le Sauveur. Il faut réparer les dégâts et leur donner l'affection dont son absence les a privés depuis trop longtemps. Il n'en manque pas : en août 1949, la maison rassemblera en une coexistence pacifique trente-quatre chats et onze chiens.

Comme Ernie a désormais du temps à profusion, il se lance dans la remise en état de la propriété et embauche du personnel, notamment une certaine Martha, femme de chambre qu'il houspille en permanence. La malheureuse ne fait pas le rapprochement entre son nom et la troisième femme de Papa, et ne comprend pas la raison de ce harcèlement qui ravit Hemingway : « C'est certainement un plaisir que de lui donner des ordres ! »[1]

À l'en croire, Ernest « pète » la santé. « C'est agréable, dit-il, d'avoir l'impression que l'on a vingt-cinq ans et d'avoir

301

sur les épaules une tête qui en a appris un petit peu. »[2] Il voudrait seulement être en assez bonne santé pour vivre encore trente ans, et pour pouvoir écrire, car il jure que « la tête est solide et assez cruelle (essayant toujours d'être bonne), et qu'elle contient une certaine quantité de savoir local ».

Si la tête est solide, le reste ne l'est pas moins pour celui qui se proclame tout à la fois écrivain, chasseur, pêcheur, et qui prétend : « Toute personne mariée à moi mange régulièrement, est baisée quand elle le désire, et mène une vie plutôt intéressante. »[3]

Hemingway n'a jamais péché par modestie.

Divorcée depuis 1945 d'avec Noel Monks, Mary a mis à profit ce délai pour réfléchir, peser le pour et le contre. Et elle hésite. Elle ne peut se dépêtrer d'une réticence persistante, ayant eu à Paris un aperçu de la face la plus sombre d'Ernest, de ses violentes colères, de sa grossièreté d'ivrogne. Elle conserve en mémoire quelques souvenirs cuisants, dont l'irruption, dans sa salle de bains, au Ritz, de soldats ivres. Lorsque la jeune femme a eu l'impudence de traiter ces *héros* de poivrots et de goujats, Hemingway l'a giflée.

Pourtant, avec quelques concessions, la vie auprès de cet homme singulier promet d'être passionnante. Elle apprécie Hemingway malgré ses défauts et ses excès, et aussi ce lieu qui lui ressemble. La Finca Vigia rassemble tous les souvenirs qu'il a glanés au cours de ses voyages, des trophées et une belle collection d'œuvres d'art, dont des tableaux de Paul Klee, Juan Gris et Miró. La grande maison réserve de multiples surprises aux visiteurs, et le personnel aussi !

Mary franchit donc le pas, et ils se marient le 14 mars 1946 à La Havane. C'est une existence idyllique qui semble s'annoncer, à plus d'un titre. Ils habitent un petit paradis, Ernie a organisé son emploi du temps d'une façon très précise, même en cas de visites amicales... Il travaille le matin et consacre l'après-midi aux loisirs – sortie en mer, partie de chasse ou tournée des bars avec les copains cubains.

Le matin donc, levé aux aurores, Hem s'installe dans son bureau où souvent, à la façon de Victor Hugo à Hauteville House, sur son île d'exil de Guernesey, il écrit debout, jusqu'à midi, un ou deux chats enroulés près de lui, parfois sur une pile de livres, dans la bibliothèque. Le soir, il reçoit ses amis, généralement des Cubains, des hommes tels qu'il les aime : « grands buveurs, grands bâfreurs, mythomanes, hâbleurs, forts en gueule, sportifs, pêcheurs professionnels, républicains en exil, etc., mais aussi Gary Cooper, Ingrid Bergman, Ava Gardner, Dominguin, Ordóñez. »[4]

Il se voue pourtant à son travail d'écrivain et à un livre, *The Garden of Eden* (*Le Jardin d'Éden*), qui va l'occuper épisodiquement pendant deux années, mais qu'il va laisser de côté pour s'atteler à un roman sur la mer. La machine à succès est relancée, d'autant qu'Hollywood adapte à l'écran plusieurs de ses romans. En 1944, *En avoir ou pas* est devenu *Le Port de l'Angoisse*. Réalisé par Howard Hawks, d'après une adaptation de William Faulkner, le film est servi par Humphrey Bogart, Lauren Bacall, Walter Brennan et Marcel Dalio. En 1946, *The Killers* (*Les Tueurs*), un policier, est tourné par Robert Siodmak, avec Burt Lancaster et Ava Gardner. L'adaptation de *The Short Happy Life of Francis Macomber*, en 1947, avec Gregory Peck et Joan Bennett, se révèle plus périlleuse. Benedict Bogeaus, le producteur, voulait un titre plus court. « J'en ai trouvé un, lui répond Hemingway au téléphone, F comme Fox, U comme Universal, C comme Culver City, et K comme dans K.-O. ! »

Ce mode de vie exclut toute implication dans la politique, pour laquelle il ne dissimule plus son aversion, qu'il dit fuir et conseille de fuir, se justifiant par une phrase définitive : « Quand elle m'a frôlé, j'ai ressenti le genre de malaise que l'on éprouve après avoir bu par mégarde dans le crachoir du voisin. »[5] Cuba résume désormais son monde, unique havre, où il peut laisser jaillir l'inspiration. D'ailleurs, l'essentiel de son œuvre en porte ou en portera bientôt l'empreinte. Papa n'a jamais été aussi bien, en sécurité, même si l'écriture peut sembler laborieuse. Il trie ses mots comme un joaillier sélectionne les pierres les plus pures, à l'eau parfaite. Il corrige ses textes, les rature, les censure, les coupe sans arrêt, jusqu'à trouver l'équilibre absolu.

Désormais célèbre, Ernest connaît les vicissitudes et les contraintes inhérentes à ce statut qui impose la prudence en tout, car tout est interprété : le moindre mot, un regard, un geste. Par-dessus tout, il craint les journalistes qui pousseraient leurs investigations jusqu'à interroger les membres de sa famille. Aussi, quand une enquêtrice du *McCall's* commence à fouiner de ce côté de sa vie, il menace sa mère de lui couper les vivres si elle donne la moindre interview[6]. Ernest préfère mettre Scribner dans la confidence, et lui explique que sa mère est âgée et susceptible de lui nuire. « Ces temps derniers, lui dit-il, parce qu'elle est aussi vieille, j'ai joué le rôle d'un fils affectueux au cas où ça lui ferait plaisir. Mais je ne peux pas la souffrir, et elle ne peut pas me souffrir. Elle a poussé mon père au suicide et, quelques mois plus tard, quand je lui ai ordonné de vendre certaines propriétés sans valeur qui l'accablaient d'impôts, elle m'a écrit : "Ne me menace jamais. Ton père a essayé ça un jour au début de notre mariage, et toute sa vie il l'a regretté." »[7]

Sévère avec sa famille, avec tous ses amis, souvent injuste, Ernest est en revanche très content de Charles Scribner's Sons.

Le 28 juin 1947, il écrit à son éditeur sa ferme intention de publier chez lui tout le restant de sa vie. Dans ce courrier, il évoquait aussi la mort de son vieil ami Maxwell Perkins. Avait-il bien reçu une invitation pour assister à la cérémonie au cours de laquelle on a remis à Ernest la Bronze Star à l'ambassade des États-Unis de La Havane ? Il ne l'y a pas vu... Max, très mal en point, s'est en fait éteint à cinq heures du matin le 17 juin, dans le Connecticut. Alcoolique au dernier degré, Perkins a dû supporter une pleurésie et une pneumonie avant d'être terrassé par une crise cardiaque. Pour Hemmy, c'est une amarre supplémentaire qui se rompt avec son passé, et un conseiller avisé qui disparaît.

Cette Bronze Star a beau être la quatrième plus haute distinction attribuée aux États-Unis pour des actions héroïques, elle passe ce jour-là avec le goût d'une pilule amère. Lanham estime qu'il aurait dû la refuser[8], à cause de cette histoire empoisonnante de frontière très, très étroite entre le soldat et le journaliste. Mais Hemingway pense que s'il avait décliné cet honneur, il aurait laissé croire qu'il attendait quelque chose de mieux encore. En réalité, il adore les honneurs et les oripeaux de la gloire.

Moins de trois mois plus tard, il encaisse un nouveau choc à l'annonce de la mort accidentelle de Katy Dos Passos, sa Kate Smith, tuée sur le coup le 12 septembre, lorsque son mari a percuté un camion à l'arrêt. Katy a été projetée à travers le pare-brise, et le haut de son crâne a été tranché net. Quant à Dos, il a perdu un œil. Ce drame n'atténuera pas l'animosité d'Ernest à son égard, née pendant la guerre d'Espagne. Volontiers cruel dans ses inimitiés, Hemingway ira même jusqu'à le traiter plus d'une fois de « bâtard portugais borgne avec du sang de négro dans les veines ». À croire qu'il le rend responsable de la disparition de sa chère amie.

Un an plus tôt, le 27 juillet 1946, c'est son ennemie la plus intime, Gertrude Stein, qui s'est éteinte à Paris. Jusqu'à la fin de sa vie, il continuera tantôt à reconnaître ce qu'il lui doit, tantôt à discréditer cette « femme charmante jusqu'à la ménopause » qui « a été pour les pédés et rien que les pédés ». Dans le même sac, Sherwood Anderson est réduit à « un bol de pus jovial mais torturé qui se transformait en femme sous vos yeux »[9]. Hemingway a l'art de tuer les morts une deuxième fois.

Alors qu'il peine à écrire, Papa décide qu'il est temps de se dégourdir l'esprit en même temps que les jambes et, par conséquent, de partir en voyage. Venise lui paraît la destination idéale. Dans destination, il y a destin. Le destin ou la destinée va intervenir une fois de plus.

Elle a dix-huit ans. Elle s'appelle Adriana.

50

LE DÉMON DE MIDI

(1948-1951)

> « Oui l'amour lui avait fait oublier
> que la mort existait. Pendant presque deux ans,
> il n'y avait même pas pensé une seule fois,
> cela lui semblait une légende,
> lui qui justement en avait toujours ressenti
> l'obsession dans son sang.
> Telle était la force de l'amour. »
>
> Dino Buzzati

Venu humer le souffle de l'inspiration, Hemingway plonge dans un bain de jouvence. Mary l'accompagne. Le baron Nanyuki Franchetti convie Ernest à une chasse au canard à Latisana, à environ soixante-dix kilomètres de Venise à l'intérieur des terres, dans une région où le vent ajoute quelques frissons à ce mois de décembre glacial. Des conditions idéales pour la chasse.

À peine les autres invités se présentent-ils qu'Ernest tombe en arrêt devant une toute jeune fille, Adriana Ivancich, qui paraît insensible au froid. Elle appartient à une famille vénitienne aisée et vit dans un palais de la Calle del Remedio. À l'aube de ses cinquante ans, Hemingway succombe instantanément à l'attraction de cette Lolita.

En fin d'après-midi, toujours à l'affût, il retrouve la belle occupée à sécher ses longs cheveux noirs devant un grand feu, dans un pavillon de chasse. Elle est transie et n'a pas apprécié sa journée. Il observe qu'elle n'a pas de peigne et lui propose la moitié du sien. Ce geste les lie. Dès cet instant s'amorce une relation – platonique –, certes sous la haute surveillance de la mère d'Adriana et de son frère Gianfranco, un vétéran de vingt-huit ans, ancien officier tankiste et partisan antifasciste, mais aussi sous le regard de Mary, pour le moment indulgente.

Mais la situation évolue rapidement et, selon Adriana, Hemingway lui déclare son amour à Paris, où elle étudie l'art. Ils viennent de déjeuner avec Mary. Ernest et Adriana marchent jusqu'aux Deux Magots, et c'est là que l'écrivain lui ouvre son cœur maladroitement. Il se dit malheureux, mais c'est ainsi. Sidérée, la jeune Vénitienne lui demande quelle place Mary tient dans toute cette histoire. Il lui répond qu'elle possède de belles qualités, mais que leur mariage marque le pas. L'Italienne craint maintenant ce qui va immanquablement suivre après de telles révélations. Hemingway la rassure cependant : il la demanderait bien en mariage, s'il ne savait que sa réponse sera négative[1]...

Le pas franchi, Ernie va lui écrire des lettres d'amour pendant les quelque six ans que durera cette passion innocente. Par son âge et son expérience, il se sent autorisé à lui donner des conseils, même à propos de ses soupirants.

Hemmy aime également beaucoup son frère Gianfranco, au point de lui proposer de venir vivre à la Finca Vigia et de l'aider à acheter sa propre maison à Cuba.

Consciente de la crise de la cinquantaine qui frappe son mari, Mary a adopté une attitude sereine, qu'elle réussira à maintenir vaille que vaille malgré les sautes d'humeur d'Ernest. Elle sait se maîtriser, comme dans la chambre du Ritz, et répliquer quand il le faut.

Un soir, à la Finca, alors qu'assise devant la machine à écrire, elle remplit pour Gianfranco un formulaire de demande de visa, Ernest entre en trombe dans le bureau, s'empare de la machine à écrire et la jette au sol. Plus tard, dans la salle à manger, devant de nombreux convives embarrassés qui n'osent dire mot, rouge de colère, il lance dans sa direction un verre de vin qui la manque de peu et s'écrase contre le mur derrière elle. Mary ne dit rien. Le lendemain matin, cependant, elle rompt la règle sacrée qui interdit de déranger le maître dans ses œuvres, jaillit dans son antre et l'avertit qu'il fait fausse route s'il croit se débarrasser d'elle de la sorte. « Quoi que tu fasses ou dises, à moins de me tuer, ce qui te coûterait cher, je resterai ici et m'occuperai de ta maison et de ta Finca jusqu'à ce que tu te présentes à moi ici, sobre, un matin, et que tu me demandes sincèrement de partir. »[2]

Ernest ne bronche pas, mais ne changera rien à son comportement. Mary s'en tiendra à sa déclaration initiale. Et tous deux s'installent dans une paix armée faite d'escarmouches parfois violentes.

Dans cette atmosphère tendue, sa dernière œuvre, *Au-delà du fleuve et sous les arbres* (*Across the River and Into the Trees*), résonne comme un écho. Hemingway aurait-il voulu jeter de l'huile sur le feu de sa vie privée et l'étaler au grand jour ? Il ne pouvait rêver meilleure occasion alors que ce roman au si joli titre, inspiré des dernières paroles prononcées par le général Jackson après la bataille de Chancellorsville lors de la guerre de Sécession : « Traversons la rivière, et reposons-nous à l'ombre des arbres… »

Héros de ce roman dont l'action est transposée à l'époque d'Hemingway, le colonel Richard Cantwell, âgé de cinquante ans, comme l'auteur, va mourir, non pas sur le champ de bataille ou des suites de ses blessures, mais d'une crise cardiaque, à Venise, épuisé par la folle passion amoureuse qu'il vit avec Renata, une jeune comtesse de dix-huit ans, à la magnifique et longue chevelure noire. Il s'agit d'une incarnation de l'innocence, mais aussi d'une créature sexuellement insatiable, le rêve de tout mâle en proie au démon de midi.

Si *L'Adieu aux armes* a conquis les critiques, en dépit de l'interdiction de Mussolini de le laisser traduire en Italie, *Au-delà du fleuve et sous les arbres*, le deuxième roman « italien » d'Ernest, indispose son entourage quand Scribner's le publie en 1950. Exposée en première ligne, dans le rôle de la femme bafouée, Mary n'en attendait pas moins de son mari. Quiconque connaît Hemmy ne peut se dire étonné : parfois goujat, l'écrivain ne manque pourtant pas de sensibilité. Mais il agit comme un taureau lâché dans l'arène surchauffée et fonce sans se soucier des conséquences. Ses amis, ses proches, lisent sa propre vie entre les lignes.

Ce livre qui ne va pas convaincre la critique est encore une histoire d'amour et de guerre, sur fond de Grand Canal, d'hôtel Gritti et de Cipriani… Une Venise un peu décadente et crépusculaire qui abrite les dernières amours du héros vieillissant dans lequel, encore une fois, on peut imaginer l'auteur. Déclin physique, dépression, nostalgie de la guerre, obsession de la mort, mais aussi beauté italienne à peine sortie de l'adolescence… Beaucoup d'éléments qui rapprochent l'histoire du colonel Richard Cantwell et de Renata de la vie d'Ernest Hemingway. La famille d'Adriana ne va d'ailleurs pas apprécier.

L'Amérique, elle, ne tolère pas. On a d'ailleurs parfois le sentiment d'assister à un règlement de compte personnel plus qu'à une critique de l'œuvre. Les puritains ne supportent pas cette romance classique entre un homme mûr et une adolescente. Les bien-pensants hurlent au crime, les plus modérés ricanant devant la tentative désespérée et ridicule d'un homme vieillissant de se glisser dans les habits étroits de Roméo pour séduire une jeune comtesse italienne.

Au-delà de cette liaison jugée contre nature, on ne pardonne pas à Hemingway d'égratigner au passage une brochette de généraux, dont l'incompétence notoire en 1944 a entraîné la mort inutile de milliers d'hommes jeunes. Hemmy écrit en connaissance de cause : il y était. Et pas comme certains des officiers en question, bien abrités à l'arrière, loin de la réalité du terrain. Malgré l'amitié inconditionnelle du général Barton et du désormais général Lanham, il devine qu'on ne lui pardonnera pas de corriger l'histoire officielle qui, en cette période de guerre froide, a besoin de tous ses héros. Puisqu'on ne peut le faire taire, il se doute aussi que l'on fera en sorte de le diaboliser.

La dimension autobiographique est donc trop affirmée, scandaleuse – malgré les dénégations d'Hemingway. Pourquoi cette mauvaise foi soudaine, alors qu'il a fréquenté ouvertement la jeune Adriana pendant toute la rédaction de son roman, en Italie et à Cuba ?

Habituellement sensible aux réactions suscitées par ses ouvrages, il balaie cette fois les attaques d'un geste presque méprisant, en rajoutant dans l'ironie, comme s'il souhaitait remettre de l'huile sur le bûcher dans lequel on voudrait le jeter. En apparence indifférent à la tourmente qu'il a déclenchée, il clame seulement que son nouveau livre est *formidable*. Pour preuve : lui-même l'a relu *deux cent six fois* !

Plus conciliants, certains critiques préfèrent attendre ce mystérieux roman auquel il se serait attelé… Ce livre, pour l'heure sans titre – il deviendra *The Old Man and the Sea* (*Le Vieil Homme et la mer*) –, fera oublier le précédent. Mais contre vents et marées, son auteur ne reniera pas cette œuvre détestée, car Adriana lui a insufflé un espoir que lui avait interdit Agnès.

Il lui faut admettre, cependant, que l'Italie si chère à son cœur ne lui porte pas chance : Agnès en 1918, Adriana trente ans plus tard…

Ernie maintient pourtant son cap, même si la « machine Hemingway » a des ratés. La vedette des médias, qui doit sans cesse assumer le rôle d'un homme d'exception, sans peur mais non sans reproches dans une existence scénarisée pour les projecteurs, ne cesse de faire des crocs-en-jambe à l'écrivain plus fidèle que jamais à son premier commandement : écrire vrai. Sous les projecteurs et fier de l'être, homme d'action et écrivain entier, mettant la sincérité et l'épure au centre de tout... Scandaleux et classique, Hemingway présente cette double face : sa vie s'étale à la une des magazines, et son œuvre est, dès son vivant, étudiée à l'université. Certains le qualifient de poète, mais il préfère se classer écrivain parmi les peintres, avec comme modèle Cézanne, qui tire du fond de son âme sa représentation des paysages.

Il accepte d'ailleurs de se livrer à celui qui deviendra son biographe de référence, Carlos Baker, un professeur d'anglais de Princeton. Mais à une condition : que rien du contenu de leurs conversations ou de leur correspondance ne soit publié avant sa mort. Il se raconte d'abord avec prudence, avant d'ouvrir les vannes de sa mémoire. La disparition de sa mère pourrait expliquer ce déclic.

En effet, le 22 juin 1951, sa sœur Madelaine l'informe que Grace, atteinte d'artériosclérose depuis plusieurs années, se meurt. La vieille dame a complètement perdu la notion du monde environnant et n'identifie plus son entourage. La musique est le seul fil qui la relie encore à la réalité, car elle peut encore interpréter au piano ses propres compositions. Pour le reste, Grace Hemingway se comporte comme une petite fille, et l'on peut se demander ce que pouvait bien craindre Ernest d'une visite de journaliste. Depuis qu'elle se trouve dans cet état de dépendance totale, après avoir vécu un temps chez sa fille Sunny (Madelaine), Grace végète au Shelby County Hospital, à Memphis, où elle s'éteint le 28 juin.

Ernest ne bouge pas de la Finca Vigia. Il prend simplement des dispositions pour l'inhumation – par téléphone et par câble –, et s'arrange avec le curé de l'église catholique de San Francisco de Paula pour que le glas retentisse le matin des funérailles de celle que, peu auparavant, il traitait de « vieille pute » dans une lettre adressée à Charles Scribner...

Lorsque avec Baker il aborde l'histoire de sa famille, et plus spécialement de sa mère, enterrée depuis peu, Ernest donne l'impression de l'absoudre. Il déclare s'être rappelé « la grande beauté de Grace du temps de sa jeunesse avant que "tout aille à vau-l'eau dans la famille", et le bonheur qu'ils avaient connu dans leur enfance avant que le foyer fût brisé »[3]. Progressivement, il dévidera ainsi le fil de ses souvenirs, de ses manques, de ses frustrations, de ses peines, de ses désillusions, offrant à terme à son biographe les clés pour comprendre l'homme qu'il est réellement, et l'écrivain qu'il est devenu.

La disparition de sa mère a ramené Hemingway à l'obsession du temps qui passe, et au vieillissement qui le hante. La mort de Pauline, le 1ᵉʳ octobre 1951, sonne comme un second avertissement. Son décès intervient d'ailleurs dans des circonstances qui impliquent Ernest. Elle meurt subitement après une intervention chirurgicale sur une tumeur de la glande surrénale, mais la nuit précédente, une violente dispute l'a opposée à son ex-mari à propos des difficultés de leur fils Gregory.

Lorsque Virginia, la sœur de Pauline, appelle Hemmy pour l'informer de la mort de son ex-femme, il fait preuve d'une insupportable absence de compassion. Mary est la première choquée. En fait, il masque des sentiments différents dont il ne s'ouvre qu'à son éditeur, à l'aide de métaphores maritimes : « La vague du souvenir a finalement grossi au point de passer par-dessus la digue que j'avais bâtie pour protéger la rade de mon cœur, et c'est au maximum que me peine la mort de Pauline, malgré toute l'écume des eaux du port que cela a remué. Je l'ai beaucoup aimée pendant de nombreuses années, et au diable ses défauts. »[4]

Le plateau des morts familiers pèse maintenant un poids respectable qui l'entraîne vers le bas, tandis que celui des vivants, de ceux qui comptent dans une existence, qui en constituent les références, s'allège de plus en plus. Heureusement, les enfants préparent la relève.

Après la mort de sa mère, en 1951, son fils chéri Patrick quitte les États-Unis pour le continent africain, investit une part de son héritage dans une exploitation agricole non loin de Dar es-Salaam, en Tanzanie, avant de sillonner l'Afrique orientale, essentiellement au Tanganyika où, avec sa femme Henrietta, il va mener une vie au grand air pendant près de vingt-cinq ans. Une existence conforme aux aspirations profondes de son père : une vie de chasseur, dans le respect des principes de la nature.

Son demi-frère Jack a fait une « belle guerre ». Il revient en fait de loin. Il est entré au sein de l'agence de renseignements ancêtre de la CIA en juillet 1944, a été parachuté en France, et a agi en immersion dans la Résistance française. À la fin d'octobre, il a été blessé et capturé par les Allemands. Hospitalisé dans un camp de prisonniers de guerre, puis libéré, il est de nouveau fait prisonnier et, cette fois, envoyé au Stalag Luft III de Nuremberg, dont il ne sortira qu'en mai 1945. Quatre ans plus tard, il épouse à Paris Byra L. « Puck » Whittlesey, qui lui donnera trois filles : Joan « Muffet » en 1950, Margaux en 1954, qui deviendra mannequin et actrice, et Mariel Hadley en 1961, actrice elle aussi.

La fin de Margaux fut aussi tragique que celle de son grand-père. En 1996, à quelques heures de la date anniversaire de la mort d'Hemingway trente-cinq ans plus tôt, on la retrouva inanimée dans son appartement de Santa Monica. Overdose de phénobarbital, dirent les enquêteurs. Crise d'épilepsie prolongée, avança son agent. Suicide dû à des dépressions à répétition ? En tout cas, comme son grand-père, elle dut combattre un penchant pour l'alcool qu'elle ne supportait pas aussi bien que lui. En 1987, elle avait passé un mois au centre de désintoxication de Betty Ford. L'ironie du sort a voulu que, née Margot Louise, elle avait transformé son prénom en Margaux, parce que ses parents lui avaient un jour confié qu'ils avaient bu du Château Margaux la nuit de sa conception. Elle aimait profondément son grand-père, qu'elle ne connut pourtant que fort peu (elle avait sept ans à sa mort), mais c'est dans son ranch de Ketchum qu'elle grandit et passa toute son enfance. Comme Ernest Hemingway, sa petite-fille adorait la nature et elle venait tout juste d'achever une série télévisée sur la faune sauvage lorsqu'elle se donna la mort. Elle repose aujourd'hui non loin de lui, dans ce cimetière de l'Idaho.

51

LE TRIOMPHE DU VIEIL HOMME

(mars 1952-juin 1953)

> « Ce qu'il y a de plus remarquable chez Ernest,
> c'est qu'il trouve le temps de faire des choses
> dont la plupart des hommes
> se contentent de rêver. »
>
> Marlene Dietrich

Le début des années 1950 coïncide avec la fin – provisoire – de ce blocage qui retenait la plume d'Ernest, si l'on excepte son second roman « italien ». Il se remet à l'établi avec d'autant plus d'ardeur que la présence de deux nouveaux venus dans son entourage le libère d'un poids. Carlos Baker, l'universitaire, est désormais un confident et un ami. La méfiance originelle de l'écrivain envers tous les « fouille-merde » s'est dissipée à son contact rassurant. Mais également à celui de l'écrivain Aaron Hotchner, dont il a fait la connaissance à Cuba en 1948.

Ancien officier de l'USAAF (United States Army Air Forces) reconverti dans la presse et l'écriture, Hotchner effectue un reportage à La Havane pour le compte de *Cosmopolitan* et sollicite une interview d'Hemingway dans le cadre d'une série d'articles sur l'avenir de la littérature. Les deux hommes sympathisent dès la première poignée de main, et deviennent vite inséparables. D'autant que Hotchner se révèle un solide compagnon de boisson.

Baker comme Hotchner vont bénéficier de révélations parfois très intimes, mais ils n'en feront aucune indiscrétion, ni le matériau d'ouvrages croustillants, qui auraient sans doute trouvé preneurs, mais qui auraient été vécus comme une trahison. Ces deux-là vont tenir parole. Hotchner, sans doute l'ami le plus régulier d'Hemmy jusqu'à son suicide, ne publiera son *Papa Hemingway* que cinq ans après sa mort.

Hemingway a toujours été clair, comme il l'a d'ailleurs rappelé un jour au directeur littéraire des éditions Rinehart : « Je ne veux pas de livres écrits sur ma vie, pas plus que sur n'importe quelle partie de ma vie tant que je suis vivant. [...] On a déjà écrit sacrément trop de choses sur ma vie privée, et j'en ai plus qu'assez. »[1]

Il n'apprécie surtout pas qu'on l'assimile directement aux personnages de ses livres, même s'il reconnaît que « chaque écrivain est beaucoup dans ses œuvres ». Or il se trouve justement que l'on annonce un ouvrage qui fait d'Hemingway la réunion de tous ses héros[2]. Hemmy tente de désamorcer ce qui pourrait relancer le malentendu qui le poursuit depuis *Le soleil se lève aussi* : une fois de plus, il affirme qu'il n'est pas Jack Barnes l'impuissant, mais qu'il s'est inspiré de faits réels pour créer ce personnage et le faire évoluer dans des conditions qu'il a personnellement connues en Italie ou à Paris. Il rentre même cette fois dans les détails et précise que « des morceaux de tissu qui s'étaient fichés dans le scrotum avaient provoqué une infection. À cause de ça, dit-il, j'ai fait la connaissance d'autres gars qui avaient des blessures génito-urinaires, et je me suis demandé ce que pourrait être après ça la vie d'un homme, si son pénis était hors d'usage et si ses testicules et son cordon spermatique étaient intacts. J'avais connu un garçon à qui c'était arrivé. Je m'en suis donc emparé, et j'ai fait de lui un correspondant étranger à Paris et, en inventant, j'ai essayé de trouver quel serait son problème quand il serait amoureux de quelqu'un amoureux de lui, et qu'il n'y aurait rien qu'ils puissent faire à ce sujet. »[3]

Cette exposition de la vie privée, qu'il a tout de même facilitée, Ernest la redoute d'autant plus que, selon lui, les critiques sont influencés à la fois par des fuites venues du FBI et par des délires psychanalytiques. « Imaginez ce qu'ils pourraient faire avec les draps sales de quatre lits conjugaux du même écrivain, et vous pourrez voir pourquoi ils ont l'eau à la bouche. »[4] Le biographe de Fitzgerald a gagné beaucoup d'argent ; on imagine qu'il puisse faire des émules. Mais à quel prix ? Au prix de quelles souffrances pour les proches et les enfants ?...

Il est donc catégorique : rien ne doit être écrit sur sa vie tant qu'il est en vie !

Baker et Hotchner ont le privilège d'assister à la gestation du prochain roman, désormais intitulé *The Old Man and the Sea* (*Le Vieil Homme et la mer*), dont Ernest leur montre des passages, ainsi qu'au producteur de cinéma Leland Hayward. Les trois hommes sont emballés par l'histoire et la façon dont elle est contée, comme si sa substance provenait du plus profond d'Hemingway.

En mars 1952, Wallace Meyer, le successeur de Charles Scribner brutalement décédé, réagit avec un égal enthousiasme à la lecture du manuscrit non corrigé. Dans son courrier d'accompagnement, Ernest n'est pas peu fier de faire remarquer à son nouvel éditeur que son texte a eu sur tous ceux qui l'ont lu un « effet très étrange ». « Il les a tous émus beaucoup plus fortement que tout ce que j'ai pu écrire auparavant. Après que vous l'aurez lu, vous pourrez plus ou moins imaginer l'effet qu'il a eu sur moi quand j'étais en train de l'écrire... »[5]

Le roman séduit à tel point que Leland Hayward suggère qu'il pourrait être publié dans un numéro de *Life*. Et l'avenir du livre semble d'autant plus rose qu'Adriana Ivancich, à la demande de l'écrivain, a dessiné un projet de jaquette « vraiment splendide » d'après Hemingway et Gianfranco, et même de l'avis de Mary. Hemmy se dit fier de son « Grand Cheval noir »[6], allusion à la longue crinière de la jeune fille, qui a dû travailler vite. Il envisage même d'utiliser les illustrations d'Adriana pour décorer les vitrines des librairies qui présenteront son roman.

Le 1er septembre 1952, deux semaines après la sortie en salle des *Neiges du Kilimandjaro*, *Life* publie l'intégralité du *Vieil Homme et la mer*, qui paraît une semaine plus tard chez Scribner's. Le succès est immédiat. En deux jours, le magazine se vend à plus de cinq millions d'exemplaires. Et Ernest empoche quarante mille dollars – une très belle somme pour l'époque. Leland Hayward acquiert les droits d'adaptation pour le cinéma – encore cent cinquante mille dollars pour Papa, qui interviendra sur le tournage en qualité de conseiller technique. Au total, le roman lui rapportera plus de deux millions de dollars !

Ernie tire une encore plus grande satisfaction de la réaction des critiques. Les articles clament haut et fort qu'il a retrouvé toute sa puissance. « Achetez-la [la nouvelle] tout de suite, lisez-la, attendez quelques jours, relisez-la, et vous vous apercevrez [...] que pas une page de cette magnifique œuvre maîtresse n'aurait pu être écrite mieux ni autrement. »[7] « Voici le maître technicien une fois de plus au meilleur de sa forme, accomplissant superbement ce qu'il sait mieux faire que n'importe qui. »[8] Voici donc Ernest en tête des ventes, mais surtout intronisé meilleur romancier américain.

Il y a toutefois un malentendu dans certaines interprétations, car des critiques (dont Carlos Baker) croient distinguer la main de Dieu dans l'épreuve que doit endurer le vieux pêcheur... Hemmy règle à sa façon cette question : il n'a nullement cherché à faire passer un message. Pour ça, dit-il un jour à Mary, tu t'adresses à Western Union (l'équivalent de la Poste). En revanche, il estime qu'un homme, s'il « peut être détruit, ne peut pas être vaincu »[9] !

En tout cas, le succès est là. Le monde s'empare du roman, un livre court – mais quelle puissance ! Quelle force émotionnelle ! Au cours de son travail, le traducteur italien éclate en sanglots... À Cuba, on exulte. Le dictateur Fulgencio Batista, qu'Hemingway méprise, lui remet une belle médaille au nom de tous les pêcheurs d'espadons, de Puerto Escondido à Bahia Honda. Les distinctions pleuvent. Le 4 mai 1953, alors qu'il navigue à bord de *Pilar*, Ernest apprend qu'il va recevoir le prix Pulitzer, ce prix qu'il estimait déjà mériter pour *L'Adieu aux armes* ou *Pour qui sonne le glas*[10].

Rien de tel qu'un voyage pour digérer cette gloire nouvelle. Ce sera d'abord l'Espagne, puis l'Afrique. Ernest veut y retrouver son fils Patrick, qui s'est installé dans une région reculée du Tanganyika avec sa femme « Henny ». Ce déplacement arrive à point, car William Lowe, le rédacteur en chef de *Look*, propose quinze mille dollars à Hemmy pour couvrir les frais d'un safari, plus dix mille dollars supplémentaires en échange d'un reportage sur la chasse au lion et au léopard. Avant son départ pour l'Europe, Ernest doit seulement régler avec Hayward le contrat d'adaptation de son roman au cinéma et rencontre Spencer Tracy.

Le 30 juin 1953, Ernest et Mary débarquent au Havre où les accueille le frère d'Adriana, Gianfranco, retourné en Europe et qui dirige désormais une compagnie maritime. Un ami les conduit en Espagne. Hemingway effectue là une sorte de pèlerinage, mais il découvre qu'il n'est pas spécialement le bienvenu, l'auteur de *Pour qui sonne le glas* et de *La Cinquième Colonne* ne passant pas pour un ami du pouvoir...

Lorsqu'il présente son passeport, le douanier espagnol écarquille les yeux à la lecture de son nom, et lui lance : « Vous vous appelez comme cet Américain qui était avec les Rouges pendant notre guerre ?! » Il ne semble pas y croire. Sans paraître décontenancé, Hemingway lui répond : « Je m'appelle comme l'Américain qui était avec les Rouges pendant votre guerre, parce que je suis l'Américain qui était avec les Rouges pendant votre guerre ! » Il n'ajoute rien. Ni le douanier qui, rouge de colère, lui rend néanmoins son passeport[11].

L'expert reconnu de la tauromachie cache le compagnon de la République. Qui oserait arrêter « don Ernesto » aux frontières, lui contester le droit d'accéder à l'arène ? Et là encore, le régime franquiste aurait-il intérêt à fâcher un écrivain internationalement reconnu – et qui n'a pas sa langue dans sa poche.

Pampelune, où Ernest n'était pas retourné depuis la guerre civile, attire désormais des hordes de touristes, en partie grâce à ses écrits. Hélas, l'hôtel Perla qu'il aimait tant a été détruit. Le couple doit se replier sur Lecumberri, à quarante kilomètres, pour dénicher une chambre.

Le voyage se poursuit à Madrid, avec une halte à l'hôtel Florida, témoin de bien des événements et des amours de guerre d'Ernest et de Martha. Mary, qui ne goûte pas vraiment le climat aride de la ville et la circulation bruyante des tramways, apprécie, le matin, d'accompagner son mari au musée du Prado, où il s'arrête immanquablement devant le magnifique *Jardin des délices*, le triptyque de Jérôme Bosch. Le mystère de cette allégorie fantastique complexe sans doute liée à l'alchimie lui parle.

La vie, jusqu'à l'excès. La beauté pour passeport. À cinquante ans, Hemmy, qui ne s'est jamais retourné sur son passé, entame sans le savoir l'un de ses derniers pèlerinages.

52

CAUCHEMAR AFRICAIN

(août 1953-mai 1954)

> « Deux accidents d'avion en deux jours,
> et il s'en sort, certes un peu plus cabossé,
> mais égal à lui-même. Sacré Ernest !
> Avec lui, la foudre pourrait bien tomber
> deux fois au même endroit. »
>
> Joseph Kessel

L'enfer et le paradis, Papa et Mary en ont déjà eu un aperçu.

Pour l'heure, ils quittent l'Espagne – non sans qu'Ernest ait une dernière fois salué ses fantômes. Le pays leur a réservé quelques déceptions ; ce n'était plus vraiment l'ambiance de naguère. À moins que ce soit Ernest qui ait changé. Ils repassent en France pour gagner Marseille, et s'embarquent donc en août pour Mombasa, au Kenya, au bord de l'océan Indien.

Ils accostent le 22 sous une pluie battante. Philip Percival, l'associé de Bror Blixen qui avait accueilli Ernest dans sa ferme, lors d'un safari il y a maintenant vingt ans, est là pour les accueillir. Ils ne s'étaient pas revus depuis. Bien sûr, ils ont un peu changé. Mais Philip ne cache pas sa joie de revoir

Papa. Il sait qu'avec lui, il ne perdra pas son temps. À sa ferme, près de Nairobi, ils vont retrouver Earl Theisen, le photographe de *Look*, et Mario « Mayito » Menocal, un ami cubain. Le safari promet d'être à la hauteur de leurs espoirs. Tout est parfait jusqu'à présent.

« Merveilleux voyage ! », dit-il[1], mais la météo se dégrade bientôt, et à tous points de vue… Les vieux démons d'Ernest s'en donnent à cœur joie : il boit beaucoup, et ses performances de chasseur ne sont pas à la hauteur de ce qu'il écrit à ses amis – lions en pagaille, antilopes ou léopards. Il est pourtant là pour être photographié comme un champion.

Par ailleurs, il fréquente une jeune fille wakamba, et en parle comme de sa *Fiancée*. Sa femme, en la circonstance, se montre « compréhensive et parfaite »[2], dit-il. Pourtant, Ernest n'épargne pas sa *parfaite compréhension* et sa patience, semblant se livrer à toutes les excentricités. Il se rase la tête pour plaire à sa fiancée africaine, il improvise des fêtes tonitruantes… et Mary « se contente de rester soigneusement à l'écart de tout ça »[3].

Pour la remercier, il entend lui offrir l'escapade de sa vie – sans se douter qu'il entrouvre les portes de son propre enfer.

Le 21 janvier 1954, Mary et Ernest grimpent à bord d'un Cessna 180 que pilote Roy Marsh, un habitué des vols dans ces régions, avec lequel ils ont déjà fait des excursions aériennes. Leur voyage doit les conduire, par-dessus les zones sauvages du Congo oriental, à Bukavu, alors baptisée Costermansville, sur la rive sud-ouest du lac Kivu. Ils sont assurés d'y trouver un bon hôtel.

Les ennuis s'amorcent dès le décollage : un problème technique contraint Marsh à se poser au Tanganyika pour réparer. Il ne veut pas courir le moindre risque. Le lendemain, l'avion décolle vers le nord et survole une chaîne de volcans actifs en direction de la chaîne du Ruwenzori, les légendaires

Montagnes de la Lune, au Rwanda, malheureusement enve-
loppées par les nuages. Leur troisième vol démarre
d'Entebbe, en Ouganda, et leur fait longer le lac Albert
jusqu'aux chutes de Murchison, des chutes spectaculaires
autour desquelles le pilote tourne, pour laisser à Mary le
temps d'utiliser plusieurs pellicules. Des milliers de tonnes
d'eau se déversent en un grondement terrible dans une gorge.

Sur le chemin de retour vers Entebbe, Marsh doit soudain
piquer pour éviter des oiseaux. Mais lorsqu'il redresse à la
hauteur du faîte des arbres, il accroche un fil télégraphique,
qui endommage le gouvernail. Quoique sans contrôle, le
pilote parvient à atterrir comme il le peut dans d'épaisses
broussailles, sans que l'avion prenne feu. Ses occupants
s'empressent d'ailleurs de s'en éloigner au plus vite, Mary
souffrant le martyre avec deux côtes cassées. Impossible de
lancer un appel, car la radio est hors d'usage.

À la tombée du jour, avec le réconfort relatif d'une bouteille de whisky, ils se préparent à affronter la nuit, sans
perdre de vue les crocodiles aperçus sur les bords d'une
rivière proche.

Et puis le matin, un miracle se produit avec l'apparition
de la *Murchison*, une chaloupe à vapeur affrétée pour sa
famille par un certain docteur McAdam. L'embarcation
prend immédiatement à son bord les rescapés, et les amène
à Butiaba, où Hemingway apprend par le capitaine Cartwright que sa mort a déjà été annoncée, que les journalistes
affluent à Entebbe, et que des avions recherchent toujours le
Cessna et ses occupants...

Propriétaire d'un petit avion, Cartwright leur propose très
courtoisement de les conduire à Entebbe. L'appareil est un
solide biplan conçu pour des vols courts au début des
années 1930. Il n'y a donc pas lieu de s'inquiéter, même si
la nuit tombe, même si la sagesse recommanderait de ne
partir qu'au lever du jour. Ernest accepte l'offre.

Mais le décollage s'effectue dans l'obscurité, sur une piste mal stabilisée, et la manœuvre tourne au drame : le Dragon s'écrase avant de s'embraser.

Tandis que Cartwright, Marsh et Mary s'en extraient tant bien que mal, Ernest se heurte à une porte bloquée. En poussant de toutes ses forces avec la tête et son épaule – luxée lors du premier accident ! –, il parvient à s'arracher aux flammes. Son crâne saigne abondamment et, plus grave, du liquide cervical lui coule dans l'oreille gauche. Impossible de recevoir des soins sur place, car le premier médecin est à Masindi, à soixante-quinze kilomètres !

Au bureau de télégraphe, l'agent refuse d'avertir Entebbe pour restrictions d'émission imposées le jour du Seigneur. Au Railway Hotel, où le dîner s'achève, on ne leur sert que des sandwichs... Et ce n'est que le lendemain matin que le médecin se manifeste, nettoie sommairement leurs blessures et bande simplement la tête d'Ernest.

À Entebbe, où les journaux ont annoncé la mort et publié la nécrologie du grand écrivain, les reporters se précipitent pour recueillir le récit incroyable des deux accidents aériens vécus dans un laps de temps aussi court.

« Mourir est une chose très simple », se contente de déclarer Ernest – exactement ce qu'il avait dit à sa famille après sa blessure de 1918.

Reste à assumer cette mort.

Ernest est curieux de lire ce que ses pairs pensent réellement de lui maintenant qu'il est *mort* et, désormais au calme dans le confortable New Stanley Hotel, à Nairobi, il peut parcourir les homélies et les notices nécrologiques. Dans leur grande majorité, les appréciations sont flatteuses. Mais une constante revient : il a flirté avec la mort tout au long de sa vie. Justement, il entend bien continuer !

Hemingway commence par planifier une partie de pêche en mer au sud du Kenya avec Percival, Patrick et sa femme

Henny, dès la fin de février. Il faut aller de l'avant, comme d'habitude ! Mary, cependant, voit bien qu'il ne se remet pas vraiment des deux accidents. Comme il n'en fait pourtant qu'à sa tête, le groupe établit sa base à Shimoni. Mais tout va de travers : Papa est en proie à d'incessantes sautes d'humeur, et la pêche ne l'intéresse plus.

Ses explosions de colère provoquent sans cesse des tensions, jusqu'au jour où, à bout, Patrick plie bagages avec sa femme et s'en va.

À l'évidence, Hemingway va mal.

C'est à Venise, deux mois plus tard seulement, que pourra enfin être établi un diagnostic. Les dommages subis par l'écrivain sont en fait très sévères : « deux disques de la colonne vertébrale fêlés et écrasés, des lésions au foie et à un rein, une paralysie du sphincter, bras droit et l'épaule démis, le crâne ouvert »[4]. Sans compter qu'il ne voit momentanément presque plus rien de son œil déjà défaillant et qu'il souffre d'une perte presque totale d'audition de l'oreille gauche. Plus les brûlures au premier degré sur le visage...

Mary a raison : son mari n'est plus au mieux de sa forme, et son flirt avec la mort prend très mauvaise tournure.

Retour à Cuba. Ses amis qui le retrouvent constatent avec tristesse le terrible coup de vieux qu'il a pris en l'espace de quelques mois. Ce qui reste de ses cheveux a blanchi, et il est amaigri. Ce n'est pas seulement la transformation physique qui les frappe, mais le sentiment que Papa est diminué. Mary, elle, le sent perturbé, même s'il ne se confie pas. Elle comprend ce repli sur soi, d'autant qu'elle porte sa propre peine, au-delà des traumatismes liés aux accidents. (En août 1946, elle a failli mourir des suites d'une grossesse extra-utérine.)

L'année 1954 si mal amorcée se déroule cahin-caha, avec des hauts (il reçoit le prix de l'Académie américaine des arts et des lettres) et des bas, avec surtout une incertitude inhabituelle chez Hemingway. La mort rôde de plus en plus près, le frôle. Elle vient de faucher Robert Capa.

L'information frappe Hemmy en plein cœur, le 27 mai 1954, deux jours après qu'une mine a eu raison du photographe trompe-la-mort. Mort ? Mort à son tour ! Lui, le rescapé d'Espagne et d'Omaha Beach est fauché par la guerre, en Indochine.

Parler de Capa, c'est donner ses lettres d'or au photojournalisme. Ce juif hongrois n'avait pas son pareil pour se faufiler dans les situations les plus folles et rapporter *la* photo, celle qui secoue les tripes, ou le cœur, ou la conscience. Il n'avait pas non plus son pareil, quoique marié, pour se glisser dans le lit des plus belles femmes, comme Ingrid Bergman avec laquelle il vécut une romance pendant deux ans. Il s'en vantait d'ailleurs, et faisait rêver ses amis, qui ne doutaient pas un instant de la réalité de ses conquêtes. Au-delà de tout, ce ludion charmant, souvent brouillon, modeste, élégant et charmeur, était vivant, terriblement vivant.

Sur l'instant, Ernest n'y croit pas. Il pense à une erreur. Puis il lui faut se rendre à l'évidence. L'année 1954 prend décidément une vilaine teinte grise, qui mine le moral déjà sombre d'Ernie. Il suffirait d'une nouvelle formidable pour le revitaliser. Bien sûr, *Le Vieil Homme et la mer* marche du tonnerre. Et après ?

53

LE NOBEL, MAIS À QUEL PRIX ?

(octobre 1954-1955)

> « Voilà ce que le public et les critiques
> ne comprennent pas.
> Le secret des chefs-d'œuvre est là,
> dans la concordance du sujet
> et du tempérament de l'auteur. »
>
> Gustave Flaubert

Ce matin du 28 octobre 1954, la Finca Vigia dort encore. Sauf Ernest, les chats et les chiens. Le téléphone sonne alors. L'appel vient de l'agence United Press. À mesure que lui parviennent les paroles de son correspondant excité, Ernest se métamorphose, se redresse, se déride, et sourit enfin. À peine raccroche-t-il qu'il se précipite dans la chambre de Mary : « Mon chaton, mon chaton, j'ai eu ce machin ! »[1]

Ernest Miller Hemingway, prix Nobel de littérature ! Il s'agit là d'un remède bien efficace, à voir Papa heureux comme un petit garçon dont il retrouve les expressions. Le voici récompensé « pour le style puissant et nouveau par lequel [il] a maîtrisé l'art de la narration moderne, comme vient de le prouver *Le Vieil Homme et la mer* »...

Il s'empresse de prévenir le général Lanham, l'ami des coups durs, qu'il a la *chose*, estimant néanmoins que trois auteurs le méritaient davantage : Bernard Berenson, Isak Dinesen et Carl Sandburg. Il prétend hésiter à accepter sa médaille, car il y aurait « un tas de bonnes raisons de refuser ». Mais il craint, dans ce cas, de passer pour un *poseur*. Pourquoi ne pas accepter ce prix, cependant, puisque William Faulkner et Sinclair Lewis l'ont obtenu, deux hommes qu'il n'aime guère et dont il n'apprécie pas vraiment l'œuvre ? C'est en tout cas ce qu'il déclare au *Time*, tout en réfutant toute fausse modestie[2]...

Il fut une époque où il considérait que le romancier, tel un gitan, ne devait fidélité et obéissance à personne. Il n'accordait alors guère d'importance ni de crédit aux prix. « Pourquoi un écrivain devrait-il attendre une récompense ou l'appréciation de n'importe quel groupe de gens ou de n'importe quel État ? La seule récompense, c'est de bien faire son travail. [...] Il n'y a rien de plus obscène pour moi qu'un homme posant lui-même sa candidature à l'Académie française ou à n'importe quelle académie. »[3]

Pour une fois, Ernest semble simplement se réjouir.

Et, à la vérité, il est ravi de pouvoir enfin river son clou à William Faulkner, son éternel rival, qu'il déteste cordialement et qui a décroché le Nobel cinq ans avant lui. Pour une fois, ce n'est pas lui qui avait enclenché les hostilités. Faulkner avait dit de lui qu'il n'avait aucun courage et qu'il n'avait « jamais pris le moindre risque. Il n'a jamais utilisé le moindre mot susceptible d'exiger de la part du lecteur l'usage du dictionnaire. » Réponse du berger à la bergère : « Pauvre Faulkner. Pense-t-il réellement que les grandes émotions viennent des grands mots ? »

À l'approche de la cérémonie qui doit se tenir à Stockholm en décembre, les médecins le dissuadent de faire le voyage. Son état général est lamentable, et il souffre encore beaucoup de ses blessures. À moins que sa santé ne soit qu'une excuse. Il écrit donc un bref discours, enregistré à La Havane, et

l'ambassadeur des États-Unis en Suède est chargé de le représenter à Stockholm. Ce sera le plus court remerciement de
l'histoire des Nobel.

« La vie d'un écrivain, déclare-t-il, en mettant les choses au
mieux, est une vie solitaire [...] Il œuvre dans la solitude et, s'il
est assez bon écrivain pour cela, il doit chaque jour affronter
l'éternité ou son absence. [...] Comme il serait simple d'écrire,
s'il fallait seulement écrire autrement ce qui a déjà été bien
écrit. C'est parce que nous avons eu de si grands écrivains dans
le passé qu'un écrivain est maintenant obligé d'aller très loin
par-delà l'endroit qu'il peut normalement atteindre, là où personne ne peut plus l'aider. » Lui, de son côté, fait face à l'assaut
des journalistes et à l'afflux de *cinglés*.

Mais après que les magnifiques lustres du théâtre municipal
de Stockholm se sont éteints et que les milliers de fleurs ont
été retirées de la scène, le tout nouveau prix Nobel ne peut se
contenter de poser sa belle médaille en évidence dans une
vitrine... Il doit assumer un statut très particulier, cette gloire
définitive qui fait de lui le meilleur de sa classe, le premier.

Sans doute Hemingway en rêvait-il, mais sans se faire
d'illusion sur la suite. « Aucun des fils de pute qui ont décroché le Nobel n'ont écrit ensuite quelque chose de meilleur. »
En clair, le prix marque l'apogée d'une carrière, et Ernest sait
ce que cela signifie. Il se souvient du V-2 qu'ils avaient vu
filer, Martha et lui, en 1944 : lorsqu'il a atteint une certaine
altitude, il redescend suivant une trajectoire plus ou moins
accentuée. Il en va ainsi de tout. Donc aussi d'un écrivain.

Le flot des visiteurs – des célébrités pour la plupart –
perturbe la tranquillité de la Finca Vigía. Voici Hemingway
devenu un phénomène, bientôt un saint. Ses mots écrits
valent de l'or, ses paroles tout autant. On veut lui parler, on
veut le toucher...

Devant la grille de la Finca, les touristes s'amassent. Ils
tentent d'apercevoir la bête curieuse. Et avec eux les inévi-
tables jeunes auteurs en quête de conseils précieux que

pourrait leur prodiguer le maître, sans oublier les éternels raseurs, de très distingués universitaires qui prétendent en savoir davantage que l'auteur sur son œuvre, et qui viennent à lui pour s'entendre confirmer leurs thèses. La Finca n'est plus un refuge. « Trop de gens savent que nous habitons ici, dit-il, et on a fait trop de publicité sur nous, et les gens viennent comme pour voir les éléphants au zoo. »[4]

Cette agitation permanente lasse Ernest, qui ne peut même pas se réfugier dans l'écriture pour cause de panne d'inspiration. Il éprouve un sentiment de vide et des difficultés à se concentrer sur *Îles à la dérive* et sur *Le Jardin d'Éden*. Les textes que tape Mary lui semblent sans relief, les mots sans saveur, les personnages ternes… Comme sa vie, désormais.

Il a le cafard et avoue même à son ami Chink que, s'il avait su ce que lui réservait cette année 1954, il « serai[t] resté dans l'avion en flammes à Butiaba une fois que Mary en a été sortie ». Et il ajoute : « J'en ai parfois marre de souffrir. »[5]

Il glisse ainsi dans une période d'angoisse et de sécheresse d'inspiration. Aux moments d'exaltation, de plus en plus rares, succèdent de terribles accès de dépression. La solitude l'obsède. Une solitude que ne remplit plus l'écriture, mais qu'il compense par l'alcool.

Un an plus tard, son bilan de santé va se révéler désastreux. Suite à un *refroidissement* de son rein gauche – celui qui avait été atteint lors de l'accident –, il souffre d'une néphrite aiguë et d'une infection virale du foie, diagnostiquées à la fin de novembre 1955. La sagesse imposerait un rythme de vie différent, une alimentation saine, de vraies nuits. Tout ce que souhaite depuis si longtemps Mary. En vain !

Elle veille néanmoins sur Ernest, qui ne la ménage pourtant pas, et éconduit quiconque peut le fatiguer. Il change imperceptiblement, par nuances, comme la lumière d'un beau jour déclinant ; il apparaît maintenant presque timide à ses interlocuteurs. On est loin du hâbleur au verbe haut, qui interpellait ses amis pour aller chasser ou pêcher, ou qui haranguait les membres de la colonie américaine de Paris au temps de Montparnasse. On est loin du lanceur de défis, de l'organisateur de matchs de boxe. Quoique relativement jeune, le vieillard précoce perce sous le cuir du baroudeur. La vie à la Finca Vigia l'a apaisé, semble-t-il, ainsi que la présence de Mary, toujours dans l'ombre, prête à gronder.

À quarante-cinq ans, Mary paraît plus jeune que son âge, malgré divers problèmes de santé, tandis que l'écrivain accuse nettement le sien : il n'a que cinquante-six ans, il en paraît au moins dix de plus.

54

LE DÉCLIN ET L'ILLUSION

(1956-1959)

> « La vieillesse est un naufrage. »
>
> Charles de Gaulle

Au fil des mois, le visage d'Ernest se ferme. Il sacrifie toujours aux tournées infernales de gin-tonics, Tom Collins et Martini dry. Il sollicite l'inspiration. L'écriture, sa maîtresse la plus ingrate comme la plus généreuse, l'obsède plus que les honneurs, l'argent, la gloire. Il affirme qu'il écrirait même sans être édité. Il aime d'amour l'écriture. Il aime aussi d'amour les livres, et sa bibliothèque, à Cuba, est magnifique. Il s'y réfugie plusieurs fois par jour, et sa perte, plus tard, constituera pour lui une grande tragédie. Amputé de sa bibliothèque, il connaîtra de grandes difficultés à écrire.

À la Finca Vigia s'écoule une vie qui présente toutes les apparences du bonheur, même au ralenti. Hem possède tout ce qu'il aime à portée de main : la mer, la pêche, la nature exubérante, les amis, l'alcool, les sorties avec *Pilar*, les femmes – du moins s'en vante-t-il, malgré Mary qui veille sur tout, enfin presque. En cela, il ressemble aussi aux chats : il est là, le nez dans les pattes, apparemment endormi. On le quitte une seconde des yeux, et quand on regarde à nouveau, il n'est plus là.

Ce n'est que l'apparence du bonheur. Ernest a certes encore quelques projets d'importance, mais ils traînent en longueur, comme le tournage retardé du *Vieil Homme et la mer*. Il s'est pourtant sérieusement investi dans les préparatifs du film, notamment dans la préparation du rôle de Spencer Tracy, au début de 1953, et dans les repérages. Après avoir examiné tous les ports de pêche de la côte cubaine, pour trouver le plus adéquat (c'est Cojimar qu'il retient), il a fait deux croisières dans les eaux où l'on pêche le marlin et où l'on trouve des requins, pour déterminer le site idéal du tournage. Ceci l'a occupé les quatre premiers mois de 1953.

Et puis on en est resté là. Ordres et annulations se succèdent, sans oublier « quelques difficultés » avec Spencer Tracy – qu'il trouve beaucoup trop gros pour le rôle – et les « chamailleries capricieuses »[1] de la production. En janvier 1956, soit trois ans plus tard, il explique qu'il sera « bien content quand le film sera fini »[2]... En mars, il s'est lassé.

Il écrit à Gary Cooper : « Coops, l'industrie du cinéma n'est pas mon affaire, et peu importe combien de fric nous pourrions gagner, comment nous le dépenserions, si nous étions morts d'avoir eu affaire aux individus auxquels nous devrions avoir affaire. Après que *Le Vieil Homme et la mer* sera fini, je n'aurai plus jamais rien à voir avec les gens du cinéma. »[3] Il le jure devant Dieu, et « Dieu » est en majuscules !

Il se console avec une campagne de pêche d'un mois à Cabo Bianco, au Pérou. Il s'y console en fait doublement, car indépendamment des problèmes d'écriture ou des rapports délicats avec le cinéma, sa romance innocente avec Adriana a cessé avec le récent mariage de la jeune fille. En outre, s'il reste toujours en contact avec son frère Gianfranco – ce qui lui permet de suivre de loin la vie de sa belle Italienne –, celui-ci se marie à son tour. Hemmy craint que ces changements distendent leurs rapports ; il l'implore de maintenir le fil. Ernest se préoccupe plus de ses amis que de ses propres enfants.

Au début de l'été 1956, il s'apprête à repartir pour l'Europe. Paris d'abord, puis – encore et toujours – l'Espagne. Il décide de traverser l'Atlantique par la mer, à bord d'un paquebot de la French Line plutôt que par la voie des airs. Ernest – qui sait de quoi il parle ! – estime que l'on ne devrait pas faire « d'aussi longs vols au-dessus de l'eau »[4]. Le 20 juin, un Super Constellation s'est abîmé en mer au large du New Jersey avec soixante-quatorze personnes à son bord, dont vingt-quatre écoliers. Et puis il s'est toujours bien amusé lors des transatlantiques !

Paris n'est qu'une étape agréable vers Madrid.

Lors de ce deuxième voyage depuis la guerre civile, Papa n'a plus rien de l'Hemingway plein d'assurance, chez lui au pays de la corrida. Il ne cesse de justifier sa présence : c'est pour ses amis toreros et pour la corrida qu'il est là. Comme à Cuba, il fuit les journalistes qui lui « portent à tel point sur les nerfs qu'[il n'a] plus de plaisir à aller nulle part »[5]...

Chez Antonio Ordóñez, il croise Jorge Semprun – il craint qu'il s'agisse d'un journaliste. Il faut le rassurer, et lui jurer que le jeune homme n'est qu'un étudiant en sociologie. Semprun, impressionné par la présence de l'écrivain, s'entretient avec lui, sans pourtant évoquer le sujet de la guerre. Un jour seulement, alors qu'ils passent devant l'hôtel Gaylord's évoqué dans *Pour qui sonne le glas*, Hemingway se contente de faire une allusion[6].

Ernest se soucie plutôt de l'arène, encore et encore.

De son banc bien situé, souvent à la place d'honneur, Ernest couve les toreros de la nouvelle génération d'un regard appréciateur, et il se sent revigoré au contact de ces énergies jeunes, de cette impatience à en découdre, de tout ce qu'il a connu lui-même. Mais, s'il ne veut pas penser que pour lui la page est tournée, il remarque, à des signes, que la courbe du temps s'infléchit aussi pour ses proches.

La santé de Mary demeure délicate (elle souffre d'une grave anémie et doit être transfusée en août). Son fidèle chien Blakie, « qui a au moins quatorze ans, [...] est sourd comme un pot, a du mal à sortir de la piscine et n'y voit que d'un œil »[7]. Papa parie cependant qu'il survivra au président Eisenhower, alors en campagne pour un nouveau mandat.

Le voyage en Europe s'achèverait tristement, en dépit des efforts d'Hemingway pour paraître au mieux de sa forme, si une découverte étonnante ne le mettait en joie à Paris, sur le chemin du retour : au Ritz, il apprend incidemment l'existence de deux vieilles malles bourrées de documents et entreposées depuis 1928 dans le grenier de l'établissement. Elles lui appartiendraient.

Quand il les ouvre, sa vie parisienne d'autrefois s'en exhale par bouffées nostalgiques : il y a là des notes manuscrites, des articles, des ébauches de nouvelles et de romans. Il y a là, préservée, une partie chère de son existence qui donnera sa vie à *Paris est une fête*…

Mais la fête est finie.

Hemingway a perdu de sa superbe lorsqu'il débarque aux États-Unis en 1958. Son organisme épuisé ne supporte plus les excès, et les médecins multiplient leurs mises en garde. À défaut de pouvoir lui interdire l'alcool, ils lui recommandent de boire avec modération – un mot dont ils devraient pourtant savoir qu'il ne figure pas dans son vocabulaire. Ernie connaît les risques qu'il encourt avec une tension et un taux de cholestérol élevés, un foie dans un état pitoyable. Il fait la grimace quand les médecins l'encouragent à éviter les nourritures grasses et, pire, les activités amoureuses… Or le malade n'est pas peu fier de ses performances dans ce domaine, quitte à embarrasser Mary quand il en parle sans pudeur à des invités, devant elle.

Pour tuer le temps qui le lui rend bien, il s'attache à rassembler ses mémoires et à y inclure des documents anciens ; il entame ainsi la rédaction de *Paris est une fête*. Malheureusement, la main qui aligne les souvenirs du jeune conquérant qu'il fut et voudrait encore paraître appartient à un presque vieillard qui glisse imperceptiblement dans une zone crépusculaire. L'époque était belle. L'intelligence pétillait comme le champagne qui coulait à flots. Le regard des femmes étincelait. Hemingway parlait d'égal à égal avec les plus grands écrivains, les plus grands poètes, des peintres immenses, des hommes et des femmes qui façonnaient la culture du monde pour longtemps. C'étaient les années d'insouciance, celles qui suivaient la misère de la guerre, celles qui précédaient la crise, le tristement célèbre jeudi noir qui mit un terme aux Années folles.

Hemmy pourrait se contenter de reproduire cette fresque passionnante, mais de vieilles rancœurs le poussent à régler des comptes, à évoquer l'homosexualité de Gertrude Stein, l'alcoolisme de Dos Passos, la taille du sexe de Fitzgerald, la folie de Zelda…

Il ne se rend pas compte qu'il est en train de sombrer. Il se débat maintenant pour exister tel qu'il imagine être. Il ne veut pas baisser les bras. Hélas, si la volonté lutte, le corps ne suit plus. Il est en fait pathétique.

En cette fin des années 1950, le monde paraît se liguer contre lui. Tout lui semble déglingué, jusqu'au climat qui semble *bizarre*[8]. Il donne l'impression d'être parfois désemparé. Moins porté par la puissance de l'écriture et la force de l'inspiration, il hésite pour la première fois de sa vie. Il croit ne plus rien écrire d'important.

Jorge Semprun impute son affaiblissement à Mary. Il est vrai qu'en faisant de son mieux pour le couper de ses excès, elle l'empêche d'une certaine manière de se libérer. Mrs Hemingway entend simplement protéger son mari de lui-même et ne lui passe rien. Semprun assiste, consterné, à d'humiliantes séances infligées à l'écrivain : « Avec sa petite voix haut perchée, pointue, elle intervenait dans toutes les conversations, coupait la parole au pauvre vieil Ernest, et ne proférait que des sottises. Hemingway, comme tous les créateurs, était mégalomane et orgueilleux, et ne pouvait s'empêcher de raconter ses exploits sexuels avec Mary. Mais cela devenait pathétique. Les récits étaient courts, grossiers, et surtout invraisemblables. Il ne pouvait faire ça avec elle. Ou il ne faisait rien, ou c'était avec une autre ! » [9]

Survient alors un nouveau coup dur, qui va ébranler l'édifice Hemingway : Cuba s'apprête à basculer dans la révolution. L'île connaît une situation de crise. Depuis 1903, elle se trouve sous la dépendance des États-Unis, et bientôt sous la férule d'hommes de paille – et dictateurs –, comme Gerardo Machado (1925-1933) et le général Fulgencio Batista, lequel, président de la République de 1940 à 1944, est revenu au pouvoir en 1952, à l'occasion d'un coup d'État. Le régime du dictateur Batista, harcelé par les groupes rebelles, lâche sa police et ses forces armées sur les opposants. La répression se révèle terrible.

En une occasion, d'ailleurs, à la fin des années 1940, les policiers ont fait irruption à la Finca Vigia. Ainsi va la vie à La Havane, entre coups de feu et coups de chaleur. Mais les symptômes du malaise, dont cet épisode est une péripétie parmi d'autres, reviennent désormais plus vite. Ernest, naguère séduit par l'île, véritable palette de couleurs où même la mort ne porte pas son masque tragique, n'en ignore pas l'histoire complexe. Dans ce pays baroque à la population bon enfant, il sait que couve en permanence un incendie.

« Cuba est vraiment moche maintenant, Mouse, écrit-il à son fils Patrick. Je ne suis pas un gros minou du genre timoré, mais vivre dans un pays où personne n'a raison – les deux côtés atroces l'un et l'autre –, sachant le genre de choses et de meurtres qui vont continuer quand les nouveaux arriveront – voyant les abus de ceux qui sont en place maintenant –, j'en ai marre. » [10]

En 1959, donc, conscient que des changements pourraient survenir tôt ou tard, convaincu que son visa de résident pourrait être annulé, Ernest joue la carte de la prudence et acquiert une vaste demeure à Ketchum, dans l'Idaho, non loin de la rivière Big Wood – une région idéale pour la chasse et pour la pêche. Il aime cet endroit qu'il fréquente d'ailleurs depuis plus de vingt ans, tout comme son ami Gary Cooper. Ce sera son nouveau havre, ou plutôt son havre *bis*.

Les événements se précipitent entre-temps. Le 1er janvier 1959, Fulgencio Batista est chassé du pouvoir par les guérilleros du Mouvement du 26 juillet (en référence au premier coup d'État manqué du 26 juillet 1953 contre son régime). Sortis du maquis de la Sierra Maestra, soutenus par les États-Unis et les paysans cubains, ces hommes ont à leur tête un jeune avocat, Fidel Castro. Pendant ses années d'exil au Mexique, il a organisé une âpre résistance contre Batista. Son frère Raul l'accompagne dans cette aventure, ainsi qu'un médecin argentin qui ne tarde pas à révéler ses talents de révolutionnaire : Ernesto « Che » Guevara.

Hemingway apprend la nouvelle depuis Ketchum. Le *New York Times* le contacte pour l'interviewer sur les événements à Cuba, et Ernest se déclare spontanément « ravi » par le renversement du dictateur. Mary lui conseille de se montrer plus circonspect : après tout, rien ne prouve que le régime de ce Castro ne sera pas aussi violent et corrompu que celui qu'il a renversé. Ernest écoute la voix de la sagesse et rappelle le *Times* pour modérer son propos : s'il n'est plus *ravi*, il affirme avoir espoir en la nouvelle équipe dirigeante[11]. On ne sait jamais…

Il nourrit des craintes pour sa maison, ses livres, ses toiles de maîtres, mais le nouveau régime s'empresse de calmer son inquiétude. Jaime Bofils, un des membres officiels du gouvernement castriste, le joint personnellement pour lui annoncer qu'il se charge lui-même de la protection de sa propriété.

Hemingway est rassuré. Le vent de l'Histoire confirme ce qu'il écrivait dans les *Vertes collines d'Afrique* : « Tout passe et tout lasse, les nations, les individus qui les composent, autant en emporte le vent… Il ne reste que la beauté, transmise par les artistes. »

55

Baisser de rideau

(1959-1961)

« Mourir est une chose très simple, finalement. »

Ernest Hemingway

La vie reprend presque normalement son cours, et Ernest s'est remis à la rédaction de *Paris est une fête*. Il sait qu'il retrouvera sa maison cubaine un jour ou l'autre. Il peut envisager un nouveau voyage en Europe, sa visite rituelle à sa chère Espagne.

Le voyage va durer de mai à octobre 1959. L'Espagne accueille Papa à bras ouverts, il y retrouve de vieux amis, et il y fête son soixantième anniversaire, le 21 juillet. Son plus beau cadeau, c'est peut-être d'assister au *mano a mano* qui oppose dans l'arène les deux figures les plus célèbres de la tauromachie, par ailleurs beaux-frères : Antonio Ordóñez, « magnifique, courageux, cohérent et incroyable à la fois avec la cape et la muleta »[1] et Luis Miguel Dominguin. L'affrontement atteint une telle intensité que les deux hommes sortent blessés de l'enclos sacré. Comme nombre d'Espagnols, Hemingway n'a jamais vu un tel spectacle, la confrontation de deux styles épurés, de deux formes d'élégance létale.

En Espagne, il continue d'écrire. Il n'ignore pas qu'il doit économiser ses efforts, mais estime qu'il devrait travailler plus dur, car le temps est mesuré… En rédigeant *Paris est une fête*, il réalise que la plupart de ses acteurs sont morts.

C'est à cette époque qu'il écrit une lettre désespérée à l'un de ses compagnons de bamboche de l'époque, le grand acteur français Pierre Brasseur : « Je n'arrive plus à baiser, je n'arrive plus à écrire. Au revoir. » Les deux hommes étaient à ce point proches que le comédien avait demandé à l'écrivain d'être le parrain de son fils Claude et de le porter sur les fonts baptismaux de l'église Saint-Séverin à Paris, en plein Front Populaire. Claude, lui-même devenu acteur, n'a jamais su pendant son enfance qui était Hemingway. « Pour moi, tous les amis de mes parents étaient leurs collègues de travail, un point c'est tout, nous n'avions aucune idée de ce qu'était la notoriété ». Il se souvient tout au plus d'une étrange semaine de vacances en Espagne avec son parrain, du temps de son adolescence : « Mon père m'avait confié à Hemingway, un homme très organisé quoiqu'on en dise, et pas du tout bordélique. Mais avec ses amis, pendant leurs fameuses temporadas, ils passaient leur temps à se taper des grosses cuites. Et moi, les corridas, ça m'emmerdait. Mais il était très gentil avec moi »[2].

Grâce à l'Espagne et à cette remontée de souvenirs, Hemingway peut achever son texte et le rapporte avec lui sur le paquebot qui le ramène grippé à New York. (Mary, elle, est rentrée plus tôt en avion.) Le 3 novembre, il doit remettre son manuscrit à Scribner.

Pendant la traversée, il s'entretient avec un journaliste qui vient de publier un bon article sur Fitzgerald dans le *New Yorker* et qui, préparant une biographie de Scott, se réjouit de rencontrer Hemingway pour le questionner. Il était justement à Paris pour y rassembler des éléments et recueillir des témoignages. Mais Ernest, comme il le lui signifie clairement dans un petit mot[3], se gardera bien de lui fournir des renseignements de première main sur l'auteur de *Gatsby*, des informations qui relèvent pour lui du secret professionnel, puisqu'elles figureront dans *Paris est une fête*.

Il reste à Papa quelques illusions sur Cuba, où la révolution contente tout le monde, jusqu'à la Maison Blanche qui chante les vertus de Castro... *El Commandante* connaît Hemingway, et ils participent même à un concours de pêche au marlin ensemble – concours que Fidel remporte.

Depuis son retour d'Espagne, il évite d'aborder le sujet publiquement, mais en privé, il ne cache pas que cette révolution lui semblait nécessaire. Il est vrai qu'Ernest passe pour un sympathisant de la Cause. Il est vrai surtout qu'un prix Nobel peut servir la cause d'un révolutionnaire. La nouvelle voix de Cuba cherche à se faire entendre, et la propagande castriste ne néglige aucun ami.

Une relation de bon voisinage d'abord fondée sur une curiosité réciproque s'établit entre les deux *barbudos*. Au-delà de la réelle sympathie que lui inspire l'écrivain, Castro imagine pouvoir l'utiliser, notamment dans ses relations avec – ou *contre* – les États-Unis. Il n'est pas le premier. Staline avait fait de même pendant la guerre d'Espagne, et exploité le talentueux filon que représentait déjà l'Américain, sincère à en être naïf.

Bien sûr, le FBI voit d'un très mauvais œil cette relation contre nature entre le *Líder Máximo*, dont il cerne encore mal les intentions, et l'un des plus éminents représentants de la littérature, même si d'un point de vue politique, Hemingway ne pèse pas.

Ernest n'a plus vraiment le cœur à travailler. Il doit pourtant peaufiner la série d'articles sur la tauromachie promis à *Life* et qui seront rassemblés sous le titre de *The Dangerous Summer* (*L'Été dangereux*), qui peut se comprendre comme la suite de *Mort dans l'après-midi*.

Mais il dépasse largement le nombre de mots commandé par le magazine (quatre mille cinq cents) : il prévoit d'abord de rédiger un texte d'environ quinze mille mots, il en est à soixante-trois mille mots à la fin de mars, et enfin à plus de cent mille en mai 1960 ! Il faut trancher dans le vif.

Or couper un texte relève d'un casse-tête ou d'un crève-cœur pour tout journaliste et pour tout écrivain car, bien sûr, on retire l'essentiel, à chaque fois – du moins le croit-on. Par chance, Aaron Hotchner, l'ami écrivain, lui donne un coup de main.

Hemingway travaille dur, mais le moral n'y est pas. Mary se remet difficilement d'une fracture au coude. Lui, souffre d'hypertension, ses problèmes de reins et de foie ne lui laissent aucun repos, et il y voit de moins en moins…

Il projette néanmoins un voyage en Espagne, d'août à octobre 1960. Il ne sait pas encore que ce sera là le dernier.

Il quitte donc la Finca le 25 juillet, sans savoir aussi que c'est pour toujours. Avec Mary, il passe d'abord une semaine à New York, où ils ont trouvé une « planque », puis il prend l'avion, seul, pour Madrid. Même le plaisir des paquebots l'a abandonné.

Par bonheur, il lui reste sa passion pour la tauromachie. Et s'il se rend en Europe, c'est spécialement pour voir toréer Antonio Ordóñez. Il a l'intention de prendre des photos de ses combats pour illustrer ses articles dans *Life*. Le titre est bien choisi : « L'été dangereux ». Il l'est à plus d'un point.

Quand elle lit les nombreuses lettres que lui adresse son mari, visiblement épuisé, Mary s'inquiète. Mais s'inquiète-t-elle assez ? Ernest lui-même craint de sombrer dans une « complète dépression mentale et physique causée par un surmenage meurtrier »[4]. Ses médicaments ne le protègent plus de ses cauchemars, il se sent assailli par les problèmes, incapable de faire face, ni physiquement ni psychologiquement. Il paraît en équilibre sur le fil de la peur, et à la fin de septembre, il adresse un appel au secours pathétique à Mary : « Je voudrais que tu sois là pour veiller sur moi et m'aider à tenir le coup, et m'empêcher de flancher. Me sens très mal et vais juste m'étendre pour essayer de me reposer. »[5]

Pendant ce temps, pourtant, ses articles dans *Life* ont du succès. Mais même ce succès le dégoûte. Ce voyage tourne à l'enfer. Il est à bout.

Mary l'attend. L'homme qui arrive à New York le 8 octobre 1960 n'est plus lui-même : il veut donner le change, mais avec exagération, au point de susciter un certain malaise. La réalité est terrible pour cet être qui toute sa vie eut le courage pour vertu : il est en proie à la peur, à des obsessions et à des doutes, tandis que le poison de la suspicion se distille dans son cerveau malade. L'été fut assurément dangereux. L'automne sera infernal.

Depuis son retour, les crises de paranoïa se succèdent. Hemingway imagine que quelqu'un guette derrière la porte de l'appartement qu'il ne veut plus quitter, il imagine qu'on le suit. Effet de la traque qu'il subit depuis qu'il est un homme célèbre ?...

Pour l'apaiser, Mary pense qu'un changement de cadre sera salutaire et l'emmène à Ketchum *via* Chicago. Mais le voyage en train se transforme en film d'espionnage. Il est obsédé par les impôts, par le FBI qu'il imagine toujours à ses trousses, par la moindre voiture de police... Et le sentiment de persécution le poursuit à Ketchum, où il devient soupçonneux même envers son banquier, le vice-président de la Morgan Guaranty Trust à New York. Il pense être « fauché ». Or à l'époque, Hemingway se trouve à la tête d'une coquette fortune d'environ quatre millions de dollars.

La situation devient intenable.

Mary consulte leur médecin, qui estime préférable d'hospitaliser Ernest dans un centre réputé. Il s'y refuse obstinément, craignant pour sa réputation. Il va pourtant devoir s'y résigner.

Le 30 novembre 1960, sous un nom d'emprunt – celui de son médecin, George M. Saviers – et sous prétexte d'hypertension, il finit par être admis à la Mayo Clinic de Rochester, l'un des établissements les plus réputés au monde. Il y subit un traitement médical et psychiatrique sous la forme d'une série d'électrochocs – remède présenté comme efficace contre la dépression et les états hallucinatoires. On en profite pour le soumettre à un examen général et à diverses analyses.

Et c'est un homme « guéri » qui rentre chez lui après presque deux mois d'hospitalisation. Un homme guéri, mais privé d'une partie de ses souvenirs et pratiquement dans l'incapacité d'écrire ! Il sue sang et eau, mais il ne peut plus ordonner des phrases simples. Il ne peut plus rien. Parce qu'il était hospitalisé, il a par ailleurs dû décliner l'invitation personnelle de John F. Kennedy, qui lui proposait d'assister à son investiture. Son ami « Hotch » doit l'aider à rédiger un bref message pour s'en excuser.

À Ketchum, où il végète désormais, Hemingway reçoit peu, sinon son médecin qui vient prendre sa tension chaque jour. Jusqu'à ce matin du mois d'avril 1961, où Ernest, en robe de chambre, est découvert avec un fusil de chasse à la main, et deux cartouches. Mary parvient à le désarmer jusqu'à l'arrivée du docteur Savins. Ils le conduisent alors à l'hôpital, où on lui administre un sédatif.

Mais à peine rentré chez lui, il fait une nouvelle tentative. Cette fois, il doit être réadmis à la Mayo Clinic. Et c'est alors que se produit un nouvel incident.

Le petit avion qui le transporte à Rochester effectue une brève escale à Rapid City, dans le Dakota du Sud. C'est alors qu'Hemmy en profite pour s'échapper, avant de se diriger soudain vers un autre appareil en train de manœuvrer sur la piste. Des témoins affirment que l'écrivain s'apprête à se jeter sur une hélice. Mais le pilote le voit approcher et coupe aussitôt le moteur. Hemmy ne dira rien sur ses intentions.

À la clinique, on décide de le soumettre à une nouvelle série d'électrochocs. Le psychiatre peut bientôt se féliciter du résultat spectaculaire qu'il a obtenu : son patient semble ressuscité. Il parle franchement de ses peurs et veut inspirer confiance. Il doit être convaincant, puisqu'on l'autorise à rentrer à Ketchum, le 26 juin 1961. Pour le médecin, le patient Hemingway ne représente plus un danger pour lui-même. Il dira par la suite qu'il agissait pour son bien et qu'en toute conscience, il sentait que les risques d'une rechute étaient négligeables, que le pire était passé.

Détail surprenant : il semble que le bon docteur informait régulièrement le bureau du FBI de Minneapolis de l'évolution de l'état de santé de son célèbre patient. C'est ce même psychiatre (Howard Rome) qui sera chargé par la commission Warren de brosser le portrait psychologique de Lee Harvey Oswald, l'assassin présumé de Kennedy.

Or penser que la tentation de la mort peut être chassée par une série d'électrochocs, c'est méconnaître Hemingway.

Mary n'est d'ailleurs pas convaincue. Elle n'est peut-être pas dupe non plus. Elle juge cette sortie de l'hôpital prématurée. Ernest émerge dans un monde qui n'est plus le sien, dont il a perdu les repères. Il sait qu'il ne reverra pas la Finca Vigia, ni ses bars, ni *Pilar*. Il sait confusément que ses pertes de mémoire lui interdisent désormais l'accès à son passé. Ce qu'il a écrit n'a même plus de sens, puisqu'il n'a plus en tête les références qui allaient avec les mots. Il n'a plus toute sa tête, mais il lui en reste suffisamment pour en être conscient.

« En avoir ou pas ? » se demandait-il au début de sa vie. Et voilà qu'il pense ne plus « en avoir », mais « en a » assez pour commettre un acte qui prouverait qu'il « en a » toujours.

S'il souffre de nombreux maux, sa paranoïa n'est peut-être pas tout à fait sans fondement, en tout cas pour ce qui est du FBI. Edgar Hoover, directeur du Federal Bureau of Investigation, le fait effectivement surveiller, ce que révèle un rapport daté du 13 janvier 1961 transmis par un de ses agents spéciaux, chargé de rendre compte des mouvements de Papa. Il y est question de l'hospitalisation de l'écrivain à la Mayo Clinic.

Cette partie de cache-cache avec le FBI dure depuis l'époque de la Crook Factory. Elle a été relancée par l'affaire des pilotes engagés dans un complot contre Batista, et derrière laquelle on retrouvait la patte du forban Hemingway. Puisqu'il est catalogué à gauche, il doit être proche des communistes, et donc éminemment suspect.

Cinquante ans après sa mort, un livre étaie les soupçons d'Hemingway. Dans celui-ci[6], deux journalistes spécialisés dans les affaires d'espionnage et un ancien officier du KGB, s'appuyant sur des documents déclassifiés du KGB, avancent que l'écrivain, recruté en 1941, entretenait des contacts très secrets avec des agents soviétiques. Ils rappellent également le rôle trouble que souhaitait jouer Hemingway pendant la Seconde Guerre mondiale, en particulier quand il patrouillait dans les eaux de Cuba à bord de *Pilar*, afin de débusquer d'éventuels sous-marins nazis. Ernie, comme pendant la guerre d'Espagne, s'était découvert un goût prononcé pour l'intrigue politique, les luttes de coulisses, l'action dans l'ombre, et n'avait pas caché ses sympathies pour la gauche.

S'il apparaît qu'il n'a jamais transmis de documents confidentiels à ses « honorables correspondants », en tout cas pas le moindre renseignement essentiel, un espion du KGB mentionne cependant dans un rapport qu'Argo – le nom de code d'Hemingway au KGB – « ne cessait de nous faire part de son désir et de sa volonté de collaborer avec nous »[7]...

Ainsi vécut donc Argo, *alias* Papa, *alias* Ernest Miller Hemingway. Voyageur aux bottes de géant qui ne cessa de mystifier, d'épater et d'agacer. Sa vie fut un roman. Ses romans étaient pleins d'une vie qu'il embrassait à pleine bouche.

Trois jours après sa mort, sur une tombe du cimetière de Ketchum, à la demande de John, Patrick, Gregory et Mary Hemingway, un prêtre lut un verset de l'Ecclésiaste (I,4) : « Une génération passe, une autre lui succède, mais la terre demeure ferme pour jamais. Le soleil se lève aussi, et il se couche, et il retourne d'où il était parti. »

Un autre monstre sacré de la littérature avait précédé Ernest Hemingway de quelques heures dans la mort : l'un des plus grands écrivains de langue française du XXe siècle, Louis Ferdinand Céline.

NOTES

Chapitre 1. La chute

1. Cité par Gérard de Cortanze dans *Le Magazine littéraire* n° 377 daté de juin 1999 (article intitulé « Passions cubaines », p. 30 à 32) et consacré à Ernest Hemingway.

2. *Idem.*

3. Propos rapporté par Carlos Baker, *Hemingway, histoire d'une vie*, Robert Laffont, trad. Claude Noël et Andrée Picard, Paris, 1971.

4. *Esquire*, février 1962. À Ginna, par ailleurs chargé d'écrire un article sur les dix meilleurs bars du monde, Hemingway avait conseillé de s'intéresser au Ritz, à Paris, au Harry's Bar de Venise, et au Costello's, à New York. Sans oublier bien sûr le Floridita, qu'il recommandait pour « sa bonne ventilation, son personnel avenant, et sa nourriture bonne mais chère ».

Chapitre 2. Le soleil se lève...

1. Carlos Baker, *ibidem*.

2. Cité notamment par Aaron Edward Hotchner, *Papa Hemingway*, Calmann-Lévy, trad. A.-E. Major, Paris, 1999.

3. Cité par François Busnel, dans *Le Magazine littéraire* n° 377 daté de juin 1999 (article intitulé « Le vieil homme et la mort », p. 36-37).

4. Aaron Edward Hotchner, *ibidem*.

5. Cité par François Busnel, *ibidem*.

6. Le récit de ces derniers moments est fait par C. Baker, *ibidem*, qui a recueilli les témoignages des proches d'Hemingway.

Chapitre 3. Quatre mariages et un enterrement

1. Dans sa biographie *Hemingway, histoire d'une vie*, Carlos Baker raconte comment un ami de la famille récupéra le fusil Boss, une arme de prix susceptible d'atteindre des dizaines de milliers de dollars, pour la découper en morceaux à l'aide d'un chalumeau avant de l'enterrer en un lieu tenu secret.

2. John Earl Haynes, Harvey Klehr et Alexander Vassiliev, *Spies : The Rise and Fall of the KGB in America*, Yale University Press, New Haven, 2009.

Chapitre 4. L'enfance d'un chef

1. Jerome Charyn, *Hemingway, portrait de l'artiste en guerrier blessé*, Gallimard, trad. Cécile Bloc-Rodot, Paris, 1999.

2. Cinq volumes en tout de journal relié en cuir, qui figurent dans la collection Hemingway, à la John F. Kennedy Library, Dorchester, Massachusetts.

3. En réalité, ce nom s'orthographie Windermere.

4. Voir James R. Mellow, *Hemingway*, Éditions du Rocher, trad. Marie-France de Paloméra, Paris, 1995.

5. *Idem.*

6. C'est le cas de son biographe Jeffrey Meyers.

7. Cité par Peter Griffin, *Ernest Hemingway*, Gallimard, trad. Michel Arnaud, Paris, 1989.

8. Voir Scott Donaldson, *By Force of Will*, Universe, 2001.

9. Voir James R. Mellow, *ibidem.*

Chapitre 5. Premières revanches

1. Cité par Peter Griffin, *ibidem.*

2. Anecdote rapportée par Peter Griffin, *ibidem.*

Chapitre 7. Ernie reporter

1. Lettre à ses parents du 17 octobre 1917, *Lettres choisies* (1917-1961), Gallimard, trad. Michel Arnaud, Paris, 1986.

Chapitre 8. Avant l'enfer

1. Cité par Peter Griffin, *ibidem.*

2. *Idem.*

3. *Idem.*

Chapitre 9. Douce France

1. *Idem.*
2. Voir Scott Donaldson, *ibidem.*
3. Anecdote rapportée par Peter Griffin, *ibidem.*

Chapitre 10. L'autre réalité

1. Cité par Peter Griffin, *idem.*
2. *Idem.*
3. Cité par Scott Donaldson, *ibidem.*
4. Deux positions défendues par Scott Donaldson, *ibidem.*
5. Cité par Peter Griffin, *ibidem.*
6. *Idem.*

Chapitre 11. Héros et brave

1. Il détaille la nature et le nombre de ses blessures dans les lettres qu'il adresse à ses parents l'été 1918. Voir entre autres les lettres du 21 juillet et du 18 août 1918.
2. Anecdote rapportée par Peter Griffin, *ibidem.*
3. Lettre à ses parents du 18 octobre 1918.

Chapitre 12. Agnès

1. Lettre à ses parents du 18 août 1918.
2. Lettre à Bill Smith du 13 décembre 1918.

Chapitre 13. Un autre homme

1. Lettre à James Gamble du 3 mars 1919.
2. Respectivement lettres à James Gamble du 3 mars et à Lawrence T. Barnett du 30 avril 1919.
3. Lettre à James Gamble du 3 mars 1919.

Chapitre 14. Une convalescence sentimentale

1. Lettre à Howell Jenkins du 16 juin 1919.
2. Lettre à Howell Jenkins du 26 juillet 1919.
3. Lettre à Ernest citée par James R. Mellow, *ibidem.*

Chapitre 15. En route

1. Voir Carlos Baker, *ibidem.*
2. Cité par Carlos Baker, *ibidem.*

3. James R. Mellow, *ibidem*.
4. *Idem*.
5. Carlos Baker, *ibidem*.
6. Lettre à Grace Quinlan du 1ᵉʳ janvier 1920.
7. Lettre à Grace Quinlan du 8 août 1920.
8. Cité par James R. Mellow, *ibidem*.

Chapitre 16. Hadley

1. Carlos Baker, *ibidem*.
2. Cité par James R. Mellow, *ibidem*.
3. Lettre à Grace Quinlan du 21 juillet 1921.
4. Cité par James R. Mellow, *ibidem*.
5. Lettre d'Hadley du 1ᵉʳ janvier 1921.
6. Pour ces anecdotes et la citation, voir James R. Mellow, *ibidem*. La majuscule à « amant » est dans la citation.

Chapitre 17. Inquiétudes

1. Lettre à sa mère du 22 décembre 1920.

Chapitre 18. Écrire comme boxer

1. Cité par James R. Mellow, *ibidem*.
2. Cité par Peter Griffin, *ibidem*.

Chapitre 19. Mariage : premier round

1. Voir la lettre à Grace Quinlan du 21 juillet 1921.
2. Cité par Peter Griffin, *ibidem*.
3. Lettre d'Hadley du 7 juillet 1921.
4. Anecdote rapportée par P. Griffin, *ibidem*.

Chapitre 20. Parfum de France

1. Anecdote rapportée par Peter Griffin, *ibidem*.

Chapitre 21. La Génération perdue

1. Lettre à sa « chère famille » écrite « en mer » le 20 décembre 1921. Dans une autre lettre (à Bill Smith, vers le 21 décembre), Ernest précise que ce match était organisé au profit d'une passagère de la troisième classe, abandonnée seule avec son bébé par son mari, un membre des

Forces expéditionnaires américaines. La petite somme récupérée devait lui permettre de tenir un peu.

2. Entre le franc et le dollar, l'écart est spectaculaire : de 5,45 francs en 1919, le dollar passe à 50 francs en juillet 1926 !

3. Lettre à Sherwood et Tennessee Anderson, vers le 23 décembre 1921.

4. *Idem.*

5. Lettre à Howell Jenkins du 26 décembre 1921.

6. *Paris est une fête*, Gallimard, Paris, 1964.

7. *Autobiographie d'Alice Toklas*, coll. « L'Imaginaire », Gallimard, trad. Bernard Faÿ, Paris, 1980.

8. « Miss Stein était très forte, mais pas très grande, lourdement charpentée, comme une paysanne. Elle avait de beaux yeux et un visage rude de juive allemande. » (*Paris est une fête, ibidem.*)

9. Lettre à Sherwood Anderson, vers le 9 mars 1922.

10. Lettre à Sherwood Anderson du 9 mars 1922.

11. *Paris est une fête, ibidem.*

Chapitre 22. American Montparnasse

1. Notes pour *Paris est une fête.*

2. *Paris est une fête, ibidem.*

3. *Idem.*

4. *Idem.*

5. Il s'agit là des dernières lignes de *Paris est une fête.*

6. *Paris est une fête, ibidem.*

7. *Le Piéton de Paris*, coll. « L'Imaginaire », Gallimard, Paris, 1993.

8. Lettre à Sherwood Anderson du 9 mars 1922.

9. Lettre à Howell Jenkins du 20 mars 1922.

10. Note à la lette du 20 mars 1922 à Howell Jenkins *in Lettres choisies, ibidem.*

11. Lettre à son père du 2 mai 1922.

12. Lettre à Sherwood Anderson du 9 mars 1922.

13. Anecdote rapportée en partie dans *Paris est une fête*, et aussi dans diverses lettres, dont celle à Gertrude Stein et Alice B. Toklas du 11 juin 1922.

Chapitre 23. Écrire, c'est vivre

1. Il l'appelle aussi ainsi, comme en témoigne une lettre qu'il lui adresse le 28 novembre 1922.

2. Cité par Pierre Lepape, dans *Le Monde des livres* datés du vendredi 30 avril 1999 (article intitulé « Il n'aimait pas nager, mais plonger »). Voir aussi la lettre à Ezra Pound du 23 janvier 1923.

3. Lettre à Bill Horne des 17 et 18 juillet 1923.

4. Voir la note à la lettre du 26 mars 1923 à Clarence Hemingway *in Lettre choisies, ibidem*.

5. Lettre à Isabel Simmons, vers le 1ᵉʳ décembre 1922. Hemingway a accompli son reportage au Moyen-Orient entre le 25 septembre et le 21 octobre 1922.

6. Lettre à Bill Horne des 17 et 18 juillet 1923.

7. *Idem.*

8. *Idem.*

9. *Idem.*

Chapitre 24. Le purgatoire canadien

1. Lettre à Ezra Pound, vers le 6 septembre 1923.
2. Gertrude Stein, *Autobiographie d'Alice Toklas, ibidem*.
3. Lettre à Sylvia Beach du 6 novembre 1923.
4. Lettre à Gertrude Stein et Alice B. Toklas du 11 octobre 1923. Mais il ne cesse de l'écrire…
5. Lettre à Ezra Pound du 13 octobre 1923.
6. Lettre à Sylvia Beach du 6 novembre 1923.

Chapitre 25. Bumby voyage

1. Lettre à Ezra Pound du 2 mai 1924.
2. Cité par Jerome Charyn, *ibidem*.
3. Lettre à Ezra Pound du 19 juillet 1924.
4. Ils parcourront finalement quatre cent soixante-neuf kilomètres en quatorze jours, avant d'arriver à Andorre, « chargés d'edelweiss et de punaises ». Voir la lettre à Ezra Pound du 19 juillet 1924.
5. Lettre à Ezra Pound du 19 juillet 1924.
6. *Idem.*
7. *Idem.*
8. Ce très beau récit paraîtra dans le numéro 1 de *This Quarter*, en mai 1925.
9. Lettre à Gertrude Stein et Alice B. Toklas du 15 août 1924.
10. Lettre à Howell Jenkins du 9 novembre 1924.
11. Lettre à William B. Smith du 6 décembre 1924.

Chapitre 26. Portraits d'artistes

1. Pascin se suicide chez lui le 2 juin 1930, en deux temps : il s'ouvre les veines puis, constatant que la mort tarde à venir, il se pend, non sans avoir écrit avec son sang « Adieu Lucy » sur la porte du débarras.
2. *Paris est une fête, ibidem.*
3. Alex Small dans un article de *Paris Tribune.*

Chapitre 27. L'ami Fitz

1. Lettre à Harold Loeb du 27 février 1925.
2. Lettre à Horace Liveright du 15 mai 1925.
3. Lettre à John Dos Passos du 22 avril 1925.
4. Lettre à John Dos Passos du 24 avril 1925.
5. *Paris est une fête, ibidem.*
6. Voir la correspondance entre Fitzgerald et Perkins, *Gatsby le magnifique*, Livre de poche, trad. Jacques Dutourd, Paris, 1976.
7. Roger Grenier, *Trois heures du matin, Scott Fitzgerald*, Gallimard, Paris, 1995.
8. *Idem.*
9. Lettre à F. Scott Fitzgerald du 15 décembre 1925.
10. *Paris est une fête, ibidem.*

Chapitre 28. Olé !

1. Lettre à F. Scott Fitzgerald du 1er juillet 1925.
2. Lettre à Clarence Hemingway du 20 août 1925.
3. Lettre à Ernest Walsh, vers le 15 septembre 1925.
4. *Idem.*
5. Lettre à Sherwood Anderson du 23 mai 1925.
6. Lettre à F. Scott Fitzgerald vers le 24 décembre 1925.
7. Lettre à Chard Powers Smith du 21 janvier 1927.
8. *Idem.*
9. Lettre à Ernest Walsh vers le 2 janvier 1926.
10. Lettre à F. Scott Fitzgerald du 20 avril 1926.
11. Il s'agit de la propriété familiale de Dorman-Smith en Irlande.
12. Lettre à F. Scott Fitzgerald du 20 avril 1926.
13. Lettre à F. Scott Fitzgerald, vers le 7 septembre 1926.
14. Voir la lettre à Pauline du 12 novembre 1926.
15. Lettre à F. Scott Fitzgerald vers le 7 septembre 1926.

Chapitre 29. Complications sentimentales

1. Cité par Gérard de Cortanze dans *Le Magazine littéraire* n° 377 daté de juin 1999.

2. Lettre à Maxwell Perkins du 19 novembre 1926.
3. Cité par Gérard de Cortanze, dans *Le Magazine littéraire*, n° 377.
4. Lettre à F. Scott Fitzgerald du 24 novembre 1926.
5. Lettre à sa mère du 5 février 1927.

Chapitre 30. « Papa »

1. Lettre à Clarence Hemingway du 14 septembre 1927.
2. Lettre à F. Scott Fitzgerald, vers le 15 septembre 1927.
3. Lettre à Archibald MacLeish du 8 octobre 1927.
4. *New York Herald Tribune* du 9 octobre 1927.
5. Lettre à Maxwell Perkins vers le 1er novembre 1927.
6. *Idem.*
7. Lettre à Maxwell Perkins du 12 février 1928.
8. *Idem.*
9. Gérard-Georges Lemaire, *Les Cafés littéraires*, Éditions de la Différence, Paris, 1997.
10. Kiki fut réellement élue « reine de Montparnasse » en 1929, lors d'un gala de bienfaisance au profit des artistes.
11. John Glassco, *Mémoires de Montparnasse*, Viviane Hamy, Paris, 2010.

Chapitre 31. Mon père, ce lâche

1. Lettre à Waldo Peirce du 9 août 1928.
2. *Idem.*
3. Lettre à F. Scott Fitzgerald, vers le 9 octobre 1928.
4. Avec la majuscule. *Idem.*
5. *Idem.*
6. Lettre à Maxwell Perkins du 11 octobre 1928.
7. Lettre à Maxwell Perkins du 16 décembre 1928, dans laquelle il détaille l'état des finances familiales.

Chapitre 32. L'adieu aux armes

1. Cette histoire, Hemingway va souvent la raconter, et souvent revenir dessus ! Voir par exemple les lettres du 28 août et du 12 décembre 1929, ainsi que celle du 4 janvier 1930, adressée à Callaghan lui-même.
2. John Glassco, *ibidem.*
3. *Idem.*
4. *Idem.*
5. Lettre à John Dos Passos du 4 septembre 1929.

6. Lettre à F. Scott Fitzgerald du 4 septembre 1929.

7. Voir la lettre à Maxwell Perkins du 7 juin 1929.

8. Citation rapportée par Gérard de Cortanze dans la chronologie du n° 377 du *Magazine littéraire*.

9. Cité par *Le Magazine littéraire*, n° 377.

10. Voir la lettre à Archibald MacLeish du 22 novembre 1930.

Chapitre 33. Fortunes diverses

1. Lettre à Henry Strater du 10 septembre 1930.

2. *Idem.*

3. Lettre à Guy Hickok du 5 décembre 1930.

4. Lettre à Archibald MacLeish du 22 novembre 1930.

5. Lettre à Guy Hickok du 5 décembre 1930.

6. Lettre à Archibald MacLeish du 22 novembre 1930.

7. Lettre à Guy Hickok du 5 décembre 1930.

8. Voir par exemple la lettre du 19 juillet 1924, écrite d'Espagne.

9. Lettre à John Dos Passos du 26 juin 1931.

10. *Idem.*

11. Lettre à Waldo Peirce, vraisemblablement entre le 1er et le 12 novembre 1931.

12. Lettre à Maxwell Perkins du 5-6 janvier 1932.

13. Lettre à Henry Strater du 9 février 1932.

14. Le chat possède normalement quatre doigts et un ergot sur les pattes avant, et quatre doigts aux pattes arrière. À la suite d'une mutation génétique, certains chats peuvent présenter jusqu'à sept doigts, indifféremment aux pattes avant ou arrière.

Chapitre 34. Pêches en tout genre

1. Article d'*Esquire* cité par *Le Magazine littéraire*, n° 377.

2. Lettre à Paul Romaine, un éditeur du Milwakee, le 6 juillet 1932.

3. Il s'agit de Lincoln Kirsten, cité par Gérard de Cortanze dans *Le Magazine littéraire*, n° 377.

4. Cité par Gérard de Cortanze dans *Le Magazine littéraire* n° 377.

5. Ces critiques sont rapportées par G. Chérel, *Ernest Hemingway*, Le Castor astral, Paris, 1998, et par *Le Magazine littéraire*, n° 377.

6. Cité par J. Mellow, *ibidem.*

7. Cité par J. Meyers, *Hemingway*, Belfond, trad. Sylvie Besse et Geneviève Hily-Mane, Paris, 1987.

8. Lettre à Maxwell Perkins du 16 novembre 1943.

9. Lettre à Maxwell Perkins du 27 juillet 1932.

Chapitre 35. Chasseur de fauves

1. Lettre à Henry Strater du 14 octobre 1932.
2. Lettre à Guy Hickok du 14 octobre 1932.
3. Lettre à Everett R. Perry du 7 février 1933.
4. Lettre à Arnold Gingrich du 3 avril 1933.
5. Lettre à Janet Flanner du 8 avril 1933.
6. *Idem.*
7. Lettre à Mary Pfeiffer, la mère de Pauline, du 16 octobre 1933.
8. Lettre à Patrick Hemingway du 2 décembre 1933.
9. A. E. Hotchner, *ibidem.*
10. Lettre à F. Scott Fitzgerald du 28 mai 1934.
11. Anecdote rapportée dans une lettre à Arnold Gingrich du 4 juin 1935.

Chapitre 36. Haine et bagarre

1. Cette nouvelle est publiée en septembre 1936 dans la revue *Cosmopolitan*. Elle sera portée à l'écran en 1947 dans un film intitulé *The Macomber Affair*, avec Gregory Peck et Joan Bennett.
2. Lettre du 7 septembre 1935.
3. « Si vos œuvres durent, des gens écriront sur vous, et s'ils écrivent sur vous quand vous serez mort le même genre de conneries que celles qu'ils écrivent quand vous êtes vivant, ce sera très idiot. » Lettre à Ivan Kashkin datée du 12 janvier 1936.
4. Lettre retranscrite par Carlos Baker, *ibidem.*
5. Résumé de la lettre à Sara Murphy du 27 février 1936.

Chapitre 37. L'Espagne déchirée

1. Le 15 février 1998, à l'âge de quatre-vingt-neuf ans, malade et pratiquement aveugle, elle se donnera la mort, à Londres.
2. Lettre à Maxwell Perkins du 15 décembre 1936.
3. Lettre à Harry Sylvester du 5 février 1937.
4. Voir James R. Mellow, *ibidem.*
5. Cette précision figure dans la lettre d'Hemingway aux parents de Pauline, en date du 9 février 1937.
6. François Mauriac dans *Le Figaro*, 18 août 1936.
7. Texte publié dans la revue *Commune*, décembre 1936.
8. Manifeste publié dans la revue *Occident*, n° 4, 10 décembre 1937.

Chapitre 38. Retour vers l'enfer

1. Il s'agit du bataillon Abraham Lincoln, placé sous le commandement de Martin Hourihan, de Pennsylvanie, et du bataillon George Washington, commandé par un Américain d'origine yougoslave, Mirko Markovic.

2. Anecdote rapportée par Hugh Thomas, *La Guerre d'Espagne*, Bouquins-Robert Laffont, Paris, 1985.

Chapitre 39. Malraux

1. Lettre de Malraux à John Brown, citée par Olivier Todd, *André Malraux*, Gallimard, Paris, 2001.

2. Pietro Nenni, *La Guerre d'Espagne*, François Maspero, Paris, 1959.

3. Lettre de George Sonia à Jean Lacouture, *André Malraux, une vie dans le siècle*, Seuil, 1973.

4. *Idem*

5. Stephen Spender, *Autobiographie 1909-1950*, Christian Bourgeois, 1993. Cité par Laurent Lemire, *Malraux*, Jean-Claude Lattès, 1995.

6. Antoine de Saint-Exupéry, *Écrits de guerre, 1933-1944*, Gallimard, Paris, 1982.

Chapitre 40. En avoir ou pas

1. Lettre à Mary Pfeiffer du 2 août 1937.

2. Voir lettre à Hadley du 31 janvier 1938.

3. Gustav Regler, *The Owl of Minerva*, Rupert Hart-Davis Ltd, Londres, 1959.

4. Anecdote rapportée par Yves Courrière, *Joseph Kessel ou sur la piste du lion*, Plon, 1985.

5. De son vrai nom Endre Erno Friedmann.

Chapitre 42. Deuxième divorce, un mariage et un livre

1. Lettre à son traducteur Ivan Kashkin du 23 mars 1939.

2. Lettre à Maxwell Perkins du 25 mars 1939, c'est-à-dire la veille même du début de la reddition de l'armée républicaine.

3. Résumé de la lettre à Hadley du 15 juillet 1939.

4. Lettre à Thomas Shevlin du 4 avril 1939.

5. A. E. Hotchner, *ibidem*.

6. Voir lettre à Mrs Pfeiffer du 21 juillet 1939.

7. Lettre à Mrs Pfeiffer du 12 décembre 1939.

8. Lettre à Charles Scribner du 15 août 1940.

9. Lettre à Hadley du 26 décembre 1940.
10. Le journaliste redouté et honni depuis *Mort dans l'après-midi.*

Chapitre 43. L'affront

1. Anecdote rapportée par Carlos Baker, *ibidem.*
2. Lettre à Charles Scribner du 24 février 1940.
3. Lettre à Maxwell Perkins du 15 novembre 1941.
4. Frances et Francis Scott Fitzgerald, *Lots of Love, Scott et Scottie, correspondance 1936-1940*, Bernard Pascuito Éditeur, Paris, 2008.
5. Lettre à Maxwell Perkins du 15 novembre 1941.
6. Voir à ce sujet la note à la lettre du 15 novembre 1941 in *Lettres choisies, ibidem.*
7. Lettre à Maxwell Perkins du 11 décembre 1941.
8. Lettre à Charles Scribner du 12 décembre 1941.

Chapitre 44. Cuba, nid d'espions

1. *Diplomats and Demagogs : the Memoirs of Spruille Braden*, Arlington House, New Rochelle, 1971.
2. Citation rapportée par Jeffrey Meyers, *ibidem.*
3. Lettre à Hadley du 25 novembre 1943.
4. Lettre à Maxwell Perkins du 27 août 1942.
5. Anecdote rapportée par James R. Mellow, *ibidem.*
6. *Idem.* À ce sujet, on note néanmoins des contradictions entre les biographes. Baker, lui, affirme que Martha a gagné l'Europe avant Hemingway.
7. Anecdotes rapportées par James R. Mellow, *ibidem.*

Chapitre 45. Un jour bien long

1. George Taylor, l'un des premiers officiers à mettre le pied sur le sol français.

Chapitre 46. Bravoure ou inconscience

1. Voir l'article d'Ernest Hemingway intitulé « London Fights the Robots », publié le 19 août 1944 dans *Collier's,* également reproduit dans *By-Line* (*En ligne,* Gallimard, Paris, 1970).
2. Carlos Baker, *ibidem.*

Chapitre 47. L'écrivain à la mitraillette

1. Cité par Gérard-Georges Lemaire dans *Le Magazine littéraire,* n° 377.

2. Adrienne Monnier, *Rue de l'Odéon*, Albin Michel, Paris, 1960.
3. Carlos Baker, *ibidem*.

Chapitre 48. Agir et imaginer

1. Voir les lettres à Patrick Hemingway et au colonel Lanham des 19 novembre et 8 octobre 1944.
2. Lettre à Mary Welsh du 13 septembre 1944.
3. Lettre à Charles Scribner du 27 août 1949.
4. Anecdote rapportée par Lanham dans ses Mémoires, et citée par C. Baker, *ibidem*.
5. Lettre à Charles Scribner des 6 et 7 septembre 1949.

Chapitre 49. Une seconde jeunesse

1. Lettre à Charles Scribner du 28 juin 1947.
2. Lettre à Charles Scribner du 22 juillet 1949.
3. *Idem.*
4. Gérard de Cortanze, dans *Le Magazine littéraire*, n° 377.
5. Philippe Sollers, dans *Le Monde des livres* daté du 26 juin 1992 (article intitulé « Hemingway et ses masques »).
6. Voir lettre à sa mère du 17 septembre 1949.
7. Lettre à Charles Scribner du 27 août 1949.
8. Lettre à Charles Scribner du 28 juin 1947.
9. Lettre au romancier Harvey Breit du 3 juillet 1956.

Chapitre 50. Le démon de midi

1. Anecdote relatée par Adriana Ivancich dans ses mémoires, Mondadori, Milan, 1980.
2. Lire à ce sujet *The Hemingway Women*, de Bernice Kert, W. W. Norton & Company, New York, 1983.
3. Carlos Baker, *ibidem*.
4. Lettre à Charles Scribner du 2 octobre 1951.

Chapitre 51. Le triomphe du vieil homme

1. Lettre à Thomas Bledsoe du 9 décembre 1951.
2. Philip Young, *Hemingway, a Reconsideration*, Pennsylvania State University Press, 1966.
3. Lettre à Thomas Bledsoe du 9 décembre 1951.
4. Lettre à Wallace Meyer (de chez Scribner's) du 21 février 1952.

5. Lettre à Wallace Meyer des 4 et 7 mars 1952.
6. Lettre à Adriana Ivancich du 31 mai 1952.
7. Cyril Connoly dans le *Sunday Times* de Londres, cité par J. Mellow, *ibidem*.
8. Orville Prescott, du *New York Times*, cité par J. Mellow, *ibidem*.
9. Propos rapporté par A.-E. Hotchner, *ibidem*.
10. Voir la lettre à Wallace Meyer du 6 mai 1953.
11. Rapporté par Jorge Semprun dans l'entretien intitulé « Aux côtés des Espagnols » et publié dans *Le Magazine littéraire*, n° 377.

Chapitre 52. Cauchemar africain

1. Lettre à Bernard Berenson du 15 septembre 1953.
2. Lettre à Harvey Breit du 3 janvier 1954.
3. *Idem.*
4. Cité par James R. Mellow, *ibidem*.

Chapitre 53. Le Nobel, mais à quel prix ?

1. *Idem.*
2. Voir lettre à Charles T. Lanham du 10 novembre 1954.
3. Lettre à son traducteur Ivan Kashkin du 19 août 1935.
4. Lettre à Charles T. Lanham du 10 novembre 1954.
5. Lettre au général Dorman O'Gowan du 23 décembre 1954.

Chapitre 54. Le déclin et l'illusion

1. Lettres à Gianfranco Ivancich du 25 mai 1956 et à Wallace Meyer du 2 avril 1956.
2. Lettre à Alfred Rice du 24 janvier 1956.
3. Lettre à Gary Cooper du 9 mars 1956.
4. Lettre à Harvey Breit du 3 juillet 1956.
5. *Idem.*
6. Voir Jorge Semprun, « Aux côtés des Espagnols », propos recueillis dans *Le Magazine littéraire*, n° 377.
7. Lettre à J. Donald Adams, rédacteur en chef de la *New York Times* « *Book Review* », du 30 septembre 1956.
8. Voir lettre à Gianfranco Ivancich du 31 janvier 1958.
9. Jorge Semprun, « Aux côtés des Espagnols », propos recueillis dans *Le Magazine littéraire*, n° 377.
10. Lettre à Patrick Hemingway du 24 novembre 1958.
11. Anecdote rapportée par James Mellow, *ibidem*.

Chapitre 55. Baisser de rideau

1. Lettre à Patrick Hemingway du 5 août 1959.
2. Entretien avec l'auteur, 2010.
3. Lettre à Andrew Turnbull du 1ᵉʳ novembre 1959.
4. Lettre du 15 août 1960, citée en note dans les *Lettres choisies*, *ibidem*.
5. Lettre à Mary Hemingway du 23 septembre, citée en note dans les *Lettres choisies*, *ibidem*.
6. John Earl Haynes, Harvey Klehr et Alexander Vassiliev, *ibidem*.
7. *Idem*.

Bibliographie et filmographie

Principaux ouvrages d'Ernest Hemingway :

Three Stories and Ten Poems, Éditions De Contact, Paris, 1923.

In Our Time, Boni & Liveright, New York, 1925. En français : *De nos jours, in Nouvelles complètes,* Quarto, Gallimard, Paris, 1999.

The Sun Also Rises, Charles Scribner's Sons, New York, 1926. En français : *Le soleil se lève aussi,* Folio, Gallimard, trad. Maurice-Edgar Coindreau, Paris, 1972.

Men without Women, Charles Scribner's Sons, New York, 1927. En français : *Hommes sans femmes, in Cinquante mille dollars et autres nouvelles,* Folio bilingue, Gallimard, trad. Marcel Duhamel et Ott de Weymer, Paris, 2002.

A Farewell to Arms, Charles Scribner's Sons, New York, 1929. En français : *L'Adieu aux armes,* Folio, Gallimard, trad. Maurice-Edgar Coindreau, Paris, 1982.

Death in the Afternoon, Charles Scribner's Sons, New York, 1932. En français : *Mort dans l'après-midi,* Folio, Gallimard, trad. René Daumal, Paris, 1972.

Green Hills of Africa, Charles Scribner's Sons, New York, 1935. En français : *Les Vertes Collines d'Afrique,* Folio, Gallimard, trad. Jeanine Delpech, Paris, 1973.

The Snows of Kilimanjaro, Esquire, 1936. En français : *Les Neiges du Kilimandjaro,* Folio bilingue, Gallimard, trad. Marcel Duhamel, Paris, 2001.

The Short Happy Life of Francis Macomber, Cosmopolitan Magazine, 1936. En français : *La Capitale du monde,* suivie de *L'Heure triomphale de Francis Macomber,* Folio, Gallimard, trad. Marcel Duhamel, révisée par Marc Saporta, Paris, 2008.

To Have and to Have Not, Charles Scribner's Sons, New York, 1937. En français : *En avoir ou pas,* Folio, Gallimard, trad. Marcel Duhamel, Paris, 1973.

The Fifth Column and the First Forty-Nine Stories, Charles Scribner's Sons, New York, 1938. En français : *Paradis perdu,* suivi de *La Cinquième Colonne,* Folio, Gallimard, trad. Marcel Duhamel et Henri Robillot, Paris, 1973.

For Whom the Bell Tolls, Charles Scribner's Sons, New York, 1940. En français : *Pour qui sonne le glas,* Folio, Gallimard, trad. Denise Van Moppès, Paris, 1973.

Across the River and Into the Trees, Charles Scribner's Sons, New York, 1950. En français : *Au-delà du fleuve et sous les arbres,* Folio, Gallimard, trad. Paule de Beaumont, Paris, 1995.

The Old Man and the Sea, Charles Scribner's Sons, New York, 1952. En français : *Le Vieil Homme et la mer,* Folio, Gallimard, trad. Jean Dutourd, Paris, 2007.

A Moveable Feast, Charles Scribner's Sons, New York, 1964. En français : *Paris est une fête,* Folio, Gallimard, trad. Marc Saporta, Paris, 2009.

Islands in the Stream, Charles Scribner's Sons, New York, 1970. En français : *Îles à la dérive,* coll. Monde entier, Gallimard, trad. Jean-René Major, Paris, 1971.

Nick Adams Stories, Charles Scribner's Sons, New York, 1972. En français : *Les Aventures de Nick Adams,* Gallimard, trad. Céline Zins, Marcel Duhamel, Victor Llona et Henri Robillot, Paris, 1977.

The Dangerous Summer, Charles Scribner's Sons, New York, 1985. En français : *L'Été dangereux,* Folio, Gallimard, trad. Jean-Pierre Carasso, Paris, 1992.

The Garden of Eden, Charles Scribner's Sons, New York, 1986. En français : *Le Jardin d'Éden,* Folio, Gallimard, trad. Maurice Rambaud, Paris, 2003.

True at First Light, Charles Scribner's Sons, New York, 1999. En français : *La Vérité à la lumière de l'aube,* Folio, Gallimard, trad. Marie-France de Paloméra, Paris, 2001.

Lettres choisies (1917-1961), Gallimard, trad. Michel Arnaud, Paris, 1986.

Filmographie :

Cinéma :

1932 : *L'Adieu aux armes* (*A Farewell to Arms*), film réalisé par Frank Borzage, scénarisé par Benjamin Glazer et Olivier H.-P. Garret, produit par Benjamin Glazer et Edward A. Blatt, avec Gary Cooper et Helen Hayes.

1937 : *Terre d'Espagne* (*Spanish Earth*), documentaire réalisé par Jovis Ivens, avec le concours d'Ernest Hemingway (commentaires) et d'Archibald MacLeish, produit par Contemporary Historians Inc.

1943 : *Pour qui sonne le glas* (*For Whom the Bell Tolls*), film réalisé par Sam Wood, scénarisé par Dudley Nichols, produit par Sam Wood, avec Gary Cooper et Ingrid Bergman.

1944 : *Le Port de l'angoisse* (*To Have and Have Not*), film réalisé par Howard Hawks, scénarisé par William Faulkner et Jules Furthman, produit par Howard Hawks et Jack Warner pour la Warner Bros, d'après le roman *En avoir ou pas*, avec Humphrey Bogart et Lauren Bacall.

1946 : *Les Tueurs* (*The Killers*), réalisé par Robert Siodmak, scénarisé par Anthony Veiller et John Huston, produit par Mark Hellinger, avec Burt Lancaster et Ava Gardner.

1947 : *L'Affaire Macomber* (*The Macomber Affair*), film réalisé par Zoltan Korda, scénarisé et produit par Benedict Bogeaus, avec Gregory Peck et Joan Bennett.

1949 : *La Belle de Paris* (*Under my Skin*), film réalisé par Jean Negulesco, scénarisé par Casey Robinson, d'après la nouvelle *My Old Man*, produit par Darryl Zanuck et Casey Robinson, avec John Garfield et Micheline Presle.

1950 : *Trafic en haute mer* (*The Breaking Point*), film réalisé par Michael Curtiz, scénarisé par Ranald MacDougall, d'après le roman *En avoir ou pas*, produit par Jerry Wald, avec John Garfield et Patricia Neal.

1952 : *Les Neiges du Kilimandjaro* (*The Snows of Kilimanjaro*), film réalisé par Henry King, scénarisé par Casey Robinson, produit par Darryl Zanuck, avec Gregory Peck, Susan Hayward et Ava Gardner.

1957 : *L'Adieu aux armes* (*A Farewell to Arms*), film réalisé par Charles Vidor, produit par David O. Selznick, scénarisé par Ben Hecht, avec Rock Hudson, Jennifer Jones, Vittorio de Sica et Alberto Sordi.

1957 : *Le soleil se lève aussi* (*The Sun Also Rises*), film réalisé par Henry King, scénarisé par Peter Viertel, produit par Darryl Zanuck, avec Tyrone Power, Ava Gardner, Mel Ferrer, Errol Flynn, Eddie Albert et Juliette Gréco.

1958 : *Le Vieil Homme et la mer* (*The Old Man and The Sea*), film réalisé par John Sturges, scénarisé par Peter Viertel, avec Spencer Tracy et Felipe Pazos.

1962 : *Aventures de jeunesse* (*Hemingway's Adventures of a Young Man*), film réalisé par Martin Ritt, scénarisé par A.-E. Hotchner, produit par Jerry Wald, d'après *The Nick Adams Stories*, avec Richard Beymer, Diane Baker et Corinne Calvet.

1977 : *L'Île des adieux* (*Islands in the Stream*), film réalisé par Franklin J. Schaffner, scénarisé par Denne Bart Petitclerc, d'après le roman posthume *Îles à la dérive*, avec George C. Scott, David Hemmings, Gilbert Roland, Susan Tyrell, Richard Evans et Claire Bloom.

1996 : *Le Temps d'aimer* (*In Love and War*), film réalisé et produit par Richard Attenborough, avec Chris O'Donnell, Sandra Bullock, Mackenzie Astin, Ingrid Lacey et Margot Steinberg.

1999 : *Le Vieil Homme et la mer*, film d'animation réalisé par Alexandre Petrov.

Télévision :

1964 : *À bout portant* (*The Killers*), film réalisé et produit par Don Siegel, scénarisé par Gene L. Coon, avec Lee Marvin, Angie Dickinson et John Cassavetes.

1984 : *Le soleil se lève aussi* (*The Sun also Rises*), film réalisé par James Goldstone, scénarisé par Robert L. Joseph, avec Hart Bochner, Jane Seymour et Robert Carradine.

1990 : *Le Vieil Homme et la mer* (*The Old Man and the Sea*), film réalisé par Jud Taylor, scénarisé par Roger O. Hirson, avec Anthony Quinn et Gary Cole.

Bibliographie et filmographie

Ouvrages sur Ernest Hemingway :

Baker, Carlos, *Hemingway, histoire d'une vie* (2 tomes), Robert Laffont, trad. Claude Noël et Andrée Picard, Paris, 1971.

Burgess, Anthony, *Ce sacré Hemingway*, Fayard, trad. Léo Dilé, Paris, 1979.

The Cambridge Companion to Ernest Hemingway, Cambridge University Press, 1996.

Charyn, Jerome, *Portrait de l'artiste en guerrier blessé*, coll. « Découvertes », Gallimard, Paris, 1999.

Cortanze de, Gérard, *Hemingway à Cuba*, Éditions du Chêne, Paris, 1997.

Donaldson, Scott, *By Force of Will*, Universe, 2001.

Griffin, Peter, *Ernest Hemingway*, Gallimard, trad. Michel Arnaud, Paris, 1989.

Hotchner, A.-E., *Papa Hemingway*, Calmann-Lévy, trad. A.-E. Major, Paris, 1999.

Lynn, Kenneth S., Hemingway, Payot, trad. Anne Wicke et Marc Amfreville, Paris, 1990.

McLendon, James, *Papa Hemingway in Key West*, E. A. Seaman Publishing, Miami, 1972.

Mellow, James R., Hemingway, Éditions du Rocher, Paris, 1995.

Meyers, Jeffrey, *Hemingway*, Belfond, trad. Sylvie Besse et Geneviève Hily-Mane, Paris, 1987.

Reynolds, Michael, *Hemingway's First War*, Princeton University Press, 1976.

Reynolds, Michael, *Hemingway, the Final Years*, W. W. Norton & Company, New York, 1999.

Sandison, David, *Ernest Hemingway*, Chicago Review Press, 1999.

Ouvrages sur l'époque :

Bakewell, Charles Montague, *The Story of the American Red Cross in Italy*, The Macmillan Company, New York, 1920.

Bay, André, *Adieu Lucy, le roman de Pascin*, Albin Michel, Paris, 1984.

Beevor, Antony, *La Guerre d'Espagne*, Calmann-Lévy, Paris, 2006.

Bernstein, Serge et Milza, Pierre, *Histoire de la France au XXᵉ siècle, tome I : 1900-1930*, Éditions Complexe, Paris, 1990.

Capa, Robert, *Slightly Out of Focus*, Henry Holt, New York, 1947.

Cate, Curtis, *Malraux*, coll. « Tempus », Perrin, Paris, 2006.

Cazes, Marcelin, *50 ans de Lipp*, La Jeune Parque, Paris, 1966.

Courrière, Yves, *Joseph Kessel ou Sur la piste du lion*, Plon, Paris, 1985.

Crespelle, Jean-Paul, *La Vie quotidienne à Montparnasse à la grande époque 1905-1930*, Hachette, Paris, 1980.

Douglas, Charles, *Artist Quarter*, Faber and Faber, Londres, 1941.

Droz, Bernard et Rowley, Anthony, *Histoire générale du XXᵉ siècle. Première partie : jusqu'en 1949, tome I : Déclins européens*, Seuil, Paris, 1986.

Duroselle, Jean-Baptiste, *La Grande Guerre des Français, 1914-1918*, Perrin, Paris, 2002.

Ehrenbourg, Ilya, *Les Années et les hommes*, Gallimard, Paris, 1962.

Fauchereau, Serge, *Hommes et mouvements esthétiques du XXᵉ siècle*, coll. « Diagonales », Cercle d'Art, Paris, 2005.

Fauchereau, Serge, *Philippe Soupault, voyageur magnétique*, Cercle d'Art, Paris, 1989.

Ferro, Marc, *La Grande Guerre 1914-1918*, Folio, Gallimard, Paris, 1990.

Fitzgerald, Francis Scott, *Gatsby le magnifique*, Le Livre de poche, trad. Jacques Dutourd, 1976.

Flanner, Janet, *Paris, c'était hier, chroniques d'une Américaine à Paris, 1925-1939*, Mazarine, Paris, 1981.

Ford, Hugh, *Published in Paris, American and British Writers, Printers and Publishers in Paris, 1920-1939*, Garnstone Press, Londres, 1975.

Glassco, John, *Mémoires de Montparnasse*, Viviane Hamy, Paris, 2010.

Grenier, Roger, *Trois heures du matin, Scott Fitzgerald*, Gallimard, Paris, 1995.

Haynes, John Earl, Harvey Klehr et Alexander Vassiliev, *Spies : The Rise and Fall of the KGB in America*, Yale University Press, New Haven, 2009.

Higonnet, Patrice, *Paris, capitale du monde*, Tallandier, Paris, 2005.

Kauffer, Rémy, *André Malraux 1901-1976, le roman d'un flambeur*, Hachette, Paris, 2001.

Kemp, Anthony, *Le Débarquement en Normandie*, coll. « Découvertes », Gallimard, Paris, 1994.

Kiki de Montparnasse, *Souvenirs de Kiki*, introduction d'Ernest Hemingway et de Foujita, Hazan, Paris, 1999.

Klüver, Billy et Julie Martin, *Kiki et Montparnasse*, Flammarion, Paris, 1989.

Lacouture, Jean, *Malraux, une vie dans le siècle*, Seuil, Paris, 1973.

Lemaire, Gérard-Georges, *Les Cafés littéraires*, Éditions de La Différence, Paris, 1997.

Lemire, Laurent, *Malraux*, Jean-Claude Lattès, Paris, 1995.

Le Naour, Jean-Yves, *Misères et tourments de la chair durant la Grande Guerre*, Aubier, Paris, 2002.

Lottman, Herbert R., *La Rive gauche, du Front populaire à la guerre froide*, Seuil, Paris, 1981.

Loyer, Emmanuelle, *Paris à New York, intellectuels et artistes français en exil 1940-1947*, Grasset, Paris, 2005.

Mollgaard, Lou, *Kiki, reine de Montparnasse*, Robert Laffont, Paris, 1988.

Monnier, Adrienne, *Rue de l'Odéon*, Albin Michel, Paris, 1960.

Muller, Catel et José-Louis Bocquet, *Kiki de Montparnasse*, Casterman, Paris, 2007.

Nin, Anaïs, *Le Feu, journal inédit et non expurgé des années 1934-1937*, Stock, Paris, 1997.

Putnam, Samuel, *Paris Was Our Mistress, Memoirs of a Lost and Found Generation*, Viking Press, New York, 1947.

Reyes, Alfonso, *Chroniques parisiennes*, Librairie Séguier, Paris, 1991.

Rogers, William G., *When This You See, Remember Me : Gertrude Stein in Person*, Greenwood Press, Westport, 1948.

Salmon, André, *Souvenirs sans fin, tomes I et II*, Gallimard, Paris, 1955, 1966.

Thomas, Hugh, *La Guerre d'Espagne*, Bouquins-Robert Laffont, trad. Jacques Brousse, Lucien Hess, Christian Bounay, Paris, 1985.

Todd, Olivier, *André Malraux*, Gallimard, Paris, 2001.

Voelker, John D., *Itinéraire d'un pêcheur à la mouche*, Gallmeister, Paris, 2006.

UNE VIE DANS LE SIÈCLE
Hemingway en quelques dates :

21 juillet 1899 : Oak Park, près de Chicago, non loin des Grands Lacs. Naissance d'Ernest Miller Hemingway, fils de Clarence Edmonds Hemingway, médecin, et de Grace Hall. L'alliance « d'un coyote et d'un caniche blanc », dira plus tard leur fils...

Été 1909 : Nantucket. Le jeune Ernest reçoit de son père un fusil de chasse pour son dixième anniversaire. Avec lui, il a toujours chassé, pêché, et parcouru les grands espaces.

Automne 1917 : Après des études tout juste convenables à la High School d'Oak Park, il rentre comme stagiaire au *Kansas City Star* et y restera sept mois.

Été 1918 : Il s'engage comme ambulancier pour la Croix-Rouge sur le front italien. Il est très sérieusement blessé le 8 juillet et va tomber amoureux de son infirmière, Agnès von Kurowsky, pendant sa convalescence. Ses premiers émois amoureux lui inspireront *L'Adieu aux armes*.

1920 : De retour aux États-Unis, il part quelques mois au Canada travailler pour le *Toronto Star*. À la fin de l'année, il rencontre Hadley Richardson, sa première femme, dont il restera proche toute sa vie.

3 septembre 1921 : Il épouse Hadley puis l'entraîne à Paris, dans ce Montparnasse des années 1920 dont les heures chaudes vont le bercer. De là il rayonnera pour ses reportages en Allemagne, en Turquie, et en Italie où il rencontrera Mussolini.

10 octobre 1923 : Naissance à Toronto de leur premier fils, John Hadley Nicanor, dit « Jack » ou « Bumby ».

Fin 1923 : Publication de son premier livre de nouvelles, *Three Stories and Ten Poems*. À 300 exemplaires...

Début 1924 : Retour à Paris. Il finit par faire imprimer à la fin de l'année *De nos jours*, manuscrit refusé dans un premier temps malgré l'intervention de son ami Dos Passos. Premier tirage : 170 exemplaires...

Été 1925 : Il se lie avec Francis Scott Fizgerald et multiplie les voyages à Pampelune : il adore la tauromachie.

Octobre 1926 : Publication de son premier roman : *Le soleil se lève aussi*. Premier roman, premier succès.

Printemps 1927 : Ernest et Hadley divorcent. Quelques semaines plus tard, il épouse une amie d'Hadley, Pauline Pfeiffer, qui travaille pour *Vogue*. Un nouveau recueil de nouvelles : *Hommes sans femmes*. Ce ne sera jamais son cas...

28 juin 1928 : Naissance de son premier fils avec Pauline : Patrick, dit « Mousie ». En décembre, premier drame de sa vie : le suicide de son père, dont il était très proche mais qu'il va juger lâche.

Automne 1929 : Publication de *L'Adieu aux armes*, très bien accueilli. On en tirera une pièce – un échec – et un film – un succès.

12 novembre 1931 : Naissance de son troisième et dernier fils, Grégory, dit « Gigi », qui aura lui-même huit enfants avant de se faire opérer pour devenir femme sous le nom de Gloria et réépouser sa dernière épouse dans l'État de Washington qui permet les mariages de ce type.

Automne 1932 : Parution de *Mort dans l'après-midi*, inspiré de sa fascination pour les corridas.

Automne 1935 : Installé désormais sur l'île de Key West, au large de la Floride, il assiste à un terrible ouragan et publie *Les Vertes Collines d'Afrique*, qui va décevoir la critique.

Été 1936 : Toujours tirées de ses expériences de safari, voici *Les Neiges du Kilimandjaro*. Un roman très bien accueilli, tout comme quelques mois plus tard *L'Heure triomphale de Francis Macomber* puis *En avoir ou pas*.

Printemps 1937 : Il découvre l'enfer de la guerre d'Espagne sur le front de Guadalajara. Rencontre à Madrid Saint-Exupéry et

Malraux, avec lequel il ne s'entendra pas. Écrit le commentaire d'un film de Joris Ivens sur la guerre civile.

Automne 1940 : Il divorce d'avec Pauline, la mère de ses deux derniers fils et épouse deux semaines plus tard une autre journaliste, Martha Gellhorn, rencontrée quatre ans plus tôt à Key West. Ils s'installeront très vite à La Havane, dans la propriété de la Finca Vigia.

Hiver 1940 : Énorme succès, *Pour qui sonne le glas* sera vendu à un million d'exemplaires en un an. Son adaptation cinématographique, avec Gary Cooper et Ingrid Bergman, sera tout aussi appréciée.

Printemps 1944 : Après de nombreux reportages, notamment en Extrême-Orient en compagnie de sa nouvelle femme, il fait tout pour participer au débarquement de Normandie avec son ami le photographe Robert Capa.

25 août 1944 : Il pénètre dans Paris avec les toutes premières forces alliées. Il « libère » le bar du Ritz et se fait convoquer par les militaires américaines et brocarder par les correspondants de guerre : il a arboré un brassard des FFI et dévoyé, selon eux, sa mission de journaliste. Cela ne l'empêche pas d'être encore présent quelques mois plus tard lors de la contre-offensive allemande dans les Ardennes.

Printemps 1946 : Fraîchement divorcé de Martha Gellhorn, il épouse encore une journaliste, Mary Welsh, qui sera donc sa quatrième et dernière femme. Il écrit à Cuba *Le Jardin d'Éden*.

Décembre 1948 : À la veille de ses cinquante ans, il rencontre à Venise son dernier amour, Adriana Ivancich, dix-huit ans, qu'il fréquentera pendant six ans. De cet épisode douloureux, il tirera un roman qui sera mal reçu, *Au-delà du fleuve et sous les arbres*.

28 juin 1951 : Mort de sa mère Grace. Il n'assiste pas à son enterrement.

Sa deuxième femme, Pauline, meurt à son tour le 1er octobre.

Été 1952 : Publication dans *Life* puis en librairie du *Vieil homme et la mer*. Succès foudroyant : six millions d'exemplaires.

Hiver 1953 : Après avoir reçu le prix Pulitzer pour *Le Vieil Homme et la mer*, il s'envole vers l'Espagne puis l'Afrique (pour le magazine *Look*). Double accident d'avion. La presse le croit mort.

28 octobre 1954 : Après avoir si souvent fustigé les écrivains américains à qui on l'avait décerné, il obtient le prix Nobel de littérature, mais ne se déplace pas à Stockholm pour le recevoir en raison de son état de santé.

Automne 1956 : Il retrouve miraculeusement à Paris, dans les caves du Ritz, de vieux carnets datant de plus de trente ans. Ils vont lui permettre d'écrire *Paris est une fête*.

Été 1960 : Dernier voyage en Espagne afin de suivre pour *Life* l'affrontement entre les deux toreros vedettes, Ordóñéz et Dominguin. Cela donne *L'Été dangereux*. À son retour en Amérique, il quitte définitivement La Havane pour emménager à Ketchum, dans l'Idaho.

2 juillet 1961 : À 7 h 30 du matin, il se tire une décharge de carabine à bout portant. Comme son père qu'il avait tant blâmé, trente-trois ans plus tôt.

5 juillet 1961 : Il est enterré dans le cimetière de Ketchum. Trente-cinq ans plus tard, sa petite-fille Margaux, qui elle aussi s'est suicidée, viendra l'y rejoindre.

TABLE

CRÉDITS ICONOGRAPHIQUES
Couverture et cahier hors-texte

Remerciements à Bernard Marck, grand spécialiste du Paris de l'entre-deux-guerres.

Mise en page par Meta-systems
Roubaix (59100)

CET OUVRAGE
A ÉTÉ ACHEVÉ D'IMPRIMER
SUR ROTO-PAGE
PAR L'IMPRIMERIE FLOCH
À MAYENNE EN JANVIER 2011

Nº d'édition : L.01EBNN000212.N001. Nº d'impression : 78743.
Dépôt légal : janvier 2011.
Imprimé en France